10 18

12, avenue d'Italie — Paris XIIIe

LA LEÇON DES CHOSES

PAR

SOMERSET MAUGHAM

Traduit de l'anglais
par Minnie DANZAS, Joseph DOBRINSKY,
Jacky MARTIN, Pierre NORDON,
Jean QUÉVAL et Claude THOMAS

10 18

« Domaine étranger »
dirigé par Jean-Claude Zylberstein

Si vous désirez être régulièrement tenu au courant
de nos publications, écrivez-nous :

Éditions 10/18
c/o 01 Consultants (titre n° 3009)
35, rue du Sergent Bauchat
75012 Paris

Titre original :
The Mixture as Before

© The Royal Literary Fund
© Éditions Julliard, 1981-1982
ISBN 2-264-02449-6

Sommaire

Les trois grosses dames d'Antibes

L'une s'appelait Mrs. Richman, et elle était veuve. La deuxième, qui s'appelait Mrs. Sutcliffe, était américaine et deux fois divorcée. La troisième, Miss Hickson, était célibataire. Toutes trois avaient atteint une aimable quarantaine et elles avaient de la fortune. Mrs. Sutcliffe portait l'insolite prénom d'Arrow (la Flèche).

Du temps où elle était jeune et svelte, elle en était assez fière, car ce prénom lui convenait et les plaisanteries qu'il suscitait, bien que trop souvent répétées, flattaient agréablement son amour-propre. Et elle n'était pas loin de penser qu'il correspondait aussi à sa personnalité, suggérant quelque chose de direct, de vif et de résolu. Il lui plaisait moins, maintenant que l'embonpoint avait estompé ses traits délicats, que ses bras et ses épaules étaient si empâtés et ses hanches si massives. Elle avait de plus en plus de mal à trouver des robes qui la faisaient paraître telle qu'elle aimait se voir. Quant aux plaisanteries inspirées par son prénom, elles se faisaient à présent derrière son dos, et elle savait fort bien qu'elles n'avaient rien d'agréable. Elle ne se résignait guère à la maturité. Elle continuait à porter du bleu, pour mettre en valeur la couleur de ses yeux, et, à force d'artifices, sa blonde chevelure avait conservé son éclat.

Elle savait gré à Beatrice Richman et à Frances Hickson d'être tellement plus fortes qu'elle, qu'à côté de ses amies elle semblait presque mince. Toutes deux étaient ses aînées et avaient tendance à la traiter en gamine. Ce n'était pas désagréable. Dotées d'un bon naturel, ces deux femmes la taquinaient gentiment au sujet de ses amoureux, alors qu'elles-mêmes avaient écarté de leurs pensées ce genre de sottise — Miss Hickson n'y avait d'ailleurs jamais songé —, et elles envisageaient ses flirts avec bienveillance. Il allait de soi qu'un de ces prochains jours Arrow allait faire le bonheur d'un troisième homme.

— Mais il faut veiller à ne plus prendre de poids, mon chou, disait Mrs. Richman.

— Et, pour l'amour du ciel, assurez-vous qu'il bridge convenablement, ajoutait Miss Hickson.

Elles envisageaient pour Arrow un homme frisant la cinquantaine, mais bien conservé et d'allure distinguée. Amiral à la retraite et bon golfeur, ou veuf sans charges de famille, mais, dans les deux cas, jouissant d'un confortable revenu. Arrow les écoutait avec bonne grâce sans jamais laisser entrevoir qu'elle avait sur la question des idées fort différentes. Certes, elle ne demandait pas mieux que de se remarier, mais l'homme de ses rêves était soit un svelte Italien à la noire chevelure, aux yeux ardents et au nom aristocratique, soit un Espagnol de noble lignée, l'un ou l'autre ayant trente ans d'âge, et pas un jour de plus. Il lui arrivait, en se regardant dans la glace, de se convaincre qu'elle-même n'en faisait guère plus.

C'étaient de grandes amies, en vérité, Miss Hickson, Mrs. Richman et Arrow Sutcliffe. L'embonpoint les avait réunies et le bridge avait cimenté leur alliance. Elles s'étaient rencontrées pour la première fois à Karlsbad, alors qu'elles séjournaient dans le même hôtel, suivies par le même médecin, qui se montrait à leur égard également impitoyable.

Beatrice Richman était énorme. Belle femme au

demeurant, aux yeux superbes, aux joues fardées, aux lèvres peintes. Elle se trouvait bien dans sa condition de veuve nantie. Elle adorait manger. Elle aimait les tartines beurrées, la crème fraîche, les pommes de terre et les beignets bien gras. Aussi, pendant onze mois de l'année, ingurgitait-elle à peu près tout ce qui lui faisait envie, pour consacrer le dernier mois à sa cure d'amaigrissement de Karlsbad. Mais, d'année en année, elle prenait de l'importance. Elle réprimandait son médecin, sans pour autant l'émouvoir. Il se contentait de lui rappeler quelques vérités élémentaires.

— Mais si je ne puis plus rien manger de ce que j'aime, la vie ne vaut pas la peine d'être vécue ! protestait-elle.

Il haussait une épaule désapprobatrice. Plus tard, elle devait confier à Miss Hickson qu'elle soupçonnait le médecin d'être bien moins brillant qu'elle ne l'avait cru. Miss Hickson s'esclaffa bruyamment. C'était son genre. Elle avait une voix de basse profonde, une figure large, plate, au teint brouillé, éclairé par de petits yeux pétillants. Elle marchait d'un pas traînant, les mains dans les poches et, loin des regards indiscrets, elle fumait volontiers de longs cigares. Elle s'habillait de façon aussi masculine que possible.

— Bon sang, de quoi j'aurais l'air avec des fanfreluches et des falbalas ? disait-elle. Quand on est grosse comme moi, autant se mettre à l'aise !

Elle portait des costumes de tweed et des grosses chaussures et, quand c'était possible, se promenait nutête. Elle était forte comme un bœuf et se targuait, au golf, d'avoir des « drives » beaucoup plus longs que la plupart des hommes. Elle avait son franc-parler et, par la variété de ses jurons, pouvait faire concurrence à un docker. Bien que son prénom fût Frances, elle aimait mieux se faire appeler Frank. Autoritaire, mais non dépourvue de tact, c'était par la force joviale de son caractère qu'elle maintenait l'unité du trio. Ensemble elles prenaient les eaux, se baignaient à la même heure, ensemble elles faisaient leur promenade de santé et arpentaient le court de tennis sous la férule d'un entraîneur professionnel qui s'employait à les faire courir, et c'est à la même table qu'elles absorbaient leur frugal repas de régime.

Rien n'altérait leur bonne humeur, si ce n'est l'aiguille de la balance et, lorsque l'une ou l'autre accusait le même poids que la veille, ni les grosses blagues de Frank, ni la bonhomie de Beatrice, ni Arrow et ses jolies mines de chaton ne parvenaient à dissiper la mélancolie générale. On prenait alors des mesures draconiennes et la coupable se mettait au lit pour vingt-quatre heures, sans autre nourriture que le fameux bouillon de légumes du médecin, qui avait un goût d'eau chaude dans laquelle on aurait abondamment rincé un chou.

Jamais une amitié si sincère n'avait fleuri entre trois femmes. Elles se seraient d'ailleurs suffi à elles-mêmes s'il ne leur avait fallu trouver un quatrième au bridge.

C'étaient des joueuses acharnées et enthousiastes. Aussi, à peine achevés les rites quotidiens de la cure, s'installaient-elles à la table de bridge. Arrow, malgré sa féminité, était la plus forte des trois, menant un jeu dur et brillant, sans pitié, ne concédant jamais un point et ne manquant jamais de tirer profit d'une faute de l'adversaire. Beatrice avait un jeu sûr et sérieux ; Frank, impulsive, était une grande théoricienne qui connaissait le nom des grands champions sur le bout du doigt.

Toutes les trois se plongeaient dans de longues discussions sur les systèmes rivaux, se lançaient à la tête Culberson et Sims. Jamais, de toute évidence, l'une d'elles n'avait joué une carte sans pouvoir l'appuyer d'une quinzaine d'arguments valables. Cependant, il ressortait des conversations qui s'ensuivaient qu'il existait quinze raisons, également excellentes, pour ne pas jouer la carte en question.

La vie aurait été parfaite, malgré la perspective

d'avoir pour toute nourriture l'infect bouillon, quand cette « sacrée » (selon Beatrice), « fichue » (selon Frank), « sale » (selon Arrow) balance prétendait qu'on n'avait pas perdu une once de graisse en l'espace de deux jours, s'il n'y avait pas eu cet éternel problème de trouver un partenaire de leur force au bridge.

C'est pour cette raison qu'un beau jour qui fait l'objet de ce récit, Frank invita Lena Finch à faire un séjour à Antibes. Les trois amies s'y étaient installées pour quelques semaines, sur une suggestion de Frank. Frank, avec son bon sens, avait en effet jugé absurde qu'à peine la cure terminée Beatrice, qui perdait toujours une vingtaine de livres, s'abandonnât à son appétit insatiable et reprît tout le poids qu'elle venait de perdre. Beatrice était une faible. Elle avait besoin d'une compagne à la volonté ferme pour surveiller son régime. Frank avait donc proposé, après la cure de Karlsbad, de louer une maison à Antibes, où elles auraient l'occasion de prendre de l'exercice — tout le monde sait qu'il n'y a rien de tel que la natation pour maigrir — et où elles continueraient, dans la mesure du possible, à suivre le régime. En engageant leur propre cuisinier, elles pouvaient, à tout le moins, proscrire une nourriture trop riche. Et il était permis d'espérer qu'elles perdraient toutes les trois quelques livres de plus. L'idée semblait excellente. Beatrice en voyait tout l'intérêt et elle savait assez bien résister aux tentations si elles ne lui étaient pas mises sous le nez. De plus, elle aimait jouer de l'argent et un petit tour au casino, deux ou trois fois par semaine, constituerait un agréable passe-temps.

Arrow, quant à elle, adorait Antibes et, après un mois à Karlsbad, elle serait au mieux de sa forme. Elle n'aurait que l'embarras du choix parmi les jeunes Italiens, les Espagnols passionnés, les Français empressés et les Anglais dégingandés, qui tous se baladaient, à longueur de journée, en short de bain et en peignoir coloré.

Le plan se révéla parfait. La vie était belle. Deux fois

par semaine, les amies ne mangeaient que des œufs durs et des tomates crues et, tous les matins, elles se pesaient, le cœur léger. Arrow atteignit les soixante-dix kilos et se sentit très jeune fille. Beatrice et Frank, en se plaçant d'une certaine manière sur le plateau, ne dépassaient pas les quatre-vingt-cinq kilos.

Mais il était toujours aussi malaisé de mettre la main sur un quatrième au bridge. Celui-ci jouait comme un pied, celui-là était si lent qu'il vous rendait folle. Un tel était chicanier, un autre se montrait mauvais perdant, tel autre avait tout d'un escroc. Étrangement, elles avaient le plus grand mal à trouver le bridgeur idéal.

Un matin, sur la terrasse donnant sur la mer, alors qu'elles prenaient en pyjama leur thé (sans sucre ni lait) avec les biscottes recommandées par le Dr Heudebert (garanties sans matière grasse), Frank leva la tête de son courrier.

— Lena Finch va descendre sur la Côte, annonça-t-elle.

— Qui est-ce ? demanda Arrow.

— Elle a épousé un de mes cousins, qui est mort il y a deux ou trois mois, et elle se remet d'une dépression nerveuse. Qu'en pensez-vous ? Si on l'invitait ici pour une quinzaine ?

— Elle bridge ? demanda Beatrice.

— Si elle bridge ! tonna Frank. C'est même une sacrée bridgeuse ! Du coup, nous pourrons être complètement indépendantes.

— Quel âge a-t-elle ? demanda Arrow.

— Elle a mon âge.

— L'idée me semble bonne...

Affaire conclue, Frank, avec son dynamisme habituel, sortit à grands pas, à peine terminé le petit déjeuner, pour envoyer un télégramme, et, trois jours plus tard, Lena Finch était là. Frank l'accueillit à sa descente du train. Lena portait un deuil strict mais discret en hommage à son mari récemment disparu. Frank ne l'avait pas vue depuis deux ans. Elle l'embrassa chaleureusement et l'examina avec attention.

— Vous avez drôlement décollé, mon petit, dit-elle.

Lena dit, courageusement, en souriant :

— J'ai eu des tas de malheurs ces derniers temps. Et j'ai pas mal maigri.

Frank poussa un soupir, mais il aurait été difficile de déterminer si elle soupirait d'envie ou de compassion pour la perte cruelle éprouvée par sa cousine.

Lena, néanmoins, ne paraissait pas outre mesure déprimée, et même, après un bain rapide, elle se déclara prête à accompagner Frank à Eden Roc. Frank présenta la nouvelle arrivée à ses deux amies et toutes les quatre allèrent s'asseoir dans le coin appelé « la Maison des singes ». C'était une sorte de véranda surplombant la mer, avec, au fond, un bar où se pressaient les estivants, en tenue de bain, pyjama ou peignoir, qui bavardaient et consommaient autour des tables. Le cœur tendre de Beatrice s'attendrit sur la veuve esseulée. Et Arrow, ayant constaté que Lena était pâle, que son physique était quelconque et qu'elle approchait de la cinquantaine, fut toute disposée à lui accorder son amitié. Un serveur s'approcha de leur table.

— Que prendrez-vous, ma petite Lena ? demanda Frank.

— Oh ! je ne sais pas, la même chose que vous, un Martini dry ou un White Lady.

Arrow et Beatrice lui lancèrent un bref regard. Personne n'ignore que les cocktails font grossir.

— Je comprends que vous soyez fatiguée après votre voyage, dit Frank charitablement.

Elle commanda un Martini dry pour Lena et un mélange de jus d'orange et de citron pour elle-même et ses amies.

— L'alcool ne nous convient pas bien avec cette chaleur, expliqua-t-elle.

— Oh ! moi, ça ne me dérange pas ! répondit Lena d'un ton insouciant. J'aime les cocktails.

Arrow pâlit imperceptiblement sous son fard (elle et Beatrice étaient toujours attentives à ne pas mouiller leur visage lorsqu'elles se baignaient et elles jugeaient ridicule qu'une grosse dondon comme Frank aimât plonger) mais elle ne dit rien. La conversation était gaie et détendue. Toutes ces dames énonçaient avec entrain des vérités premières, et finalement reprirent le chemin de la villa, où le déjeuner les attendait.

Chaque serviette recouvrait deux biscottes sans matière grasse. Lena, avec un grand sourire, les posa à côté de son assiette.

— Puis-je avoir un peu de pain ? demanda-t-elle.

La plus horrible grossièreté n'aurait pas produit un choc aussi brutal. Aucune des trois amies n'avait touché une miette de pain depuis dix bonnes années. Même Beatrice, malgré sa gourmandise, avait su s'imposer cette discipline. Frank, en bonne maîtresse de maison, se ressaisit la première.

— Mais bien sûr, mon chou, dit-elle.

Puis, se tournant vers le maître d'hôtel, elle lui demanda d'en apporter.

— Et un peu de beurre, ajouta Lena avec cette gentillesse et ce naturel qui faisaient son charme.

Il y eut un instant de silence gêné.

— Je ne crois pas qu'on en ait, dit enfin Frank, mais je vais me renseigner. Peut-être y en a-t-il à la cuisine.

— J'adore les tartines beurrées, pas vous ? dit Lena, en s'adressant à Beatrice.

Beatrice, en réponse, eut un pâle sourire et une phrase évasive. Le maître d'hôtel apporta une longue baguette croustillante de pain français. Lena la fendit en deux et la tartina copieusement avec le beurre miraculeusement apparu. Une sole grillée fut alors servie.

— Ici, nous mangeons très simplement, reprit Frank. J'espère que vous vous en accommoderez.

16

— Oh ! mais j'aime la nourriture simple ! déclara Lena, en reprenant du beurre et en l'étalant sur son poisson. Du moment que j'ai du pain, du beurre, des pommes de terre et de la crème fraîche, je suis contente.

Les trois amies échangèrent un regard. Le gros visage terreux de Frank s'affaissa un peu, et elle contempla avec dégoût la sole sèche et insipide dans son assiette. Beatrice vola à son secours.

— Ce qui est embêtant, ici, c'est qu'on ne peut pas se procurer de crème, dit-elle. C'est l'une de ces petites choses dont il faut apprendre à se passer.

— Quel dommage ! fit Lena.

Le déjeuner comprenait encore des côtes de mouton soigneusement dégraissées, afin d'éviter toute tentation à Beatrice, des épinards à l'eau et, pour finir, des poires cuites. Lena goûta ses poires et jeta au maître d'hôtel un regard interrogateur. Cet homme de ressources comprit aussitôt et, bien que le sucre en poudre n'eût jamais jusqu'à ce jour figuré sur la table, il lui en apporta un plein bol, sans la moindre hésitation. Elle se servit généreusement. Les trois autres firent semblant de ne rien voir. On apporta le café, et Lena mit trois cuillerées de sucre dans sa tasse.

— Vous aimez les douceurs, dit Arrow, en s'efforçant de garder un ton amical.

— Nous trouvons que la saccharine sucre bien davantage, déclara Frank en jetant dans son café un minuscule cachet.

— Oh ! quelle horreur ! s'exclama Lena.

Beatrice eut une moue de dépit et lorgna le sucrier avec envie.

— Beatrice ! gronda Frank.

Beatrice, en étouffant un soupir, prit un grain de saccharine.

Frank fut soulagée lorsque, enfin, elles prirent place à la table de bridge. De toute évidence, Arrow et Beatrice étaient contrariées, et Frank aurait tant souhaité qu'elles sympathisent avec Lena et que celle-ci passe en leur compagnie une quinzaine agréable ! Pour le premier robre, Arrow eut Lena pour partenaire.

— Vous jouez Vanderbilt ou Culberson ? demanda-t-elle.

— Je n'ai pas de système, répondit Lena d'une façon inconséquente. Je joue d'instinct.

— Moi, je m'en tiens strictement à Culberson, déclara Arrow d'une voix acide.

Les trois grosses dames se préparaient à la bataille. Pas de système ? Tiens ! tiens ! c'est ce qu'on allait voir ! Lorsqu'il s'agissait de bridge, Frank oubliait ses principes de solidarité familiale, comme ses amies, et c'est avec la même détermination de mettre au pas l'étrangère égarée parmi elles qu'elle s'installa devant ses cartes. Mais l'instinct de Lena fit merveille. Elle avait un don naturel et une grande expérience. Son jeu était imaginatif, rapide, hardi et plein d'assurance. Ses partenaires avaient trop de classe pour ne pas reconnaître très vite la compétence de Lena et, comme elles étaient toutes trois fondamentalement bonnes et généreuses, elles se radoucirent peu à peu. Ça, c'était du bridge ! Elles s'en donnaient à cœur joie. Arrow et Beatrice se sentirent portées à plus de gentillesse à l'égard de Lena, et Frank, constatant leur changement d'humeur, poussa un gros soupir de soulagement. Tout se passerait finalement à merveille.

Au bout de deux heures, elles se séparèrent, Frank et Beatrice pour faire un parcours de golf, et Arrow pour se promener d'un bon pas en compagnie du jeune prince Roccamare, dont elle avait fait, tout récemment, la connaissance. Il était charmant, jeune et joli garçon. Lena déclara qu'elle allait se reposer.

Elles se retrouvèrent juste avant l'heure du dîner.

— J'espère que vous ne vous êtes pas ennuyée, ma petite Lena, dit Frank. J'ai eu quelque remords de vous laisser seule, inoccupée, pendant tout ce temps.

— Oh ! ne vous excusez pas ! J'ai fait une sieste merveilleuse, et puis je suis descendue à Juan, où je me suis offert un cocktail. Et savez-vous ce que j'ai découvert ? Vous allez être contentes. Je suis tombée sur un charmant petit salon de thé où l'on vous sert de la crème fraîche, vraiment exquise, bien épaisse ! J'en ai commandé. On va nous en livrer un demi-litre tous les jours. J'ai pensé que ce serait ma petite contribution aux frais du ménage.

Ses yeux brillaient. De toute évidence, elle s'attendait à des manifestations d'enthousiasme.

— Comme c'est aimable à vous ! dit Frank avec un regard qui cherchait à apaiser l'indignation qu'elle lisait sur le visage de ses deux amies. Mais nous ne prenons jamais de crème. Avec ce climat, cela détraque le foie.

— Eh bien, je vais être obligée de la manger toute seule, rétorqua Lena joyeusement.

— Vous ne vous préoccupez jamais de votre ligne ? demanda Arrow brusquement, d'un ton glacial.

— Mon médecin m'a recommandé de bien manger.

— Vous a-t-il spécialement recommandé les tartines beurrées, les pommes de terre et la crème fraîche ?

— Mais oui. Et j'ai pensé que c'était de cela qu'il s'agissait, lorsque vous parliez de nourritures simples.

— Attention, vous allez devenir énorme !

Lena éclata d'un rire gai.

— Aucun risque ! Rien ne me fait grossir. J'ai toujours mangé ce qui me plaisait sans la moindre conséquence désagréable.

Le silence de plomb qui suivit cette déclaration ne fut rompu que par l'arrivée du maître d'hôtel.

— Mademoiselle est servie, annonça-t-il.

Réunies dans la chambre de Frank, les trois amies discutèrent de la chose jusque tard dans la nuit, après que Lena se fut retirée. Pendant la soirée, elles avaient fait preuve d'une gaieté exubérante, échangeant d'affectueuses taquineries propres à abuser l'observateur le

19

plus attentif. Mais, maintenant, les masques étaient tombés. Beatrice était morose, Arrow, méprisante et Frank, découragée.

— Je ne trouve pas cela très agréable de la regarder dévorer tout ce que j'aime, fit Beatrice d'un ton plaintif.

— Ce n'est agréable pour personne, répliqua Frank.

— Vous avez eu tort de l'inviter, dit Arrow.

— Comment pouvais-je prévoir ? s'écria Frank.

— Je ne puis m'empêcher de penser... Si vraiment elle avait eu de l'affection pour son mari, elle ne mangerait pas autant, déclara Beatrice. Elle ne l'a enterré qu'il y a deux mois... Ce que je veux dire... les morts ont droit à quelque respect...

— Pourquoi ne peut-elle pas manger comme nous ? intervint Arrow d'une voix mauvaise. Elle est notre invitée, après tout !

— Enfin, vous avez bien entendu ce qu'elle a dit. C'est le médecin qui l'a encouragée à bien manger.

— Sa place est donc dans un sanatorium !

— C'est plus que la nature humaine n'en peut supporter, Frank, gémit Beatrice.

— Si moi je le supporte, vous le pouvez aussi.

— C'est votre cousine, pas la nôtre, s'obstina Arrow. Je ne vais pas passer quatorze jours à regarder cette femme bâfrer !

— Si vous voulez mon avis, c'est vulgaire d'attacher tant d'importance à la nourriture, gronda Frank d'une voix encore plus grave que d'ordinaire. Après tout, ce qui compte vraiment dans la vie, c'est l'esprit.

— C'est moi que vous accusez de vulgarité, Frank ? demanda Arrow, les yeux flamboyants.

— Bien sûr que non ! intervint Beatrice.

— Quant à moi, je vous crois tout à fait capable de descendre en douce à la cuisine, quand tout le monde est couché, et de vous taper un bon gueuleton en Suisse !

Frank bondit.

— Comment osez-vous dire des choses pareilles,

Arrow ? Jamais je ne demanderais à quelqu'un de faire quelque chose que je ne me sentirais pas capable de faire ! Après toutes ces années, vous me croyez capable d'une telle duplicité ?

— Comment se fait-il, alors, que votre poids ne diminue pas d'une once ?

Frank émit un petit cri étranglé et éclata en sanglots.

— Que vous êtes méchante ! Alors que j'ai perdu je ne sais combien de livres !

Elle pleurait comme un gosse. Son corps énorme tressautait et de grosses larmes s'écrasaient sur sa poitrine volumineuse.

— Ma chérie, ce n'est pas ce que j'ai voulu dire ! cria Arrow.

Elle tomba à genoux et enlaça Frank tant bien que mal dans ses bras dodus. Elle fondit en larmes, et le mascara coula sur ses joues.

— Dois-je comprendre que je ne fais pas plus mince ? sanglotait Frank. Après tout ce que j'ai enduré !

— Si, ma jolie, bien sûr que si ! protesta Arrow à travers ses larmes. Tout le monde l'a remarqué !

Beatrice, bien que placide de tempérament, se mit, à son tour, à pleurer sans bruit. Une scène très pathétique. Il aurait vraiment fallu avoir un cœur de pierre pour ne pas être touché par Frank, cette femme indomptable, pleurant toutes les larmes de son corps. Les trois amies, néanmoins, finirent par sécher leurs pleurs et s'offrirent un doigt de cognac à l'eau, le médecin leur ayant concédé que cette boisson était, entre toutes, la moins grossissante. Ensuite, elles se sentirent beaucoup mieux. Elles décidèrent que Lena aurait droit à toutes les riches nourritures qui lui étaient prescrites et prirent l'engagement solennel de ne perdre leur sang-froid en aucune circonstance. Lena, indéniablement, était une bridgeuse de première force et, après tout, elle n'était là que pour deux semaines. Elles allaient s'efforcer de lui rendre le séjour agréable.

Elles s'embrassèrent avec tendresse et regagnèrent leurs chambres respectives avec une étrange exaltation. Rien ne devait ternir cette merveilleuse amitié qui avait comblé leurs trois existences.

Mais la nature humaine est faible. Il ne faut point trop lui demander. Elles mangèrent leur poisson grillé, tandis que Lena faisait honneur à un plat de macaronis ruisselants de beurre et de fromage. Elles mangèrent leurs côtelettes grillées et leurs épinards à l'eau, tandis que Lena dégustait du *pâté de foie gras*[1]. Deux fois par semaine, elles prenaient des œufs durs et des tomates crues tandis que Lena savourait des petits pois inondés de crème et des pommes de terre accommodées à des sauces toutes fort délicieuses. Le chef était un remarquable cuisinier, et il se précipita sur l'occasion pour présenter des plats, tous plus riches, plus savoureux et plus succulents les uns que les autres.

— Ce pauvre Jim, soupirait Lena, pensant à son mari, comme il aimait la cuisine française !

Le maître d'hôtel révéla qu'il savait préparer une demi-douzaine de cocktails différents. Quant à Lena, elle confia aux trois amies que son médecin lui avait conseillé de déjeuner au bourgogne et de dîner au champagne.

Les grosses dames, cependant, persévéraient. Elles se montraient enjouées, bavardes, et même fort joyeuses (les femmes ont, par nature, le don de la simulation), mais Beatrice paraissait toute molle et désemparée, les yeux bleus de la tendre Arrow brillaient d'un éclair glacial et la voix grave de Frank devenait rauque.

C'est surtout autour de la table de bridge que la tension se faisait sentir. Elles avaient toujours aimé deviser en cours de partie et leur conversation était amicale. Maintenant leurs propos se chargeaient d'amertume et, parfois, l'une d'elles dénonçait l'erreur commise par

---

1. En français dans le texte. *(N.d.T.)*

l'autre d'une façon exagérément brutale. La discussion dégénérait en dispute, et la dispute en altercation. Il leur arrivait de terminer la partie dans un silence hostile. Frank, un jour, accusa Arrow de l'avoir délibérément laissée tomber. Deux ou trois fois, Beatrice, la plus vulnérable des trois, ne put retenir ses larmes. Au cours d'une autre partie, on vit Arrow jeter ses cartes, et, dans un mouvement de colère, quitter la pièce d'un pas majestueux. Les trois femmes étaient à bout de nerfs, et c'est à Lena qu'échut le rôle de conciliatrice.

— C'est malheureux, quand même, de se disputer pour des histoires de bridge, disait-elle. Après tout, ce n'est qu'un jeu !

Elle pouvait parler ! Ne venait-elle pas d'achever un plantureux repas arrosé d'une demi-bouteille de champagne ? De plus, elle avait une chance insolente au jeu. Elle empochait tout leur argent. Les gains étaient portés dans un cahier à l'issue de chaque séance, et ceux de Lena s'accroissaient régulièrement jour après jour. N'y avait-il donc pas de justice en ce bas monde ? Elles commencèrent à se détester. Et, malgré la haine qu'elles portaient également à Lena, elles ne pouvaient résister à la tentation de lui confier leurs griefs.

Chacune allait la trouver de son côté, pour lui raconter à quel point les deux autres étaient horribles. Arrow prétendait qu'elle n'avait pas intérêt à fréquenter des personnes tellement plus âgées qu'elle. Elle songeait même sérieusement à sacrifier sa part dans la location de la villa pour se rendre à Venise le reste de l'été.

Frank expliquait à Lena qu'ayant une forme d'esprit virile, elle ne pouvait en aucun cas s'attendre à trouver quelque satisfaction en la compagnie de personnes aussi futiles qu'Arrow ou aussi totalement stupides que Beatrice.

— J'ai besoin de conversations intellectuelles ! clamait-elle. Quand on a un cerveau comme le mien, on ne peut frayer qu'avec des gens du même niveau.

Beatrice, elle, ne souhaitait que paix et tranquillité.

— Sincèrement, je déteste les femmes, déclarait-elle. Elles sont si changeantes, si méchantes !

A la fin du séjour de Lena, les trois grosses femmes n'échangeaient que les paroles absolument indispensables. Elles s'efforçaient de sauver les apparences en présence de Lena mais, en son absence, elles cessaient de feindre. Elles avaient dépassé le stade des querelles, elles s'ignoraient et, lorsqu'elles devaient s'adresser la parole, elles se traitaient avec une politesse glacée.

Lena alla retrouver des amis sur la Riviera italienne. Frank l'accompagna au train, celui-là même qui l'avait amenée à Antibes. Lena emportait avec elle une grande partie de leur argent.

— Je ne sais comment vous remercier, dit-elle une fois dans son compartiment. J'ai passé un séjour merveilleux !

S'il y avait une chose dont Frank Hickson s'enorgueillissait plus que de rivaliser avec les hommes, c'était bien de son savoir-vivre, et sa réponse, où la majesté s'alliait à la grâce, fut parfaite.

— Nous avons été ravies de vous avoir, Lena, dit-elle. Ce fut délicieux !

Mais quand enfin elle put tourner le dos au train qui s'ébranlait, elle poussa un soupir de soulagement si puissant que le quai en frémit. Elle redressa ses massives épaules et reprit d'un pas ferme le chemin de la villa.

— Ouf ! rugissait-elle par instants. Ouf !

Elle enfila son maillot de bain une pièce, mit ses espadrilles et un peignoir d'homme (sans la moindre fioriture) et se rendit à Eden Roc. Elle avait encore le temps de prendre un bain avant le déjeuner. Elle traversa la Maison des singes en jetant des regards à droite et à gauche pour saluer amis et connaissances, car, inexplicablement, elle se sentait en paix avec l'humanité... et, brusquement, elle s'arrêta, pétrifiée. Elle n'en croyait pas ses yeux. Beatrice était assise seule, à une table, vêtue du pyjama qu'elle avait acheté chez Molyneux la veille ou l'avant-veille avec, au cou, une rangée de perles. L'œil vif de Frank nota également les ondulations toutes fraîches de ses cheveux, le maquillage de ses joues, de ses yeux et de ses lèvres... Grosse, et même énorme comme elle était, il fallait reconnaître qu'elle était très belle. Mais que faisait-elle donc ?

De cette allure pesante de Néandertalienne qui caractérisait sa démarche, Frank s'approcha de Beatrice, évoquant irrésistiblement, dans son peignoir noir, cet énorme cétacé que les Japonais chassent dans le détroit de Torres et que l'on appelle vulgairement « vache de mer ».

— Beatrice, mais que faites-vous donc ? s'écria Frank de sa voix profonde.

On eût dit le grondement du tonnerre roulant sur les lointaines montagnes. Beatrice la regarda, imperturbable.

— Je mange, répondit-elle.

— Bon sang, je le vois bien, que vous mangez !

Devant Beatrice étaient posés une assiette de croissants, un beurrier, de la confiture de fraises, du café et un pot de crème. Beatrice étalait une épaisse couche de beurre sur la délicieuse tranche chaude, recouvrait le beurre de confiture et inondait le tout de crème.

— C'est du suicide ! dit Frank.

— Ça m'est bien égal, bredouilla Beatrice, la bouche pleine.

— Vous allez prendre des kilos et des kilos !

— Fichez-moi la paix !

Et elle lui éclata de rire au nez. Juste ciel ! ce qu'ils sentaient bon, ces croissants !...

— Vous me décevez beaucoup, Beatrice ! Je vous croyais plus forte !

— C'est votre faute !... Avec cette fichue bonne femme !... C'est vous qui l'avez invitée. Moi, pendant quinze jours, je l'ai regardée se goinfrer comme une truie. Un ange n'y résisterait pas ! Je vais, pour une fois, manger à ma faim et si j'éclate, tant pis !

Les larmes montèrent aux yeux de Frank. Elle se sentit soudain toute faible et très femme. Elle aurait voulu avoir à ses côtés un homme costaud qui la prendrait sur ses genoux, qui la cajolerait, qui la bercerait, qui l'appellerait de noms puérils et tendres. Incapable de parler, elle se laissa tomber sur une chaise, près de Beatrice. Un serveur s'approcha. D'un geste pathétique, elle lui désigna le café et les croissants.

— La même chose... souffla-t-elle dans un soupir.

Puis, inconsciemment, elle tendit la main pour prendre un croissant, mais Beatrice retira vivement l'assiette.

— Pas question ! dit-elle. Vous attendrez qu'on vous apporte les vôtres !

Frank lui adressa un qualificatif qu'une dame n'utilise que rarement pour exprimer son affection à une autre dame. Mais, un instant plus tard, le serveur posait devant elle les croissants, le beurre, la confiture et le café.

— Et ma crème, imbécile ! rugit Frank, telle une lionne aux abois.

Elle se mit à manger. Elle mangeait gloutonnement. La salle, cependant, commençait à se remplir de baigneurs qui allaient déguster un cocktail ou deux, après avoir fait honneur à la mer et au soleil.

Bientôt, Arrow fit son entrée, marchant nonchalamment au côté du prince Roccamare. Elle était drapée dans un magnifique châle de soie qu'elle serrait étroitement d'une main autour d'elle afin de paraître plus mince, et elle tenait la tête haute afin que son compagnon ne remarquât pas son double menton. Elle riait joyeusement. Elle se sentait très gamine. Le prince venait de lui dire (en italien) que comparée au bleu de ses yeux, la Méditerranée faisait penser à de la bouillie de pois cassés. Il la quitta pour aller repeigner sa chevelure noire et luisante dans les toilettes pour hommes. Ils étaient convenus de se retrouver cinq minutes plus tard autour d'un verre. Arrow voulut en profiter pour rafraîchir le maquillage de ses joues et de ses lèvres dans les toilettes pour dames. Mais, en chemin, son regard tomba sur Frank et Beatrice. Elle s'arrêta. Elle n'en croyait pas ses yeux.

— Ça, alors ! s'exclama-t-elle. Espèces de monstres ! Espèces de goinfres !

Elle s'empara d'une chaise.

— Garçon !

Son rendez-vous fut oublié dans le même instant. Quant au serveur, il se présenta en un clin d'œil.

— La même chose que ces dames ! commanda Arrow.

Frank leva sa grosse et lourde tête de son assiette.

— Et vous m'apporterez du pâté de foie gras ! beugla-t-elle.

— Frank ! fit Beatrice.

— La ferme !

— C'est bon. Moi aussi, j'en prendrai.

Le café fut servi, et les petits pains chauds, et la crème fraîche, et le foie gras. Les dames se mirent à l'ouvrage. Elles étalèrent la crème sur le pâté et elles lui firent un sort. Elles avalèrent d'énormes cuillerées de confiture. Elles mâchèrent voluptueusement le délicieux pain doré... Et l'amour ? Que signifiait-il, désormais, pour Arrow ? Le prince pouvait bien garder son palais à Rome et son château dans les Apennins !... Elles ne parlaient pas. Ce qu'elles faisaient était bien trop sérieux. Elles mangeaient... avec une solennelle, une extatique ardeur.

— Je n'ai pas goûté à une pomme de terre depuis vingt-cinq ans ! énonça Frank, l'air lointain et rêveur.

— Garçon ! cria Beatrice. Vous nous apporterez des pommes frites. Pour trois !

— Très bien, *Madame* [1]...

Les pommes de terre furent servies. Leur arôme surpassait tous les parfums d'Arabie. Elles mangèrent les frites avec les doigts.

— Je prendrai un Martini dry ! annonça Arrow.

— Vous ne pouvez pas prendre un Martini dry au milieu du repas, Arrow, protesta Frank.

— Ah oui ? C'est ce qu'on va voir !

— C'est bon... Apportez-moi un double Martini dry ! dit Frank.

— Apportez-en trois ! renchérit Beatrice.

Les Martini furent servis et vidés d'un trait. Les trois femmes se regardèrent et poussèrent un soupir. Les malentendus des quinze derniers jours étaient dissipés et l'affection sincère qu'elles avaient l'une pour l'autre gonflait de nouveau leur cœur. Elles ne pouvaient croire qu'elles avaient, il y a peu, envisagé de briser une amitié qui leur avait apporté tant de satisfactions. Elles terminèrent leurs frites.

— Je me demande s'ils ont des éclairs au chocolat... fit Beatrice.

— Bien sûr qu'ils en ont.

Et ils en avaient, bien sûr. Frank fourra un éclair entier dans son immense bouche, l'avala, en saisit un autre, mais, avant de l'engloutir, elle regarda ses deux compagnes et prit le temps de plonger un poignard vengeur au cœur de l'abominable Lena.

— Vous direz ce que vous voudrez, mais en fin de compte, elle joue au bridge comme un pied !

— Comme une savate ! renchérit Arrow.

Beatrice, au même moment, eut envie d'une meringue.

---

1. En français dans le texte. *(N.d.T.)*

Le chant de la tourterelle

Pendant longtemps, je n'ai jamais su au juste si j'aimais ou si je détestais Peter Melrose. Il avait publié un roman qui avait causé quelque émoi parmi tous ces gens assez ennuyeux mais vénérables qui sont toujours à l'affût de nouveaux talents. De vieux messieurs, dont l'unique tâche est d'assister à des déjeuners mondains, chantaient ses louanges avec des petits cris de jeunes filles, tandis que de petites femmes, maigrichonnes et mal mariées, le trouvaient plein de promesses. Je lus quelques critiques. Ils se contredisaient tous très largement. Certains affirmaient que ce premier roman plaçait son auteur au tout premier rang des romanciers britanniques ; d'autres l'accablaient d'injures. Je décidai de ne pas le lire. Je sais par expérience que lorsqu'un livre a fait sensation, il vaut mieux laisser passer une année avant de le lire. Il est étonnant de voir la quantité d'ouvrages qu'on peut ainsi se dispenser de lire ! Mais le hasard me fit un jour rencontrer Peter Melrose. J'avais accepté, non sans appréhension, une invitation à une *sherry party*. Cela se passait au dernier étage d'un immeuble rénové dans le quartier de Bloomsbury, et j'arrivai quelque peu essoufflé en haut du quatrième étage. Je fus accueilli par deux dames, beaucoup plus grandes que nature et ayant passé la première jeunesse, ce type de femmes pour qui un moteur d'automobile n'a pas de secret et toujours prêtes à partir en balade sous une pluie battante, mais très féminines au demeurant, et raffolant de sandwiches pliés dans du papier journal. Le salon, leur « atelier » comme elles disaient (bien que leurs moyens leur permissent de ne jamais lever le petit doigt de leur vie), était vaste et peu meublé, à l'exception de chaises en acier inoxydable qui semblaient ne devoir résister qu'avec peine au poids très respectable de leurs propriétaires, des tables à dessus de verre et d'un vaste divan recouvert de peau de zèbre. Aux murs, des rayons chargés de livres et des tableaux signés des meilleurs imitateurs anglais de Cézanne, Braque et Picasso. Sur les étagères, en plus de quelques livres « pittoresques » du XVIIIe siècle (la pornographie n'est-elle pas éternelle ?), on ne trouvait que les œuvres d'auteurs contemporains, des éditions originales pour la plupart, et c'était d'ailleurs pour me faire signer certaines de mes œuvres qu'on m'avait convié à cette réception.

Très intime d'ailleurs. Il n'y avait qu'une seule autre femme qui semblait être la sœur cadette de mes hôtesses, car, malgré sa corpulence, sa taille et sa cordialité, elle était loin d'être aussi grosse, aussi grande et aussi cordiale que les deux autres. Je ne saisis pas son vrai nom mais elle répondait à celui de Boofuls.

Le seul autre invité était Peter Melrose. Il était très jeune, dans les vingt et un, vingt-trois ans, de taille moyenne, mais la gaucherie de ses attitudes le faisait paraître plus petit. Il avait une peau rougeâtre qui semblait trop tendue sur les os du visage, le nez fort et d'aspect sémitique, bien qu'il ne fût pas juif, et des yeux verts, très mobiles sous des sourcils broussailleux. Ses cheveux bruns, coupés court, étaient remplis de pellicules. Il portait la vareuse marron et les pantalons de flanelle grise qu'affectionnent les étudiants des Beaux-Arts qui déambulent nu-tête dans King's Road à Chelsea. Un jeune homme assez fruste donc et qui n'avait rien pour plaire. Il était sûr de lui, querelleur et intolérant. Il avait, pour ses confrères, un grand mépris qu'il exprimait avec force. Le plaisir qu'il me fit par ses assauts désinvoltes contre des réputations que je jugeais, personnellement, surfaites sans jamais oser le dire, ne fut tempéré que par ma certitude qu'à peine aurais-je le dos tourné, la mienne serait aussitôt mise en lambeaux. Il parlait bien. Ses propos étaient amusants et parfois spirituels. Ses bons mots m'auraient fait rire plus franchement si les trois dames ne s'étaient pas tordues de rire au-delà de toute mesure. Drôles ou stupides, elles éclataient de rire à chacun de ses mots. Et il disait pas mal de stupidités, car il ne cessait de parler, mais faisait aussi quelques fines remarques. Il avait des opinions simplistes et moins originales qu'il croyait, mais néanmoins sincères. Le trait le plus marquant de sa personnalité était son ardente et débordante vitalité. C'était comme une flamme dévorante qui le consumait intérieurement avec une ardeur insoutenable. Elle semblait même rejaillir sur tous ceux qui l'entouraient. Il avait au moins cette particularité, et je le quittai assez curieux de savoir ce qu'il deviendrait. J'ignorais s'il avait du talent ; tant de jeunes gens sont capables d'écrire un bon roman, mais qu'est-ce que cela prouve ? Il me semblait qu'en tant qu'homme il sortait quelque peu de l'ordinaire. C'était quelqu'un qui, à trente ans, lorsque le temps aurait arrondi les angles de sa personnalité et que la vie lui aurait appris qu'il n'était pas aussi intelligent qu'il croyait, finirait par devenir intéressant et agréable à fréquenter. Mais je ne m'attendais pas à le revoir.

C'est avec surprise que je reçus, deux ou trois jours plus tard, un exemplaire de son roman avec une dédicace très flatteuse. Je le lus. Le roman était, de toute évidence, autobiographique. L'histoire se passait dans une petite ville du Sussex et les personnages appartenaient à la grande bourgeoisie si désireuse de sauvegarder les apparences malgré des ressources insuffisantes. L'humour en était plutôt fruste et vulgaire. Je le trouvais agaçant car il consistait essentiellement à se moquer de la vieillesse et de la misère des gens. Peter Melrose ignorait à quel point ces infortunes sont lourdes à supporter et que tout effort pour les combattre mérite plus la sympathie que la dérision. Mais il y avait des descriptions de lieux, de petits tableaux d'intérieur, des scènes campagnardes qui étaient d'une belle facture. On y sentait de la tendresse et un sens de la beauté spirituelle des choses matérielles. Le style était coulant, sans affectation mais empreint d'un sens délicat de la musique des mots. Mais ce qui rendait ce livre tout à fait remarquable et justifiait à mes yeux l'accueil du public, c'était la passion qui palpitait dans l'intrigue amoureuse qui constituait l'essentiel de la trame du roman. Elle était, comme il est de mise aujourd'hui, passablement vulgaire et s'achevait dans le vague, comme il est également de mise aujourd'hui, sans résultat tangible, si bien qu'à la fin les choses étaient à peu près dans le même état qu'au commencement ; mais cet amour de jeunesse, idéaliste et cependant violemment sensuel, était inimitable ; il était si intense et si profondément perçu qu'on en avait le souffle coupé. Il semblait palpiter sur la page imprimée comme la pulsation même de la vie. Il n'avait aucune pudeur. Il était absurde, scandaleux et sublime. C'était comme une force de la nature. La passion dans toute sa splendeur. Il n'y a rien au monde de plus émouvant et de plus impressionnant.

J'écrivis à Peter Melrose pour lui dire ce que je pensais de son livre et je lui proposai de déjeuner ensemble. Il me téléphona le lendemain pour fixer une date.

Il me sembla d'une timidité invraisemblable, une fois installé en face de moi au restaurant. Je lui offris un cocktail. Il était assez volubile mais, de toute évidence, il n'était pas à son aise. J'eus l'impression que son assurance n'était qu'une attitude pour dissimuler, à ses yeux peut-être, une angoisse qui le tourmentait. Ses manières étaient brusques et gauches. Il lâchait une grossièreté, puis il riait nerveusement pour cacher sa confusion. Bien qu'il prétendît être sûr de lui, il désirait sans arrêt être rassuré. En vous irritant, en proférant des propos qu'il savait vexants, il s'efforçait de vous contraindre à reconnaître, même de façon tacite, l'image merveilleuse qu'il se faisait de lui-même. Il voulait mépriser l'opinion de ses semblables et rien ne comptait davantage à ses yeux. C'était un jeune homme passablement odieux mais ça m'était égal. N'est-ce pas naturel pour les jeunes gens doués d'être passablement odieux ? Ils sentent qu'ils ont certains talents en leur possession dont ils ne savent que faire. Ils s'insurgent contre un monde qui refuse de reconnaître leur mérite. Ils ont quelque chose à donner et aucune main ne se tend pour le recevoir. Ils sont impatients d'obtenir la célébrité qu'ils considèrent comme leur dû. Non, décidément, je n'en veux pas aux jeunes gens odieux ; c'est lorsqu'ils font les mignons que je referme les poches de ma sympathie.

Peter Melrose était extrêmement modeste à propos de son livre. Son visage, déjà rougeâtre, s'empourpra quand je détaillai tout ce qu'il avait pour moi d'admirable, et il accepta mes critiques avec une humilité presque embarrassante. Le livre lui avait rapporté très peu d'argent et son éditeur lui versait une petite allocation mensuelle à valoir sur les droits de son prochain livre qu'il venait juste de commencer. Mais il voulait quitter Londres pour l'écrire en paix et, comme je vis sur la Côte d'Azur, il me demanda si je pouvais lui indiquer un endroit tranquille où il pourrait se baigner et vivre à peu de frais. Je lui suggérai de venir passer quelques jours avec moi pour qu'il puisse chercher quelque chose à son goût. A ces mots, ses yeux verts s'illuminèrent et il rougit.

— Mais ne vais-je pas vous déranger ?

— Pas du tout. Je serai en plein travail. Tout ce que je puis vous offrir, c'est trois repas par jour et une chambre. Ce ne sera pas drôle mais vous serez entièrement libre.

— Formidable. Puis-je vous écrire si je me décide ?

— Bien sûr !

Je le quittai et, une ou deux semaines plus tard, je rentrai chez moi. On était en mai. Au début juin, je reçus une lettre de Peter Melrose me demandant s'il devait réellement prendre au sérieux mon invitation à passer quelques jours chez moi et s'il pouvait arriver tel ou tel jour. A l'époque où je l'avais invité, c'était de bon cœur, mais à présent, un mois plus tard, je me souvins d'un jeune homme arrogant et mal élevé que j'avais rencontré à peine deux fois, qui m'était totalement indifférent, aussi le cœur n'y était plus. Je menais une vie très calme et ne recevais que fort peu. Je pensais en outre qu'il mettrait mes nerfs à rude épreuve s'il était aussi vulgaire qu'à son habitude alors qu'en tant que maître de maison, je me sentirais tenu de garder mon sang-froid. Je me voyais, à bout de patience, sonner mes domestiques pour boucler ses valises et faire avancer ma voiture pour l'emporter au bout d'une demi-heure. Mais c'était trop tard. Ce petit séjour chez moi lui économiserait les frais d'hébergement et lui ferait du bien s'il était aussi fatigué et malheureux qu'il le disait dans sa lettre. J'envoyai un télégramme et il arriva peu après.

A la gare, il me parut éprouvé par la chaleur et assez négligé, avec ses pantalons de flanelle grise et sa veste de tweed marron mais, après un bain dans la piscine, il enfila un short blanc et une chemisette de tennis qui le faisaient paraître ridiculement jeune. Il n'avait encore jamais quitté l'Angleterre. Il était très excité. Sa joie faisait plaisir à voir. Dans ce cadre inhabituel, il semblait avoir perdu conscience de son personnage pour redevenir simple, enfantin et modeste. Je fus agréablement surpris. Le soir, après dîner, assis dans le jardin où seul le coassement des rainettes rompait le silence, il commença à me parler de son roman. C'était l'histoire romantique d'un jeune écrivain et d'une cantatrice. Ce thème à la Ouida était bien le dernier que je m'attendais à voir aborder par ce dur à cuire et ma curiosité s'en trouva piquée. Il est étrange de voir tourner la roue de la mode qui, d'une génération à l'autre, remet au goût du jour les mêmes thèmes. J'étais sûr que Peter Melrose le traiterait de façon très moderne, mais c'était toujours la même et sempiternelle histoire qui avait subjugué les lectrices sentimentales du roman en trois tomes de la fin du siècle dernier. Il se proposait de la situer au début de l'époque édouardienne, qui, aux yeux de la jeunesse, était parée du charme suranné du temps jadis. Il parlait sans discontinuer. Il n'était pas désagréable à écouter. Il ne se doutait absolument pas qu'il était en train de transposer dans la fiction ses propres rêveries, les rêveries touchantes et ridicules d'un jeune homme obscur et sans charme qui se voit aimé, à l'admiration du monde entier, par une femme magnifique, célèbre et incroyablement belle. J'ai toujours aimé les romans de Ouida et l'idée de Peter n'était pas pour me déplaire. Avec son talent délicieux pour la description, sa vision pénétrante et naïve des choses matérielles : tissus, meubles, murs, arbres et fleurs, et son évocation puissante de la passion de la vie, la passion de l'amour qui faisait tressaillir chaque fibre de son corps disgracieux, j'avais idée qu'il pouvait fort bien produire une œuvre exubérante, absurde et poétique. Mais je lui posai une question :

— Avez-vous déjà rencontré une cantatrice ?

— Non, mais j'ai lu toutes les autobiographies et les Mémoires que j'ai pu me procurer. Je les ai étudiés à fond. Non seulement les grandes lignes mais j'ai cherché, dans les coins les plus invraisemblables, le détail révélateur ou l'anecdote significative.

— Vous avez donc tout ce qu'il vous faut ?

— Il me semble.

Il se mit à me décrire son héroïne. Elle était jeune et belle, obstinée aussi et avec un tempérament explosif, mais au fond magnanime. Une femme hors du commun passionnée de musique. La musique était dans sa voix mais également dans ses gestes et dans ses pensées les plus secrètes. Elle ignorait l'envie et son amour de l'art était si intense que lorsqu'une autre cantatrice l'avait offensée, elle lui pardonnait en l'entendant chanter son rôle à la perfection. Sa générosité merveilleuse l'amenait à donner tout ce qu'elle possédait au récit d'une infortune qui touchait son cœur sensible. C'était une grande amoureuse prête à sacrifier tout au monde pour l'homme qu'elle aimait. Elle était intelligente et cultivée, tendre, généreuse et désintéressée. En fait, trop parfaite pour être vraie.

— Il me semble que vous devriez rencontrer une cantatrice, dis-je au bout d'un certain temps.

— Mais comment le pourrais-je ?

— Connaissez-vous la Falterona ?

— Bien sûr. J'ai lu ses Mémoires.

— Elle vit sur la Côte. Je vais lui téléphoner pour l'inviter à dîner.

— Vraiment ? Ce serait merveilleux.

— Ne venez pas vous plaindre si elle ne correspond pas à ce que vous attendez d'elle.

— Ce que je recherche, c'est la vérité.

Tout le monde connaît la Falterona. Sa réputation est encore plus grande que celle de Melba. Elle avait cessé de chanter l'opéra mais sa voix était encore belle et elle faisait salle comble partout dans le monde. Elle entreprenait de longues tournées pendant l'hiver et, l'été, elle se reposait dans sa villa au bord de la mer. Sur la Côte, on se considère comme voisins si l'on vit à moins de cinquante kilomètres les uns des autres, aussi, pendant quelques années, j'avais beaucoup fréquenté la Falterona. C'était un tempérament de feu et elle était tout aussi célèbre par sa voix que par ses aventures : elle m'en parlait volontiers et, souvent, je l'écoutais, fasciné, des heures entières me raconter, avec l'humour qui est pour moi son trait le plus remarquable, ses aventures rocambolesques avec des soupirants royaux ou milliardaires. Il me suffisait qu'il y ait au moins une parcelle de vérité. Elle avait été mariée, pendant de courtes périodes, trois ou quatre fois, et, lors de l'un de ces mariages, avait annexé un prince napolitain. Mais, pensant que la renommée de la Falterona valait plus que tous les titres de noblesse, elle ne portait pas le nom de son mari (auquel elle n'avait d'ailleurs aucun droit puisqu'elle s'était remariée après le divorce) ; mais son argenterie, ses couteaux et son service de table étaient ornés d'un blason tarabiscoté surmonté d'une couronne, et ses domestiques l'appelaient toujours « Madame la Princesse ». Elle prétendait être hongroise, mais elle s'exprimait dans un anglais parfait, avec un léger accent étranger (quand elle s'en souvenait), mais avec des intonations qui évoquent, m'a-t-on dit, l'État du Kansas. Elle expliquait la chose en disant que son père était un exilé politique qui s'était réfugié en Amérique alors qu'elle était tout enfant : mais elle ne se souvenait plus très bien si c'était un savant réputé qui avait été persécuté pour ses opinions libérales, ou un Magyar de haute naissance qui s'était attiré les foudres impériales à cause de sa liaison avec une archiduchesse. Cela dépendait si elle se trouvait dans un milieu d'artistes ou parmi des membres de la noblesse.

Avec moi, elle était sinon naturelle, ce qui lui était de toute façon impossible, en tout cas plus sincère qu'avec les autres. Elle nourrissait spontanément un robuste mépris pour les arts. Elle considérait honnêtement tout ça comme un gigantesque bluff et elle entretenait au fond de son cœur une sympathie amusée pour tous ceux qui savaient l'accréditer auprès du public. Je dois reconnaître que j'attendais la rencontre entre Peter Melrose et la Falterona avec un certain plaisir sardonique.

Elle aimait dîner avec moi parce qu'elle savait que la table était bonne. C'était son seul repas de la journée, car elle prenait grand soin de sa ligne, mais elle aimait quelque chose de succulent et de copieux. Je lui demandai de venir à neuf heures, sachant qu'elle n'aurait jamais songé dîner plus tôt, et commandai le repas pour la demie. Elle arriva à dix heures moins le quart. Sa robe était de satin vert pomme, très décolletée et avec le dos nu ; elle portait un collier de perles énormes et une quantité de bagues précieuses. A son bras gauche, des bracelets de diamants et d'émeraudes s'échelonnaient du poignet jusqu'au coude. Il devait bien y en avoir deux ou trois qui n'étaient pas faux. Sur ses cheveux aile de corbeau était posée une mince tiare de diamants. On ne se parait pas plus somptueusement pour un bal à Stafford House au temps jadis ! Nous étions en costume de toile blanche.

— Quelle élégance ! lui dis-je. Je vous avais dit que c'était un repas intime.

Elle lança un regard de ses magnifiques yeux noirs à Peter.

— Mais pas du tout. Ne disiez-vous pas que votre ami était un écrivain de talent ? Je ne suis qu'une interprète.

Elle laissa courir ses doigts sur ses bracelets étincelants.

— C'est ma façon à moi de rendre hommage au talent créateur.

Je retins le mot vulgaire qui me vint à la bouche et lui offris à la place son cocktail favori. J'avais le privilège de l'appeler Maria mais elle insistait pour m'appeler Maître. Pour deux raisons : d'abord parce que ça me donnait l'air parfaitement stupide et, ensuite, parce que, ayant tout juste deux ou trois ans de moins que moi, elle voulait marquer très clairement que nous appartenions à deux générations différentes. Parfois, cependant, elle me traitait de vieux saligaud. Ce soir-là, on ne lui aurait certainement pas donné plus de trente-cinq ans. Son visage, aux traits plutôt accusés, était de ceux qui, curieusement, ne semblent pas vieillir. Sur la scène, c'était une femme superbe, comme d'ailleurs dans la vie courante, malgré son nez proéminent, sa grande bouche et son visage joufflu, d'une grande beauté. Son fond de teint lui donnait une coloration brune rehaussée de rouge carminé. Ses lèvres étaient d'un rouge écarlate. Elle avait arboré son air espagnol : ce qui n'était d'abord qu'un doute devint une impression plus nette, lorsqu'elle adopta, au début du repas, un accent du plus pur castillan. Je voulais la faire parler pour que Peter en ait pour son argent et je savais qu'il n'y avait qu'un seul sujet au monde qui l'intéressait. C'était, au demeurant, une femme stupide qui, grâce à des propos superficiels, pouvait, au premier abord, passer pour aussi brillante d'esprit que d'aspect ; mais tout cela n'était que de la comédie et vous découvriez bientôt que, non seulement, elle disait n'importe quoi mais que — de surcroît — elle s'en moquait éperdument. Je ne crois pas qu'elle ait jamais ouvert un seul livre de sa vie. Sa connaissance du monde se limitait à ce qu'elle en pouvait deviner à travers les illustrations des magazines. Sa passion pour la musique n'était qu'une vaste fumisterie. Un jour, lors d'un concert auquel nous assistions tous les deux, elle dormit pendant toute la *Cinquième Symphonie* et je fus charmé de l'entendre dire à l'entracte qu'elle était si bouleversée par Beethoven qu'elle hésitait à venir l'écouter, car, avec tous ses airs sublimes qui chantaient dans sa tête, elle était sûre de ne pas fermer l'œil de la nuit. Je voulais bien le croire car elle avait dormi si profondément pendant la symphonie que son sommeil allait nécessairement s'en trouver affecté.

Mais il y avait un sujet sur lequel elle était intarissable. Elle s'y consacrait avec une énergie inlassable : rien ne pouvait l'en détourner ; tous les sujets imaginables, même les plus insolites, lui servaient de prétexte pour y retourner et, pour ce faire, elle faisait preuve d'une habileté dont vous ne l'auriez jamais crue capable. Sur ce sujet, elle était à volonté spirituelle, vive, philosophe, tragique et imaginative. Il lui offrait l'occasion de faire étalage de toutes les ressources de son talent. Il avait des développements infinis et des variations illimitées. Ce sujet, c'était elle-même. Je m'empressai de lui tendre la perche et je me bornai ensuite à quelques interjections adéquates. Elle était en grande forme. Nous dînions sur la terrasse et la pleine lune illuminait la mer sous nos yeux. Comme si elle savait ce qui convenait à la situation, la nature avait campé le décor idéal. Deux grands cyprès noirs encadraient la scène et, tout autour de nous, les orangers en fleur exhalaient leur parfum entêtant. Pas un souffle de vent ne venait troubler la douce lueur des bougies posées sur la table. C'était un éclairage qui convenait exactement à la Falterona. Elle était assise entre nous deux, parfaitement heureuse, mangeant de fort bon appétit et faisant honneur au champagne. Elle jeta un coup d'œil à la lune. Une large traînée d'argent s'étalait sur la mer.

— Comme la nature est belle ! dit-elle. Mon Dieu, tous ces décors qu'ils nous imposent. Comment peut-on chanter là-dedans ? Je vous assure, les décors de l'opéra de Covent Garden sont vraiment au-dessous de tout. La dernière fois que j'ai chanté Juliette, je leur ai dit que je n'irais pas plus loin si l'on n'arrangeait pas la lune.

Peter l'écoutait en silence. Il buvait ses paroles. Elle passait toutes mes espérances. Elle était légèrement ivre, non seulement à cause du champagne, mais aussi d'avoir trop parlé. A l'entendre, on aurait dit un être doux et docile contre qui le monde entier s'était ligué. Sa vie se résumait en une longue et pénible lutte pour venir à bout d'obstacles insurmontables. Les directeurs de théâtre la traitaient de façon abominable, les imprésarios lui jouaient de vilains tours, les autres chanteurs se liguaient pour la ruiner, les critiques à la solde de ses ennemis écrivaient sur elle des horreurs, ses amants pour lesquels elle avait tout sacrifié la traitaient avec la plus noire ingratitude ; et, pourtant, par le miracle de son génie et de sa vivacité naturelle, elle les avait tous confondus. Avec une joyeuse délectation et les yeux pétillants de malice, elle nous raconta comment elle avait déjoué leurs machinations et les catastrophes survenues aux malheureux qui s'étaient mis en travers de sa route. Je me demandais comment elle pouvait avoir le culot de raconter ces histoires scandaleuses. Sans s'en douter le moins du monde, elle se montrait envieuse et vindicative, dure comme les pierres, d'une vanité incroyable, cruelle, égoïste, intrigante et vénale. De temps en temps, j'observais Peter à la dérobée. Je me délectais en imaginant quelle devait être sa déconvenue lorsqu'il confronterait son idéal de la cantatrice avec la dure réalité. C'était une femme sans cœur. Quand, enfin, elle nous quitta, je me tournai vers Peter avec un sourire :

— Bon, eh bien ! en tout cas voilà de quoi étoffer votre roman.

— Je pense bien ! dit-il avec enthousiasme. Et tout s'intègre à merveille.

— Ah oui ? m'exclamai-je, abasourdi.

— Elle correspond exactement à mon personnage. Elle ne me croira jamais quand je lui dirai que j'avais esquissé les grandes lignes de mon héroïne avant notre rencontre.

Je le regardai muet d'étonnement.

— La passion pour les arts ! Le désintéressement ! Elle a cette même noblesse d'âme dont j'avais rêvé. Les esprits mesquins, indiscrets et vulgaires mettent des obstacles sur sa route mais elle les balaie d'un seul coup par la grandeur de son dessein et la pureté de ses intentions.

Il eut un petit rire satisfait.

— N'est-il pas étrange de voir la nature imiter l'art ? Je vous assure, le portrait est parfaitement ressemblant.

J'allais protester mais je me retins ; tout en haussant mentalement les épaules, j'étais ému. Peter n'avait vu d'elle que ce qu'il était décidé à voir. Il y avait un semblant de beauté dans son aberration. A sa façon, c'était un poète. Nous allâmes nous coucher et, deux ou trois jours après, il trouva une pension à son goût et me quitta.

Au bout d'un certain temps, son livre parut et, comme la plupart des seconds romans de jeunes écrivains, il n'eut qu'un succès mitigé. Les critiques, qui avaient surestimé sa première œuvre, se montraient maintenant d'une sévérité excessive. C'est bien sûr une chose d'écrire un roman autobiographique avec les personnages de son enfance, et une autre, toute différente, de composer une histoire avec les personnages de son imagination. Le roman de Peter était trop long. Il avait lâché la bride à son talent descriptif et son humour était toujours aussi vulgaire ; mais il avait habilement recréé l'époque et, dans l'intrigue romanesque, passait toujours ce frémissement de la passion authentique qui m'avait si fortement impressionné dans son premier livre.

Après le dîner chez moi, je restai plus d'un an sans voir la Falterona. Elle fit une longue tournée en Amérique latine et ne revint sur la Côte qu'à la fin de l'été. Un soir, elle m'invita à souper. Nous étions seuls à l'exception de sa secrétaire, une Anglaise du nom de Miss Glaser que la Falterona bousculait et maltraitait, qu'elle couvrait de coups et d'injures mais dont elle ne pouvait se passer. Miss Glaser était une vieille dame famélique d'une cinquantaine d'années, les cheveux gris et le visage jaune et ridé. Une étrange créature. Elle savait tout de la Falterona. Elle l'adorait et la détestait tout à la fois. Derrière son dos, elle faisait volontiers des plaisanteries à ses dépens et ses imitations en privé de la grande cantatrice au milieu de ses admirateurs étaient l'un des meilleurs spectacles comiques que j'aie jamais vus. Mais elle veillait sur elle avec les soins d'une mère. C'était elle qui, tantôt la cajolant, tantôt la rabrouant vertement, faisait que la Falterona se conduisait à peu près comme un être humain. C'était elle qui avait écrit les Mémoires invraisemblables de la cantatrice.

La Falterona portait un pyjama de satin bleu pâle (elle adorait le satin) et, sans doute pour reposer sa chevelure, une perruque de soie verte ; à part quelques bagues, un collier de perles, un ou deux bracelets et une broche en diamants piquée à la taille, elle ne portait aucun bijou. Elle avait tout plein de choses à me raconter sur ses triomphes en Amérique latine. Elle n'en finissait plus de parler. Jamais sa voix n'avait été aussi belle et elle n'avait jamais connu de telles ovations. Les salles de concert étaient louées longtemps avant chaque représentation et elle avait gagné une fortune.

— Est-ce vrai ou non, Glaser ? s'écria Maria avec un fort accent sud-américain.

— Dans l'ensemble, oui, répondit Miss Glaser.

La Falterona avait la détestable habitude d'appeler sa compagne par son nom de famille. Mais depuis longtemps la pauvre femme avait cessé de s'en formaliser, aussi on ne voyait pas pourquoi elle continuait à le faire.

— Qui était cet homme que nous avons rencontré à Buenos Aires ?

— Qui donc ?

— Ne faites pas l'imbécile, Glaser ! Vous vous souvenez parfaitement. Cet homme que j'avais épousé autrefois.

— Pepé Zapata, répondit Miss Glaser sans sourire.

— Il était fauché. Il a eu l'impudence de me demander de lui rendre une rivière de diamants qu'il m'avait offerte. Il m'a dit qu'elle appartenait à sa mère.

— Vous n'en seriez pas morte de la lui rendre, dit Miss Glaser. Vous ne la portez jamais.

— La lui rendre ? s'écria la Falterona.

Son étonnement était tel qu'elle se mit à s'exprimer dans le plus pur anglais.

— La lui rendre ? Mais vous êtes piquée !

Elle regarda Miss Glaser comme si elle s'attendait à la voir sur-le-champ faire une crise de démence. Elle se leva de table car nous avions terminé notre repas.

— Sortons, dit-elle. Si je n'avais pas une patience d'ange, il y a longtemps que j'aurais vidé cette femme.

Nous sortîmes, la Falterona et moi-même, mais Miss Glaser resta à l'intérieur. Nous nous assîmes sur la véranda. Il y avait un cèdre magnifique dans le jardin ; ses branches noires se détachaient sur le ciel étoilé. La mer, presque à nos pieds, était merveilleusement calme. Tout à coup, la Falterona sursauta :

— J'allais oublier. Glaser, espèce d'imbécile, pourquoi ne m'y avez-vous pas fait penser ? Et (en s'adressant à moi) je suis très montée contre vous.

— Je suis heureux que vous ne vous en soyez souvenue qu'après dîner, répondis-je.

— Votre ami et son livre !

Je ne compris pas tout de suite de quoi il s'agissait.

— Quel ami et quel livre ?

— Ne faites pas l'idiot ! Un vilain petit homme avec le visage luisant et d'allure biscornue. Il a écrit un livre sur moi.

— Ah ! Oui. Peter Melrose. Mais ce n'est pas de vous qu'il s'agit.

— Je regrette. Vous me prenez pour une idiote ? Il a eu l'impudence de me l'envoyer.

— J'espère que vous avez eu la décence de répondre.

— Vous croyez que j'ai le temps de répondre à tous ceux qui m'envoient leurs livres de pacotille ! Glaser a dû lui écrire. Vous n'aviez pas le droit de m'inviter avec lui. Je suis venue pour vous faire plaisir parce que je pensais que vous aviez du plaisir à me voir, j'étais loin d'imaginer qu'on se servait de moi. C'est quand même honteux de ne pouvoir compter sur la courtoisie de ses

44

plus vieux amis. De ma vie, je ne dînerai plus avec vous. Jamais, au grand jamais.

Je sentais qu'elle était en train de se mettre dans l'une de ses colères mémorables, aussi je l'interrompis avant qu'il ne soit trop tard.

— Allons, vous n'y êtes plus, ma chère, dis-je. D'abord, le personnage de la cantatrice qui est, j'imagine, celui auquel vous faites allusion...

— Vous ne pensez quand même pas que je parlais de la bonne !

— Bon, eh bien, le personnage de la cantatrice était déjà esquissé avant votre rencontre, et puis, il ne vous ressemble pas du tout.

— Comment ça, il ne me ressemble pas ? Tous mes amis m'ont reconnue. Enfin, c'est tout mon portrait.

— Marie, protestai-je.

— Je m'appelle Maria et vous le savez fort bien ; si c'est trop dur pour vous de m'appeler Maria, appelez-moi Madame Falterona ou Princesse.

Je fis semblant de ne pas avoir entendu.

— Avez-vous lu ce livre ?

— Bien sûr que je l'ai lu. Tout le monde m'a dit qu'il parlait de moi.

— Mais l'héroïne de ce jeune homme, la cantatrice, n'a que vingt-cinq ans.

— Une femme comme moi n'a pas d'âge.

— Elle est musicienne jusqu'au bout des ongles, douce comme une colombe et bonne comme le pain ; elle est sincère, loyale, désintéressée. Est-ce ainsi que vous vous voyez ?

— Et comment me voyez-vous donc ?

— Dure comme les pierres, absolument impitoyable, intrigante-née et égoïste comme on n'en fait plus.

Elle me lança une injure qu'une femme bien élevée n'adresse pas normalement à un monsieur qui, malgré ses défauts, n'a jamais vu l'honneur de sa mère remis en question. Mais, malgré l'éclair de son regard, je vis qu'elle n'était pas du tout en colère. Elle prenait mon portrait comme un compliment.

— Et qu'est-ce que vous faites de la bague d'émeraude ? Allez-vous nier que c'est moi qui lui ai soufflé ce détail ?

Voici l'histoire de la bague d'émeraude :

La Falterona avait une liaison passionnée avec le prince héritier d'un grand État et il lui avait fait cadeau d'une bague d'émeraude d'une valeur inestimable. Un soir, ils se disputèrent, de vilains mots furent échangés et, comme il faisait allusion à la bague, elle l'arracha de son doigt et la jeta dans le feu. Le prince héritier, assez avare de nature, se précipita à genoux avec un cri de stupeur et se mit à fourrager dans les cendres pour retrouver la bague. La Falterona le regarda avec mépris se vautrer par terre. Elle était assez avare de ses deniers mais elle avait horreur de l'économie chez les autres.

Elle acheva l'histoire sur ces mots splendides :

— Après ça, je ne pouvais plus l'aimer.

C'était une anecdote pittoresque qui avait plu à Peter. Il en avait tiré un excellent parti.

— Je vous l'ai confiée sous le sceau du secret et je ne l'avais jamais racontée à personne auparavant. C'est un monstrueux abus de confiance de l'avoir reproduite dans un livre. Vous êtes inexcusables, l'un et l'autre.

— Mais je vous ai entendue raconter cette histoire une bonne douzaine de fois. Et Florence Montgomerie me l'a racontée à propos d'elle-même et du prince Rudolf. C'était l'une de ses anecdotes favorites. Lola Montez la racontait à propos d'elle et du roi de Bavière. Et je suis sûr que Nell Gwyn devait en faire de même pour le roi Charles II. C'est une histoire vieille comme le monde.

Elle resta interloquée mais pas pour longtemps.

— Je ne vois pas ce qu'il y a de drôle à ce que la chose se soit produite plusieurs fois. Tout le monde sait que les femmes sont passionnées et que les hommes sont avares comme des rats. Je peux vous montrer l'émeraude, si ça vous intéresse. Bien sûr, j'ai dû la faire remonter.

— Dans le cas de Lola Montez, c'étaient des perles, dis-je ironiquement, elles ont dû sérieusement s'abîmer.

— Des perles ? s'écria-t-elle avec son grand sourire habituel. Vous ai-je déjà parlé de Benjy Reisenbaum et de ses perles ? Vous pourriez peut-être en faire une nouvelle.

Benjy Reisenbaum était quelqu'un d'immensément riche et il était de notoriété publique qu'il avait été, pendant longtemps, l'amant de la Falterona. C'était lui, d'ailleurs, qui lui avait acheté cette luxueuse petite villa où nous nous trouvions.

— Il m'avait offert un très joli collier à New York. Je chantais au *Metropolitan* et, à la fin de la saison, nous sommes rentrés ensemble en Europe. Vous ne le connaissez pas, n'est-ce pas ?

— Non.

— Il était assez gentil dans l'ensemble mais il était horriblement jaloux. Sur le bateau, nous nous sommes disputés à propos d'un jeune officier italien qui me serrait de beaucoup trop près. Dieu sait qu'il n'y a pas plus facile à vivre que moi mais je ne veux surtout pas me laisser malmener par un homme. Après tout, j'ai ma dignité. Je lui dis de foutre le camp, si vous voyez ce que je veux dire, et il m'a envoyé une gifle ! Inutile de vous dire dans quel état j'étais. J'arrachai le collier de mon cou et je le lançai dans la mer : « Il valait cinquante mille dollars », souffla-t-il. Il devint livide. Je le toisai de toute ma hauteur. « Son prix, c'était mon amour pour vous ! » dis-je, et je tournai les talons.

— Vous avez agi comme une idiote, lui dis-je.

— Je ne lui ai pas parlé de vingt-quatre heures. Après, il se traînait à mes genoux. Arrivé à Paris, la première chose qu'il fit fut d'aller chez Cartier m'en acheter un autre aussi beau.

Elle eut un petit rire de jeune fille.

— Ne disiez-vous pas que j'étais idiote ? J'avais laissé le vrai dans une banque à New York parce que je savais que j'y retournais la saison suivante. C'était une imitation que j'avais jetée par-dessus bord.

Elle se mit à rire et son rire était fort et joyeux comme celui d'un enfant. Ce genre de farce la ravissait. Elle en gloussait de joie.

— Les hommes sont stupides, dit-elle en reprenant son souffle, et vous qui pensiez que j'avais jeté le collier de vraies perles !

Elle n'en finissait plus de rire. Enfin, elle s'arrêta. Elle était d'excellente humeur :

— J'ai envie de chanter, Glaser, venez m'accompagner.

Une voix répondit du salon.

— Vous n'allez pas chanter après tout ce que vous avez avalé ?

— La ferme ! Vieille sorcière ! Jouez, je vous dis.

Il n'y eut pas de réponse mais, au bout d'un moment, Miss Glaser se mit à jouer les premières mesures d'une cantate de Schumann. Elle était facile à chanter et je suppose que Miss Glaser l'avait choisie à dessein. La Falterona commença à chanter, d'abord à mi-voix, puis, lorsqu'elle entendit les sons clairs et purs qui sortaient de sa bouche, elle prit confiance. La cantate s'acheva. Miss Glaser avait senti que la Falterona était dans une forme éblouissante et elle devina son désir de continuer à chanter. Appuyée à la fenêtre et le dos à la pièce éclairée, la cantatrice contemplait la mer sombre et scintillante. La silhouette élégante du cèdre se découpait dans le ciel. La nuit était douce et embaumée. Miss Glaser attaqua une ou deux notes. Un frisson me courut dans le dos. La Falterona eut un léger sursaut en reconnaissant la mélodie et je la sentis se recueillir.

Mild und leise wie er lächelt
Wie das Auge er öffnet.

C'était la mort d'Yseult. Elle n'avait jamais chanté Wagner, de peur de forcer sa voix, mais elle avait dû, je suppose, chanter ce morceau en concert. Peu importait à présent si, pour tout accompagnement d'orchestre, elle n'avait que la petite musique cristalline du piano. Les accents de la divine mélodie s'égrenèrent dans l'air calme et s'envolèrent sur la surface de l'eau. Dans ce cadre romantique à souhait, par cette nuit étoilée, l'effet était saisissant. La voix de la Falterona était encore d'une qualité exquise, chaleureuse et cristalline ; elle chantait avec une profonde émotion, avec tant de tendresse, avec une angoisse si tragique et si belle dans la voix que mon cœur se brisait d'émotion. Quand elle eut fini, je m'aperçus que j'avais la gorge étrangement serrée, et, en la regardant, je vis que les larmes ruisselaient sur son visage. Je ne voulais pas parler. Elle était immobile, contemplant la mer éternelle.

Quelle étrange femme ! A cet instant, elle me semblait infiniment préférable telle qu'elle était avec tous ses défauts monstrueux, plutôt qu'en modèle de vertu ainsi que l'imaginait Peter Melrose. Mais voilà, on me reproche toujours d'avoir un faible pour ceux qui sont plus désagréables qu'il n'est permis. Bien sûr qu'elle était haïssable, mais combien irrésistible !

Gigolo et Gigolette

Le bar était rempli de monde. Après un ou deux cocktails, Sandy Westcott commençait à avoir faim. Il
regarda sa montre. On l'avait invité à dîner à neuf
heures et demie et il était presque dix heures. Eva Barrett était toujours en retard et il devait s'estimer heureux
s'il passait à table à dix heures et demie. Il se tourna
vers le barman pour commander un autre cocktail et il
aperçut un homme qui s'approchait du bar à ce moment-
là.

— Bonjour, Cotman, dit-il, je vous offre un verre ?

— Ce n'est pas de refus.

Cotman était un bel homme d'environ trente ans, plutôt petit mais si jeune d'allure qu'il n'y paraissait pas ;
il portait un très élégant smoking croisé, un peu trop
cintré à la taille, et un nœud papillon beaucoup trop
grand. Il avait une très épaisse touffe de cheveux noirs
ondulés, très lisses et brillants, coiffés vers l'arrière et
de grands yeux étincelants. Il s'exprimait de façon très
recherchée mais avec l'accent des faubourgs londo-
niens.

— Comment va Stella ? demanda Sandy.

— Ça va. Elle aime faire un petit somme avant le
spectacle. Elle dit que ça lui calme les nerfs.

— Je ne ferais pas son numéro pour un million.

— Je veux bien le croire. Personne d'autre n'y est

parvenu, tout au moins de cette hauteur et dans à peine un mètre cinquante d'eau.

— Je n'ai jamais rien vu d'aussi sensationnel.

Cotman eut un petit rire. Il prenait ça comme un compliment. Stella était sa femme. Bien sûr, c'était elle qui faisait le numéro et prenait tous les risques mais c'était lui qui avait eu l'idée des flammes et c'étaient les flammes qui avaient forcé l'attention du public et fait de ce numéro un énorme succès. Stella plongeait de dix-huit mètres dans une cuve où, comme il disait, il n'y avait pas plus d'un mètre cinquante d'eau. Juste avant le plongeon, on versait sur toute la surface de l'eau de l'essence à laquelle on mettait le feu. Les flammes s'élevaient et elle plongeait en plein dedans.

— Paco Espinel me dit que c'est le plus grand succès enregistré par le Casino.

— Je sais. Il m'a dit avoir servi autant de dîners en juillet que pendant toute la saison dernière. Et c'est grâce à vous, m'a-t-il dit.

— Eh bien, j'espère que vous vous remplissez les poches.

— Pas exactement. Vous savez, nous avons signé un contrat et, bien sûr, nous ne savions pas que nous allions faire un malheur, mais Mr. Espinel parle de nous reprendre pour le mois prochain et inutile de vous dire que les conditions vont changer : il va payer le prix fort. Et puis, j'ai reçu, ce matin même, une lettre d'un commanditaire m'informant qu'on nous réclamait à Deauville.

— Tiens, voilà mon amie, dit Sandy.

Il salua Cotman et le quitta. Eva Barrett fit son entrée avec le reste de ses invités. Elle les avait tous réunis, en bas. Ils étaient huit en tout.

— Je savais que je vous trouverais ici, Sandy, dit-elle, je vous ai fait attendre ?

— A peine une demi-heure.

— Demandez-leur s'ils prennent des cocktails et puis passons à table.

Pendant qu'ils étaient au bar, en train de désemplir car, à présent, presque tout le monde était allé sur la terrasse pour dîner, Paco Espinel vint serrer la main d'Eva Barrett au passage. C'était un homme jeune qui avait dilapidé sa fortune et qui gagnait maintenant sa vie en supervisant les attractions destinées à attirer la clientèle du Casino. Il se devait d'être courtois envers les riches et les puissants de ce monde. Mrs. Chaloner Barrett était une veuve américaine nantie d'une immense fortune ; non seulement elle recevait généreusement mais elle jouait de l'argent. Et, en définitive, les dîners et les soupers et les deux numéros de cabaret qui les accompagnaient n'avaient pas d'autre but que de pousser la clientèle à dépenser son argent sur les tables de jeux.

— Vous m'avez réservé une bonne table, Paco ? demanda Eva Barrett.

— La meilleure.

Dans ses beaux yeux noirs d'Argentin se lisait son admiration pour les charmes opulents mais décatis de Mrs. Barrett. Cela aussi faisait partie de ses attributions.

— Avez-vous vu Stella ?

— Bien sûr ! Trois fois. Je n'ai jamais rien vu d'aussi terrifiant.

— Sandy vient tous les soirs.

— Je veux être présent à la curée. Elle va certainement se tuer un de ces jours et, si possible, je n'aimerais pas manquer ça.

Paco se mit à rire.

— Elle a eu un tel succès que nous allons la garder le mois prochain. Tout ce que je demande, c'est qu'elle ne se tue pas avant la fin du mois d'août. Après, elle peut faire ce qui lui plaira.

— Ah non ! Ne me dites pas qu'il va me falloir manger de la truite ou du poulet rôti tous les soirs jusqu'à fin août ! s'écria Sandy.

— Espèce de mufle ! dit Eva Barrett. Allons dîner. Je meurs de faim.

Paco Espinel demanda au barman s'il avait servi un verre à Mr. Cotman.

— Bon, eh bien, s'il revient dis-lui que je veux lui parler.

Mrs. Barrett marqua une pause au sommet de l'escalier qui conduisait à la terrasse pour donner le temps à la représentante de la presse, petite femme sèche aux cheveux en bataille, d'approcher avec son carnet de notes. Sandy lui chuchota le nom des invités. Toute l'élite de la Riviera était représentée. Il y avait un lord anglais et sa compagne, grands et maigres tous deux, prêts à dîner avec n'importe qui pourvu qu'on leur paye le repas. Ils seraient soûls comme des grives avant minuit. Il y avait une Écossaise très mince dont le visage évoquait un masque péruvien ravagé par dix siècles de tempête. Elle était accompagnée de son mari, courtier en Bourse de son état mais néanmoins rude, militaire et robuste d'aspect. Il avait l'air tellement intègre que vous étiez presque plus peiné pour lui que pour vous, lorsque les affaires intéressantes qu'il vous avait signalées, par faveur spéciale, faisaient long feu. Il y avait une comtesse italienne, pas plus italienne que comtesse, mais qui jouait remarquablement bien au bridge, et il y avait aussi un prince russe prêt à faire de Mrs. Barrett une princesse et qui, en attendant, vendait du champagne, des automobiles et des toiles de maître à la commission. On était en train de danser et Mrs. Barrett, attendant que la musique s'arrête, parcourait d'un regard, que sa courte lèvre supérieure rendait méprisant, la foule agglutinée sur la piste de danse. C'était une soirée de gala, les tables étaient serrées les unes contre les autres. Au-dessous, la mer s'étendait calme et silencieuse. La musique s'interrompit et le maître d'hôtel s'approcha, avec un sourire affable, pour les guider jusqu'à leur table. Elle descendit les marches d'un pas majestueux.

— Nous serons très bien placés pour le plongeon, dit-elle en s'asseyant.

— Je préfère être contre la cuve pour apercevoir son visage, dit Sandy.

— Serait-elle jolie ? demanda la comtesse.

— Non, ce qui m'attire, c'est l'expression de ses yeux. Elle est morte de peur à chaque fois.

— Je n'en crois pas un mot, dit le courtier en Bourse, qui se faisait appeler colonel Goodhart bien que nul ne sache exactement d'où lui venait cette distinction. Enfin, ce fichu numéro de cirque a été manigancé de toutes pièces. Elle ne court pas le moindre risque, allez !

— Vous n'y connaissez rien. Pour plonger de cette hauteur dans aussi peu d'eau, il lui faut se redresser comme l'éclair dès l'instant où elle touche l'eau. Si elle rate son coup elle est sûre de s'assommer contre le fond et de se briser la colonne vertébrale.

— Mais, mon jeune ami, c'est bien ce que je voulais dire. Il y a un truc. Enfin, ça tombe sous le sens !

— De toute façon, s'il n'y a pas de danger, ça ne vaut pas le coup, dit Eva Barrett. Ça ne dure pas plus d'une minute. Si elle ne risque pas sa vie, c'est la plus grande escroquerie de tous les temps. Ne me dites pas que nous nous sommes déplacés exprès plusieurs fois pour une escroquerie.

— Les escrocs sont plus nombreux qu'on ne croit. Faites-moi confiance.

— Façon de parler ! ajouta Sandy.

Même si le colonel avait saisi l'allusion perfide, il n'en laissa rien paraître. Il se mit à rire.

— Je crois, sans me vanter, avoir quelque expérience de la vie, reconnut-il. Enfin, je n'ai pas les yeux dans ma poche, et il est bien difficile de me rouler.

La cuve se trouvait sur la partie gauche de la terrasse et, derrière, se dressaient une immense échelle soutenue par des haubans et, tout en haut, une minuscule plate-forme. Après deux ou trois autres danses, alors que les invités d'Eva Barrett en étaient aux asperges, la musique s'interrompit et les lumières s'estompèrent. Un projecteur fut braqué sur la cuve. Cotman apparut dans le faisceau lumineux. Il gravit quelques marches pour se trouver au-dessus de la cuve.

— Mesdames et Messieurs, proclama-t-il d'une voix claire et forte, vous allez maintenant assister au plus for-midable exploit de notre époque. Madame Stella, la meilleure plongeuse du monde, va plonger d'une hau-teur de dix-huit mètres dans un lac enflammé d'un mètre cinquante de profondeur. C'est un exploit qui n'a jamais été réalisé auparavant et Madame Stella est prête à remettre cent mille francs à celui qui le réussira. Mes-dames et Messieurs, j'ai l'honneur de vous présenter Madame Stella.

Une frêle silhouette apparut en haut de l'escalier qui conduisait à la terrasse, elle courut vers la cuve et salua sous les applaudissements de l'assistance. Elle portait un peignoir d'homme en soie et un bonnet de bain. Son visage maigre était fardé pour la scène, la comtesse ita-lienne la regarda avec son face-à-main.

— Moche, dit-elle.

— Pas mal faite, dit Eva Barrett. Vous allez voir.

Stella laissa glisser son peignoir et le donna à Cot-man. Il redescendit de l'échelle. Elle attendit un instant en regardant les spectateurs. Comme ils étaient dans l'ombre, elle n'apercevait que de vagues visages blancs. Elle était petite, admirablement faite avec de longues jambes sans rapport avec son corps et des hanches étroites. Son maillot de bain était très étroit.

— Vous aviez tout à fait raison de dire qu'elle était bien faite, dit le colonel. Un peu maigrichonne à mon goût mais vous, les femmes, vous trouvez ça bien.

Stella commença à gravir l'échelle, accompagnée par le projecteur. La hauteur semblait vertigineuse. Un aide répandit de l'essence sur la surface de l'eau. On tendit à Cotman une torche enflammée. Il attendit que Stella atteigne le sommet de l'échelle et qu'elle s'installe sur la plate-forme.

— Prêt ? cria-t-il.

— Oui.

— Allons-y !

A ces mots, il parut enfoncer la torche dans l'eau. Les flammes jaillirent très haut, faisant un spectacle vraiment horrible à contempler. Au même instant, Stella plongea. Tombant comme l'éclair, elle plongea au milieu des flammes qui s'éteignirent peu après qu'elle eut touché la surface de l'eau. Un instant plus tard, elle remontait à la surface et sautait à terre dans un tonnerre d'applaudissements. Cotman lui mit son peignoir sur les épaules. Elle salua plusieurs fois. Les applaudissements n'en finissaient pas. La musique reprit. Après un dernier salut de la main, elle descendit les escaliers et se glissa à travers les tables en direction de la sortie. Les lumières se rallumèrent et les serveurs s'empressèrent de reprendre le service un moment négligé.

Sandy Westcott soupira. Il ne savait pas s'il était déçu ou soulagé.

— Formidable ! dit le lord anglais.

— Du chiqué ! poursuivit le colonel avec une obstination toute britannique. Je vous parie tout ce que vous voudrez.

— C'est si vite fini ! enchaîna la pairesse anglaise. On n'en a même pas pour son argent.

De toute façon, il ne s'agissait pas de son argent. Comme d'habitude du reste. La comtesse italienne se pencha vers Mrs. Barrett. Elle parlait couramment l'anglais mais avec un fort accent.

— Eva chérie, qui sont ces gens extraordinaires à la table près de la porte, sous le balcon ?

— Ils ont une drôle de touche, commenta Sandy, je ne peux pas m'empêcher de les regarder.

Eva Barrett jeta un coup d'œil dans la direction de la table indiquée par la comtesse, et le prince, assis en face, se retourna pour regarder.

— Ils sont trop beaux pour être vrais ! s'écria Eva. Il faut que je demande à Angelo de qui il s'agit.

Mrs. Barrett était de ces femmes qui appellent par leur petit nom les maîtres d'hôtel de tous les plus grands restaurants d'Europe. Elle demanda au garçon qui remplissait son verre de faire venir Angelo.

C'était assurément un couple très étrange. Ils étaient assis seuls à une petite table. Ils étaient très âgés. L'homme, très corpulent, avait une masse de cheveux blancs, de gros sourcils blancs en bataille et une énorme moustache blanche. Il rappelait feu le roi Umberto d'Italie mais en beaucoup plus princier. Il était assis très droit. Il portait l'habit de soirée, une cravate blanche et un col à la mode d'il y a bien trente ans.

Sa compagne était une petite vieille vêtue d'une robe du soir en satin noir, très décolletée et serrée à la taille. Autour de son cou brillaient plusieurs rangs de perles multicolores. De toute évidence, elle portait une perruque d'ailleurs fort mal ajustée, très tarabiscotée, toute en boucles et en rouleaux, couleur aile de corbeau. Les paupières et le dessous des yeux ombrés d'un bleu vif, les sourcils soulignés d'un trait noir, une grande tache rouge vif à chaque joue et les lèvres d'un rouge violacé, elle était outrageusement fardée. Les chairs avachies creusaient de grandes rides sur son visage. Ses grands yeux vifs couraient sans arrêt de table en table. Rien ne lui échappait et, à tous moments, elle attirait l'attention du vieil homme sur telle ou telle personne. La présence de ce couple était si insolite, au milieu de cette foule élégante de smokings et de vaporeuses toilettes couleur pastel, que tous les regards étaient braqués sur eux. La vieille dame ne semblait pas s'en formaliser. Quand elle sentait des regards posés sur elle, elle minaudait en haussant les sourcils, souriait et roulait des yeux. On aurait dit qu'elle allait saluer la foule.

Angelo s'empressa auprès de Mrs. Barrett, cette excellente cliente.

— Vous désirez me parler, Madame la baronne ?

— Oui, Angelo, nous brûlons de savoir qui sont ces personnes absolument « divines » assises près de la porte.

Angelo jeta un coup d'œil et prit un air contrit. L'expression de son visage, le mouvement de ses épaules, l'inclinaison de son dos, le geste de ses mains et probablement aussi le frétillement de ses orteils, tout indiquait un aveu humoristique d'irresponsabilité.

— Que Madame la baronne veuille bien les ignorer.

Il savait, bien sûr, que Mrs. Barrett n'avait aucun droit à ce titre tout comme il n'ignorait pas que la comtesse italienne n'était ni italienne ni comtesse et que le lord anglais cherchait toujours quelqu'un pour lui payer à boire, mais il savait aussi que cette appellation n'était pas pour lui déplaire.

— Ils m'ont supplié de leur donner une table pour voir plonger Madame Stella. Ils étaient dans le métier autrefois. Je sais bien que ce n'est pas le type de gens qu'on s'attend à rencontrer ici, mais ils ont tant insisté que je n'ai pas eu le cœur de leur refuser.

— Mais ils sont tout simplement impayables ! Je les trouve adorables.

— Je les connais depuis des années. D'ailleurs l'homme est un compatriote à moi.

Le maître d'hôtel eut un petit rire condescendant.

— Je leur ai dit qu'ils auraient une table à condition de ne pas danser. Je ne voulais pas prendre de risques, Madame la baronne.

— Pourtant, j'aurais bien aimé les voir danser.

— Il y a des limites à tout, Madame la baronne, ajouta Angelo d'un ton grave.

Il sourit, s'inclina de nouveau et se retira.

— Regardez, s'écria Sandy, ils s'en vont !

Le couple ridicule réglait l'addition. Le vieux se leva, passa autour des épaules de sa femme un grand boa de plumes blanches assez sales. Elle se leva. Il lui donna le bras en cambrant le buste et, toute menue à côté de lui, elle sortit à petits pas à ses côtés. Sa robe de satin noir avait une longue traîne et Eva Barrett, qui avait dépassé la cinquantaine, partit d'un grand éclat de rire.

— Voyez-vous, elle me rappelle ma mère qui portait une robe identique lorsque j'étais toute gosse.

Le couple comique traversa, bras dessus bras dessous, les vastes salons du Casino jusqu'à la porte. Le vieux s'adressa à l'un des chasseurs :

— Veuillez avoir l'obligeance de me conduire à la loge des artistes. Nous voulons présenter nos respects à Madame Stella.

Le chasseur les regarda et les jaugea d'un seul coup d'œil. Avec ce type de gens, inutile de se mettre en frais de politesse.

— Vous ne la trouverez pas.

— Elle n'est pas déjà partie ? Je croyais qu'elle donnait une seconde représentation à deux heures.

— C'est vrai. Peut-être, ils sont au bar.

— Ce n'est pas une affaire d'aller y jeter un œil, Carlo, dit la vieille dame.

— D'accord, mon amour, répondit-il en roulant fortement les r.

Ils se dirigèrent lentement vers le grand escalier et entrèrent dans le bar. Il était vide à l'exception de l'aide-barman et d'un couple assis dans des fauteuils dans un coin. La vieille dame quitta le bras de son mari et s'avança les bras tendus :

— Comment que ça va, ma chère ? Je me suis dit comme ça qu'il fallait venir vous féliciter, vu que vous êtes anglaise pareil que nous. Et du même métier, en plus. Vous avez un numéro sensationnel, ma chérie, il n'a que le succès qu'il mérite.

Elle se tourna vers Cotman.

— Votre époux, je suppose ?

Stella se leva de son fauteuil et un timide sourire embarrassé courut sur ses lèvres en entendant le bavardage de la vieille dame.

— Oui, je vous présente Syd.

— Ravi de faire votre connaissance, dit-il.

— Et moi, je vous présente le mien, dit la vieille dame avec un petit signe du coude en direction du grand monsieur aux cheveux blancs. Mr. Penezzi, comte de son état, ce qui fait que je peux prétendre au titre de comtesse mais nous avons cessé de porter ce titre depuis notre retraite.

— Qu'est-ce que vous prenez ? demanda Cotman.

— Mais non, laissez, c'est notre tournée, dit Mrs. Penezzi, en se laissant tomber dans un fauteuil. Carlo, prends les commandes.

Le barman approcha et, après quelques palabres, on commanda trois bières. Stella ne voulait rien.

— Elle ne prend jamais rien avant la fin de la seconde représentation, commenta Cotman.

Stella était petite et menue, avec beaucoup de cheveux châtain clair coupés court et frisés et elle avait les yeux gris. Elle avait dans les vingt-six ans. Ses lèvres étaient maquillées mais elle n'avait qu'un soupçon de rouge sur les joues. Son teint était pâle. Elle n'était pas très jolie mais elle avait un gentil minois. Elle portait une robe de soie noire toute simple. On apporta la bière et Mr. Penezzi, qui ne paraissait pas très loquace, but un grand coup.

— Quelle était votre spécialité ? demanda Syd Cotman, poliment.

Mrs. Penezzi ouvrit tout grands ses yeux étincelants et fortement fardés, puis se tourna vers son mari :

— Dis-leur qui je suis, Carlo.

— La femme-obus ! proclama Carlo.

Mrs. Penezzi sourit largement et son regard fébrile

courut rapidement de l'un à l'autre. Ils la regardaient sans comprendre.

— Ben voyons ! Flora, la femme-obus.

Elle paraissait si sûre de son effet qu'ils ne savaient que faire. Stella jeta à Syd un regard embarrassé. Il essaya de sauver la situation :

— Ce devait être avant notre naissance.

— Vous pensez ! Nous avons pris définitivement notre retraite l'année de la mort de la pauvre reine Victoria. Notre retraite aussi a fait couler beaucoup d'encre. Mais certainement, vous avez entendu parler de moi.

Devant leurs mines consternées, elle changea de ton.

— J'étais la plus grande attraction de Londres. Je passais au *Vieil Aquarium*. Toutes les huiles venaient me voir. Le prince de Galles et toute la clique. Il n'y en avait que pour moi. Pas vrai, Carlo ?

— Elle a fait salle comble à *l'Aquarium* pendant un an.

— C'était le numéro le plus sensationnel qu'on ait jamais vu. Tenez, il y a pas longtemps, je me suis présentée à lady de Bathe, vous savez, Lily Langtry, la comédienne. Elle vivait dans le coin, elle aussi. Eh bien, elle se souvenait parfaitement de moi. Elle m'a dit qu'elle m'avait vue dix fois.

— Qu'est-ce que vous faisiez au juste ? demanda Stella.

— On me tirait dans un canon. Croyez-moi, ça valait le coup ! Et, après Londres, j'ai parcouru le monde entier. Eh oui ! A présent je suis vieille et je ne m'en cache pas. Mr. Penezzi va sur ses soixante-dix-huit ans et moi, j'ai oublié le jour de mes soixante-dix ans mais j'ai eu mon portrait sur tous les murs de Londres. Lady de Bathe m'a dit : « Ma chère, vous étiez aussi célèbre que moi. » Mais vous connaissez les gens, donnez-leur quelque chose de chouette et ils en bavent des ronds de chapeau, mais il leur faut du changement ; même si c'est très bien, ils finissent par se lasser et alors, plus moyen de les faire revenir. Ça vous arrivera, ma petite, comme à nous. C'est chacun son tour. Mais Mr. Penezzi a toujours eu la tête sur les épaules. C'était un enfant de la balle. Maître de manège qu'il était. C'est comme ça que je l'ai rencontré. Je faisais partie d'un numéro acrobatique, de trapèze, pour tout dire. Aujourd'hui, il est encore bien conservé mais il aurait fallu le voir en bottes et culotte d'écuyer, moulé dans sa redingote toute chamarrée de brandebourgs, en train de faire claquer son grand fouet sur la tête de ses chevaux galopant autour de la piste ; de ma vie, je n'avais vu un aussi bel homme.

Mr. Penezzi ne dit mot mais frisa pensivement son immense moustache blanche.

— Donc, comme je vous disais, c'était pas le genre à jeter l'argent par les fenêtres et, lorsque notre imprésario n'a plus pu nous placer, il a dit, eh bien, on se retire. Il avait bougrement raison : après avoir été la plus grande vedette de Londres, on peut pas retourner au cirque. Et puis, comme Mr. Penezzi est comte, il pouvait pas se laisser aller. C'est ainsi qu'on s'est retrouvé par ici, qu'on s'est acheté une maison et qu'on a ouvert une pension de famille. Ç'avait toujours été son rêve, à Mr. Penezzi. Ça fait trente-cinq ans que nous sommes ici. On s'en est pas mal tiré jusqu'à ces deux ou trois dernières années, avec la crise et tous ces nouveaux clients si différents de ceux que nous avions au début, avec tout ce qu'ils réclament à présent, l'électricité, l'eau courante dans les chambres et je ne sais trop quoi encore ! Donne-leur notre carte, Carlo. Mr. Penezzi fait luimême la cuisine et, si jamais vous cherchez un petit coin tranquille, vous saurez où vous adresser. J'aime bien les artistes et nous n'en finirons pas de papoter toutes les deux, ma petite. Y a pas de doute, un artiste reste toujours un artiste.

A cet instant, le chef barman retourna à son poste après avoir dîné. Il aperçut Syd :

— Tiens, Mr. Cotman, Mr. Espinel vous cherchait, il veut vous parler personnellement.

— Ah bon ? Où est-il ?

— Il doit être dans les parages.

— Nous partons, dit Mrs. Penezzi, en se levant. Venez donc déjeuner avec nous un de ces jours. J'aimerais vous montrer mes photos d'autrefois et mes coupures de presse. Comment peut-on ne pas avoir entendu parler de la femme-obus ? Mais croyez-moi, j'étais connue comme le loup blanc !

Mrs. Penezzi n'était pas vraiment contrariée de voir que ces deux jeunes gens n'avaient jamais entendu parler d'elle. Ça l'amusait, tout simplement.

Ils prirent congé et Stella se replongea dans son fauteuil.

— Je finis ma bière, dit Syd, et puis j'irai voir ce que veut Paco. Tu restes ici, mon cœur, ou tu préfères retourner dans ta loge ?

Stella avait les poings serrés. Elle ne répondit pas. Syd la regarda et détourna rapidement son regard.

— C'est un vrai poème, cette vieille ! poursuivit-il d'un ton enjoué. Quelle caricature ! Elle avait l'air sincère. Mais tout cela est bien difficile à croire. Tu t'imagines un peu, elle faisait courir tout Londres, il y a combien de ça ? Quarante ans ? Et le plus drôle, c'est qu'elle s'imaginait que tout le monde s'en souvenait. Apparemment, elle n'en est pas revenue quand on lui a dit qu'on n'avait jamais entendu parler d'elle.

Il regarda de nouveau Stella, du coin de l'œil, pour qu'elle ne s'aperçoive pas qu'il la regardait. Il vit qu'elle pleurait. Il hésita. Les larmes coulaient, sans bruit, sur son visage pâle.

— Qu'est-ce qui ne va pas, ma chérie ?

— Syd, je ne peux pas recommencer une deuxième fois, ce soir, dit-elle en sanglotant.

— Et pourquoi donc, grands dieux ?

— J'ai peur.

Il lui prit la main.

— Allons, je te connais bien, dit-il. Tu es une petite femme très courageuse. Prends un cognac, ça te remontera.

— Non, ça irait encore plus mal.

— Tu ne peux décevoir ton public.

— Cette bande de dégoûtants. Des porcs qui ne pensent qu'à manger et à boire. Un tas de bavards stupides avec de l'argent à ne plus savoir qu'en faire. Je peux plus les sentir. Ils s'en fichent que je risque ma vie.

— Bien sûr qu'ils viennent pour se donner des sensations, c'est évident, reprit-il d'un air embarrassé. Mais tu sais aussi bien que moi qu'il n'y a aucun risque si tu gardes ton sang-froid.

— C'est que je l'ai perdu, mon sang-froid, Syd. Je vais me tuer.

Elle avait légèrement haussé le ton et il jeta un coup d'œil rapide en direction du barman. Mais le barman lisait l'*Éclaireur de Nice* et ne s'occupait pas d'eux.

— Tu n'imagines pas l'impression que l'on a de là-haut, au sommet de l'échelle, quand je me penche vers la cuve. Je te jure que, ce soir, j'étais sur le point de m'évanouir. Je t'assure, je ne peux pas recommencer ce soir ; il faut que tu me tires de là, Syd.

— Si tu te dégonfles aujourd'hui, demain ce sera pire encore.

— Mais non. Ce qui me tue, c'est d'avoir à le faire une deuxième fois. L'attente et tout le reste. Va voir Mr. Espinel et dis-lui qu'il m'est impossible de donner deux représentations par soirée. C'est au-dessus de mes forces.

— Il ne marchera jamais. Tout le succès du restaurant dépend de toi. En fin de compte les gens ne viennent ici que pour te voir.

— Tant pis ! Je t'assure que je ne peux pas continuer.

Il garda le silence un instant. Les larmes continuaient à couler sur le maigre et pâle visage de Stella et il vit qu'elle s'affolait de plus en plus. Il se doutait depuis un certain temps que quelque chose n'allait pas et il s'en était inquiété. Il s'était efforcé d'éviter toute occasion d'en discuter. Il sentait confusément qu'il valait mieux qu'elle ne formule pas ce qu'elle ressentait. Pourtant, il s'était fait du souci, car il l'aimait.

— Bon, de toute façon, Espinel veut me voir, dit-il.

— A propos de quoi ?

— Je ne sais pas. Je vais lui dire que tu ne peux pas faire ton numéro plus d'une fois par soirée et je verrai bien sa réaction. Tu m'attends ici ?

— Non, je vais dans ma loge.

Dix minutes plus tard, il l'y retrouva. Il était tout joyeux et il marchait d'un pas guilleret. Il ouvrit la porte brusquement.

— J'ai une excellente nouvelle pour toi, mon amour ! Ils nous gardent le mois prochain en doublant notre cachet.

Il se précipita pour la prendre dans ses bras et l'embrasser mais elle le repoussa.

— Faut-il que je recommence tout à l'heure ?

— Malheureusement, oui. J'ai essayé de lui faire accepter une seule représentation mais il n'a rien voulu savoir. Il a dit que ton numéro était indispensable au moment du souper. Et après tout, pour le double d'argent, ça vaut le coup !

Elle se jeta par terre et, cette fois, éclata en sanglots.

— Je ne peux pas, Syd, je ne peux pas. Je vais me tuer.

Il s'assit par terre, lui releva la tête, la prit dans ses bras et la cajola.

— Courage, ma chérie. Tu ne peux pas refuser une pareille somme. Cela nous permettra de passer tout l'hiver sans lever le petit doigt. Après tout, il n'y a plus que quatre jours jusqu'à la fin juillet et, après le mois d'août, c'est terminé.

— Non, non et non. J'ai peur. Je ne veux pas mourir, Syd. Je t'aime.

— Je le sais, ma chérie, et moi aussi je t'aime. Depuis que nous sommes mariés, je n'ai jamais regardé une autre femme. On ne nous a jamais proposé autant d'argent et une occasion pareille ne se représentera jamais. Tu sais comment sont les gens, aujourd'hui c'est le délire mais il ne faut pas s'attendre à durer indéfiniment. Il faut battre le fer tant qu'il est chaud.

— Tu ne veux pas que je meure, Syd ?

— Ne dis pas de bêtises. Que serais-je sans toi ? Il ne faut pas te mettre dans ces états : tu dois penser à ta réputation. Tu es connue dans le monde entier.

— Oui, comme la femme-obus, cria-t-elle avec un rire hystérique.

« Cette espèce de vieille folle ! » pensa-t-il. Il savait que c'était la goutte qui avait fait déborder le vase. Dommage que Stella le prenne tant à cœur.

— Elle m'a ouvert les yeux, ajouta-t-elle. Pourquoi viennent-ils tous me voir et me revoir ? Dans l'espoir de me voir mourir. Et une semaine après ma mort, ils ne se souviendront même plus de mon nom. Voilà pour le public ! En regardant cette vieille peinturlurée, j'ai tout compris. Oh, Syd, je suis si malheureuse !

Elle passa ses bras autour de son cou et appuya son visage contre le sien.

— Syd, c'est inutile, je ne peux pas recommencer.

— Tu ne veux pas ce soir ? Si tu le prends comme ça, je vais dire à Espinel que tu as eu un évanouissement. J'espère que ça passera pour une fois.

— Pas seulement ce soir mais plus jamais !

Elle sentit qu'il marquait le coup.

— Syd chéri, ce n'est pas un caprice. Ça ne date pas d'aujourd'hui, ça m'est venu progressivement. Je n'en dors pas la nuit et, lorsque je parviens à m'assoupir, je me vois debout en haut de l'échelle, en train de regarder vers le bas. Ce soir, c'est à peine si je pouvais grimper à l'échelle tellement je tremblais et, lorsque tu as embrasé la cuve et donné le signal, quelque chose semblait me retenir. Je ne sais même pas comment j'ai fait pour sauter. Mon cerveau est resté vide jusqu'au moment où je me suis retrouvée sur la plate-forme et j'ai entendu les applaudissements. Syd, si tu m'aimais, tu refuserais de me soumettre à une telle torture.

Il soupira. Ses yeux aussi étaient mouillés de larmes. Car il l'aimait tendrement.

— Tu sais ce qui nous attend, dit-il. La vie d'autrefois, avec les marathons et tout le reste.

— Tout plutôt que ça.

La vie d'autrefois... Ils s'en souvenaient tous les deux. Syd était danseur mondain depuis l'âge de dix-huit ans. Il était plein de vie, beau et brun comme un hidalgo, et les vieilles dames, et les moins vieilles, ne demandaient qu'à payer pour danser avec lui, aussi ne manquait-il pas d'ouvrage. D'Angleterre, il était passé en France où il allait d'hôtel en hôtel, l'hiver sur la Côte et l'été dans les villes d'eaux françaises. Ils n'étaient pas à plaindre, ces jeunes gens, car ils étaient généralement deux ou trois et partageaient des appartements bon marché. Ils faisaient la grasse matinée et ne s'habillaient que pour aller vers midi à l'hôtel pour faire danser les grosses dames qui voulaient perdre du poids. Puis, ils étaient libres jusqu'à cinq heures. Alors, ils retournaient à l'hôtel et s'asseyaient, tous les trois à la même table, guettant d'un œil avide les clientes possibles. Ils avaient leurs habituées. Le soir, ils allaient au restaurant où la maison leur offrait un repas très convenable. Entre les services, ils dansaient. Cela rapportait pas mal. Ils recevaient habituellement de cinquante à cent francs de la personne avec qui ils dansaient. Parfois, une dame riche, après avoir longtemps dansé avec l'un d'entre eux pendant deux ou trois soirs, leur donnait jusqu'à mille francs. Parfois, une dame d'âge mûr leur demandait de passer la nuit avec elle et ils recevaient deux cent cinquante francs pour leurs services. Et ils risquaient toujours de tomber sur une vieille folle qui s'entichait de l'un d'entre eux et, alors, ils pouvaient compter sur des bagues en platine ornées de saphirs, des étuis à cigarettes, des habits et un bracelet-montre. Un ami de Syd avait épousé l'une d'entre elles, suffisamment âgée pour être sa mère, mais qui lui donnait une voiture et de l'argent pour jouer au Casino. Ils habitaient une magnifique villa à Biarritz. C'était le bon temps où tout le monde avait de l'argent à dilapider. Puis vint la crise qui frappa les gigolos de plein fouet. Les hôtels étaient désertés et les clientes n'étaient plus disposées à payer pour le plaisir de danser avec un beau jeune homme. Plus d'une fois, une journée entière se passait sans que Syd ait pu gagner de quoi se payer à boire et, bien souvent aussi, une vieille fille obèse pesant une tonne avait eu le culot de lui donner dix francs. Il avait toujours les mêmes frais : il lui fallait être élégamment vêtu sinon le gérant de l'hôtel lui en faisait la remarque, ses notes de blanchisserie étaient exorbitantes et on n'imaginait pas tout le linge qu'il lui fallait ; sans parler des chaussures, qui s'usaient terriblement sur ces horribles parquets mais qui devaient toujours avoir l'aspect du neuf. Et il avait sa chambre et ses repas à payer.

C'est alors qu'il rencontra Stella. C'était à Évian, la saison avait été désastreuse. De nationalité australienne, elle était professeur de natation et plongeait admirablement. Elle faisait des exhibitions tous les matins et tous les après-midi. Le soir, on l'engageait comme danseuse à l'hôtel. Ils dînaient ensemble au restaurant, à une petite table à l'écart des autres invités et, lorsque l'orchestre commençait à jouer, ils dansaient ensemble pour inciter les clients à faire de même. Mais souvent, personne ne les imitait, et ils continuaient à danser tout seuls. Ni l'un ni l'autre n'avaient beaucoup de partenaires payants. Ils tombèrent amoureux l'un de l'autre et, à la fin de la saison, ils se marièrent.

Jamais ils ne l'avaient regretté. Ils avaient connu des périodes difficiles. Même si, par nécessité professionnelle, ils cachaient leur mariage (les vieilles dames n'aiment pas beaucoup danser avec un homme marié en présence de sa femme), il leur était difficile de trouver un emploi tous les deux dans le même hôtel. Syd était loin de gagner suffisamment pour entretenir Stella, même dans la plus modeste pension. Le métier de gigolo ne faisait plus vivre son homme. Ils allèrent à Paris, montèrent un numéro de danse mais la concurrence était féroce et les engagements dans les cabarets difficiles à décrocher. Stella était une excellente danseuse de salon mais la mode était aux danses acrobatiques et, malgré tout leur entraînement, Stella ne parvint pas à réaliser quelque chose qui sortait de l'ordinaire. Et le public était saturé de danses d'apaches. Il leur arrivait de passer des semaines sans travailler. La montre de Syd, son étui à cigarettes en or, sa bague en platine, tout partit au mont-de-piété. Ils se retrouvèrent finalement à Nice dans une situation si lamentable qu'il dut mettre son smoking au clou. C'était une catastrophe. Ils furent forcés de s'inscrire à un marathon organisé par un directeur entreprenant. Vingt-quatre heures de danse par jour avec quinze minutes de repos toutes les heures. C'était horrible. Ils avaient mal aux jambes et ils ne sentaient plus leurs pieds. Pendant de longs moments, ils se déplaçaient mécaniquement. Ils se contentaient de marquer la musique en essayant de s'agiter le moins possible. Ils gagnaient un peu d'argent : certains leur donnaient cent ou deux cents francs pour les encourager et, parfois, pour attirer l'attention, ils se forçaient à faire une démonstration. Si les spectateurs étaient de bonne humeur, cela pouvait rapporter une somme convenable. Mais ils étaient de plus en plus exténués. Le onzième jour, Stella perdit connaissance et dut abandonner. Syd continua tout seul, se déplaçant toujours et sans cesse comme un pantin grotesque sans partenaire. C'étaient les moments les plus dramatiques qu'ils avaient vécus. La déchéance finale. Ils en avaient gardé un souvenir d'horreur et de désespoir.

C'est alors que Syd avait eu une inspiration. Elle lui était venue en tournant tout seul sur la piste de danse. Stella avait toujours dit qu'elle pouvait plonger dans un dé à coudre. C'était un coup à prendre.

— C'est drôle comme les idées vous viennent, racontait-il plus tard. En un éclair.

Il se souvint tout d'un coup d'avoir vu un enfant enflammer de l'essence répandue sur le trottoir et les flammes qui avaient jailli. Car, bien sûr, c'étaient les flammes sur l'eau et le plongeon spectaculaire au beau milieu qui avaient séduit le public. Il s'arrêta de danser aussitôt ; il était trop excité pour continuer. Il en parla à Stella qui accueillit l'idée avec enthousiasme. Il écrivit à l'un de ses amis imprésario ; comme tout le monde aimait bien ce gentil garçon, il accepta d'avancer l'argent pour les accessoires. Il les fit débuter dans un cirque parisien et leur numéro fut un succès. Leur réputation était faite. Les contrats se succédèrent et Syd s'acheta une nouvelle garde-robe et, lorsqu'ils furent engagés par le casino d'été sur la Côte d'Azur, ce fut la consécration. Syd n'exagérait pas en disant que Stella faisait fureur.

— Tous nos ennuis sont terminés, ma vieille ! lui dit-il, tendrement. Nous pourrons mettre quelques sous de côté pour les mauvais jours et, lorsque le public n'en voudra plus, j'inventerai autre chose.

Et maintenant, du jour au lendemain, au sommet de la gloire, Stella voulait tout laisser tomber. Il ne savait plus quoi lui dire. Il était désolé de la voir si malheureuse. Il l'aimait beaucoup plus à présent que lorsqu'il l'avait épousée. Il l'aimait à cause de tout ce qu'ils avaient enduré ensemble ; une fois, pendant cinq jours, ils n'avaient eu rien d'autre à manger qu'un quignon de pain chacun et un verre de lait ; et il l'aimait parce qu'elle l'avait tiré de ce mauvais pas.

De nouveau, il avait de beaux habits et ses trois repas par jour. Il ne pouvait se résoudre à la regarder ; l'angoisse qu'il devinait dans ses yeux gris qu'il aimait tant lui était insupportable. Timidement, elle tendit la main et effleura la sienne. Il poussa un grand soupir.

— Tu sais ce qui nous attend, ma chérie. Nos relations dans les hôtels sont fichues et, de toute façon, il n'y a plus rien à faire. Et s'il y a encore quelques bonnes occasions, elles iront à des gens plus jeunes que nous. Tu sais aussi bien que moi comment sont ces vieilles mémères ; elles veulent des jeunes et, de plus, je ne suis pas assez grand. Ça n'avait pas autant d'importance quand j'étais tout jeune. Et puis, inutile de me dire que je ne parais pas mon âge.

— On pourrait peut-être faire de la figuration dans les films.

Il haussa les épaules. Ils avaient déjà essayé lorsqu'ils étaient dans la débine.

— Je ferai n'importe quoi, même servir dans un magasin.

— Et tu crois que les places vont nous tomber toutes rôties ?

Elle se remit à pleurer.

— Ne pleure pas, ma chérie. Je ne peux pas le supporter.

— Nous avons un peu d'argent de côté.

— Oui, je sais. Juste de quoi subsister pendant six mois. Et puis, ce sera la famine. D'abord ce seront les bibelots qui iront au clou, puis les vêtements comme la dernière fois. Et puis, on ira danser dans des bouges immondes pour cinquante francs par soirée plus le repas. Puis, plus rien pendant des semaines entières. Et les marathons, chaque fois qu'il s'en trouvera un. Et pendant combien de temps encore le public va-t-il s'y intéresser ?

— Je vois bien que tu me juges déraisonnable, Syd.

Il se tourna et la regarda cette fois. Elle avait les larmes aux yeux. Il sourit et son sourire était charmant et tendre.

— Mais non, mon amour. Je veux que tu sois heureuse. Après tout, je n'ai que toi et je t'aime.

Il la prit dans ses bras et la serra. Il sentait le battement de son cœur. Si c'était ce que voulait Stella, il lui fallait se résigner. Et puis, si elle venait à se tuer ? Non, c'était impensable, mieux valait tout laisser tomber, et au diable l'argent ! Elle fit un léger mouvement.

— Qu'y a-t-il, ma chérie ?

Elle se dégagea et se leva. Elle s'approcha de la coiffeuse.

— Je crois que ça doit être l'heure de me préparer, dit-elle.

Il se redressa d'un bond.

— Tu ne vas pas faire ton numéro ce soir ?

— Ce soir comme tous les autres soirs, jusqu'à ce que je me tue. Que faire d'autre ? Tu as raison, Syd. Je ne peux pas me résoudre à retrouver tout ça : les privations et les chambres puantes dans des hôtels de vingt-cinquième ordre. Et les marathons. Pourquoi m'as-tu parlé de ça ? Rester sales et fourbus pendant des jours et des jours, et puis être contraints à l'abandon parce qu'on est au bout du rouleau. Peut-être pourrai-je tenir encore un mois et accumuler assez d'argent pour te permettre de trouver autre chose.

— Non, ma chérie. Je ne veux pas. Laisse tomber. On se débrouillera bien d'une façon ou d'une autre. Ce sera pas la première fois que nous crèverons de faim.

Elle quitta ses vêtements et resta un moment toute nue, avec seulement ses bas, à se regarder dans le miroir. Elle adressa un sourire amer à son image.

— Il ne faut pas décevoir son public, dit-elle avec un rire sardonique.

La peau du lion

Bien des gens eurent un choc en lisant dans le journal que le capitaine Forester avait trouvé la mort au cours d'un incendie de forêt en s'efforçant de sauver le chien de son épouse, enfermé chez eux par mégarde. Certains dirent qu'ils ne l'auraient jamais cru capable d'un tel cran ; et d'autres, que son acte était prévisible mais, parmi ces derniers, il y avait deux façons d'entendre cette remarque. Après la tragédie, Mrs. Forester trouva asile dans la villa d'un couple du nom de Hardy, que son mari et elle connaissaient depuis peu. Le capitaine n'aimait pas ces gens-là, tout au moins il n'aimait pas Fred Hardy. Mais la veuve estimait que, s'il avait survécu à cette nuit terrible, il aurait révisé son jugement et admis les vertus que masquait la mauvaise réputation de Hardy. En parfait gentleman, il n'aurait pas hésité à faire son *mea culpa*. Sans l'admirable bienveillance des Hardy, Mrs. Forester ne savait pas comment elle aurait pu conserver la raison après la perte de l'homme qui était tout pour elle. Dans sa douleur, elle avait eu pour seule consolation leur sympathie constante. Eux qui avaient été, pour ainsi dire, les témoins oculaires du noble sacrifice de son époux, savaient mieux que personne à quel point il s'était montré admirable. Jamais elle n'oublierait les propos de ce cher Fred Hardy au moment où il lui avait appris l'affreuse nouvelle. Grâce

73

à eux, elle avait eu la force non seulement de supporter ce malheur effroyable, mais encore d'affronter un avenir solitaire avec tout le courage que l'homme brave, que le gentleman chevaleresque qu'elle avait si tendrement aimé aurait attendu d'elle.

Mrs. Forester était une femme très sympathique. Les personnes bienveillantes disent souvent cela d'une femme dont elles n'ont rien d'autre à dire, si bien qu'un tel jugement prend un sens peu flatteur. Je ne l'entends pas ainsi. Mrs. Forester n'était ni séduisante, ni belle, ni intelligente ; tout au contraire, elle était ridicule, sans attrait et stupide ; pourtant, mieux on la connaissait, plus grande était l'estime que l'on avait pour elle et, si quelqu'un en demandait la raison, vous ne pouviez que redire que c'était une femme très sympathique. Elle avait la stature d'un homme de taille moyenne, une grande bouche, un gros nez busqué, des yeux bleu pâle de myope, des mains comme des battoirs. Sa peau était basanée et ridée, mais elle se maquillait généreusement et ses cheveux, qu'elle portait très longs et faisait teindre en blond doré, étaient toujours soigneusement ondulés et coiffés avec recherche. Dans ses efforts extrêmes pour démentir la masculinité agressive de son physique, elle n'arrivait qu'à ressembler à un acteur de vaudeville dans un rôle de femme. Bien qu'elle eût une voix féminine, l'on s'attendait toujours à ce qu'à la fin de son numéro, pour ainsi dire, elle retrouvât soudain une note de basse profonde ; et que sa perruque blonde, une fois arrachée, découvrît aux regards un crâne d'homme chauve. Elle dépensait des sommes considérables pour s'habiller chez les couturiers de Paris les plus en vogue mais, bien qu'elle eût la cinquantaine, elle avait une fâcheuse propension à choisir des robes qui semblaient ravissantes sur de charmants mannequins dans la fleur de l'âge. Elle se couvrait de bijoux somptueux, mais ses mouvements étaient gauches et ses gestes maladroits. Si le salon où elle entrait s'ornait d'un précieux bibelot de jade, elle trouvait le moyen de l'accrocher au passage et de le flanquer par terre ; et, quand on l'invitait à déjeuner chez soi, il y avait de grandes chances pour que le service de cristal auquel on tenait particulièrement perdît l'un de ses verres, brisé en mille morceaux.

Ces dehors ingrats cachaient, pourtant, un cœur tendre, romanesque, amoureux de l'idéal. Il fallait quelque temps pour s'en apercevoir. Au début, on la trouvait comique puis, au fur et à mesure qu'on la connaissait mieux et que l'on était victime de sa maladresse, elle en venait à vous exaspérer. Mais, une fois qu'on avait découvert son secret, l'on s'estimait bien bête d'avoir tardé à le faire, car son cœur vous parlait dans ses yeux myopes bleu pâle et, pour timide que fût son message, il fallait être idiot pour ne pas en comprendre toute la sincérité. Les mousselines aériennes, les organdis printaniers, les soieries virginales qu'elle arborait n'habillaient point ses formes épaisses mais la candeur d'une âme de jeune fille. L'on oubliait la porcelaine qu'elle vous avait brisée et son allure d'homme déguisé en femme pour la voir comme elle se voyait, comme elle aurait été si seulement le réel pouvait devenir visible : c'est-à-dire sous l'aspect d'une charmante créature au cœur d'or. A mieux la connaître, l'on découvrait en elle une simplicité enfantine ; la moindre prévenance lui inspirait une touchante gratitude. Quant à elle, sa bonté était sans limites, on pouvait lui demander n'importe quel service, pour fastidieux qu'il fût, elle vous le rendait comme si, en lui donnant cette occasion de se dévouer pour vous, on lui faisait une faveur. Elle avait une aptitude rare pour l'amour désintéressé. L'on était certain que jamais une pensée cruelle ou malveillante n'avait traversé son esprit. Et, au bout du compte, l'on redisait encore que Mrs. Forester était une femme très sympathique.

Malheureusement, c'était aussi une parfaite idiote.

L'on s'en apercevait en faisant la connaissance de son mari. Mrs. Forester était américaine, et le capitaine, anglais. Mrs. Forester était originaire de Portland, dans l'Oregon, et n'était jamais venue en Europe avant la guerre de 14. Peu de temps après la mort de son premier mari, elle s'était, alors, engagée dans une formation sanitaire à destination de la France. Sans être riche selon les normes américaines, elle était fortunée à l'échelle britannique. Le train de vie des Forester me donnerait à penser qu'elle disposait d'une rente annuelle de l'ordre de trente mille dollars. Même si, à n'en pas douter, elle se trompait de remèdes et de destinataires ; si, en pansant les blessés, elle leur faisait plus de mal que de bien ; et si elle cassait tous les ustensiles d'hôpital un tant soit peu fragiles, elle avait dû être une infirmière admirable. Jamais une tâche ne devait lui paraître rebutante au point de la faire reculer ; à coup sûr, elle se dépensait sans compter et ne devait jamais perdre sa bonne humeur. Je ne m'ôterai pas de l'idée que plus d'un pauvre diable avait eu lieu de bénir sa tendresse native ; et il se pourrait bien que la charité de cette femme au cœur d'or eût inspiré à nombre de mourants un surcroît de courage au moment si cruel du saut dans l'inconnu. C'est pendant la dernière année de la guerre que le capitaine Forester devint l'un de ses malades, et leur mariage suivit de peu la proclamation de la paix. Ils s'établirent dans une belle villa de l'arrière-pays cannois, et devinrent bientôt, sur la Côte d'Azur, des figures marquantes de la vie mondaine. Le capitaine Forester était un bon bridgeur, un passionné de golf et même un joueur de tennis convenable. Il possédait un voilier, à bord duquel les Forester organisaient des parties en mer très réussies, l'été, entre les îles. Après dix-sept ans de mariage, Mrs. Forester adorait toujours son beau mari, et l'on ne pouvait pas la fréquenter longtemps sans l'entendre raconter, avec l'accent traînant de l'Ouest américain, l'histoire complète de leurs fiançailles.

— J'ai eu le coup de foudre, disait-elle. Quand on l'a amené, le hasard a voulu que je sois de repos et, quand j'ai pris mon service et que je l'ai trouvé sur l'un des lits dont j'étais responsable, oh mon Dieu, j'ai eu un choc au cœur : au point de croire, un instant, que c'était l'effet du surmenage. Jamais de toute ma vie je n'avais vu un aussi bel homme.

— Sa blessure était grave ?

— A vrai dire, il n'était pas blessé à proprement parler. Voyez-vous, c'est à peine croyable : il a servi pendant toute la guerre, des mois durant en première ligne, et bien sûr il risquait sa vie vingt fois par jour, car il fait partie de ces hommes qui ne savent vraiment pas ce que c'est que d'avoir peur ; et pourtant, il n'a jamais reçu la moindre égratignure. Il souffrait de furonculose.

On aurait pu croire qu'une telle maladie n'offrait pas un sol idéal pour l'éclosion d'un amour romantique. Mrs. Forester était un tantinet pudibonde et, pour vif que fût son intérêt à l'égard des furoncles du capitaine, elle éprouvait toujours quelque embarras pour les localiser avec exactitude.

— Ils étaient tout à fait au bas de son dos et même plus bas encore, à vrai dire, et il n'aimait pas du tout que je fasse ses pansements. Les Anglais sont curieusement pudiques, je m'en suis rendu compte je ne sais combien de fois, et la situation l'humiliait affreusement. On aurait pu croire que cette entrée en matière, si vous comprenez ce que je veux dire, était propre à nous rapprocher. Mais, pour des raisons qui m'échappaient, ce n'était pas du tout le cas. Il restait très distant. Quand, dans le cours de ma visite, j'arrivais à son lit, j'étais si oppressée et mon cœur battait si fort que je ne comprenais pas ce qui m'arrivait. Je ne suis pas maladroite par nature : je ne laisse jamais rien tomber et ne casse jamais rien. Mais, le croiriez-vous, chaque fois qu'il me fallait administrer ses médicaments à Robert, je lâchais la cuillère et je cassais son verre : je me demandais ce qu'il devait penser de moi.

A ce stade du récit de Mrs. Forester, l'on avait le plus grand mal à ne pas s'esclaffer. Son sourire était presque attendrissant.

— Vous allez, sans doute, trouver ça ridicule, mais, voyez-vous, jamais auparavant je n'avais ressenti quelque chose de semblable. Quand j'avais épousé mon premier mari... eh bien, il était veuf avec des fils et des filles adultes et c'était un homme remarquable, l'un des citoyens les plus en vue de l'État d'Oregon, mais, je ne sais pas pourquoi, je n'éprouvais pas la même chose.

— Et comment avez-vous fini par vous apercevoir que vous étiez amoureuse du capitaine ?

— Eh bien, croyez-moi si vous voulez, je sais que ça paraît drôle, mais le fait est que l'une des autres infirmières me l'a dit ; et, bien sûr, j'ai su dès cet instant que c'était vrai. D'abord, ça m'a mise dans tous mes états. Voyez-vous, je ne savais rien de lui. Comme tous les Anglais, c'est un homme très réservé et je pouvais supposer qu'il était marié et père de six enfants.

— Comment avez-vous su que ce n'était pas le cas ?

— Je lui ai posé la question. Dès qu'il m'a dit être célibataire, j'ai résolu de faire n'importe quoi pour devenir sa femme. Le pauvre chéri souffrait le martyre : voyez-vous, il devait rester sur le ventre presque constamment ; dès qu'il se mettait sur le dos, il était au supplice ; quant à s'asseoir... bien entendu, il ne fallait même pas y songer. Mais je crois que son calvaire n'était pas pire que le mien. Les hommes aiment les soieries qui moulent le corps, les tissus moelleux, vaporeux, vous me comprenez, alors que mon uniforme d'infirmière me désavantageait au possible. L'infirmière-major, une vieille fille typique de la Nouvelle-Angleterre, ne pouvait pas souffrir de nous voir maquillées et, d'ailleurs, je ne me fardais pas à l'époque ; ça n'avait jamais plu à mon premier mari. Et mes cheveux étaient moins jolis qu'à présent. Quand Robert tournait vers moi ses yeux bleus admirables, je me disais qu'il devait me prendre pour un épouvantail. Il était très abattu, et il me semblait que je devais tout faire pour lui remonter le moral : dès que j'avais quelques moments de loisir, je venais donc lui tenir conversation. Il ne pouvait, disait-il, supporter l'idée qu'un grand et solide gaillard comme lui traîne des semaines au lit pendant que tous les copains étaient dans les tranchées. En lui parlant, on avait vite fait de comprendre qu'il était de ces hommes qui n'éprouvent jamais aussi intensément la joie de vivre qu'au moment où les balles sifflent à leurs oreilles et où la mort les guette à chaque instant. Le danger le stimulait. Je peux bien vous avouer qu'en reportant sa température sur le graphique, j'ajoutais un ou deux dixièmes pour que les médecins le croient un peu plus malade qu'il n'était en réalité. Je savais qu'il faisait vraiment tout pour obtenir son exeat, et je me disais que la simple équité m'obligeait à lui faire obstacle. En écoutant mon bavardage, il me regardait d'un air pensif, et je sais qu'il se faisait une joie de nos petites parlotes. Je lui disais que j'étais veuve, que je n'avais personne à ma charge, et que j'envisageais de m'établir en Europe après la guerre. A la longue, il se dégelait un peu. Il ne parlait guère de lui-même, mais il se mettait à me taquiner, vous connaissez son sens de l'humour, et, par moments, je commençais à croire qu'il ne me détestait pas. Enfin, on l'a jugé guéri et, à ma grande surprise, il m'a invitée à dîner, la veille de son départ. Je me suis arrangée pour me faire décharger de service par l'infirmière-major et suis partie avec lui en voiture pour Paris. Vous ne pouvez pas savoir comme il était beau en uniforme. Je n'ai jamais vu personne d'allure plus distinguée : un aristocrate jusqu'au bout des ongles. Je me demandais pourquoi il était moins joyeux que prévu : son idée fixe avait été de repartir pour le front.

« — Pourquoi êtes-vous si triste ce soir ? lui ai-je demandé. Après tout, vous avez gagné.

« — Je le sais bien. Si, malgré ça, j'ai un peu le cafard, vous devez deviner pourquoi ?

« Je n'osais littéralement pas imaginer ce qu'il voulait dire. Mieux valait prendre ça à la blague.

« — Je ne suis pas très bonne pour les devinettes, lui ai-je dit en riant. Si vous voulez que je trouve la réponse, vous feriez mieux de me la donner.

« Il a baissé les yeux et j'ai vu qu'il était mal à l'aise.

« — Vous avez été très, très bonne pour moi et je ne sais vraiment pas comment vous remercier pour toutes vos gentillesses. Vous êtes la femme la plus épatante que j'aie jamais connue.

« Ça m'a mise sens dessus dessous de l'entendre dire ça. Vous savez comme les Anglais sont drôles ; jamais auparavant il ne m'avait fait un seul compliment.

« — Ce que j'ai fait, n'importe quelle infirmière convenable l'aurait fait à ma place.

« — Vous reverrai-je un jour ? a-t-il demandé.

« — Ça dépend de vous, lui ai-je répondu en espérant qu'il n'entendait pas le tremblement de ma voix.

« — Cette séparation me coûte beaucoup.

« — Est-elle bien nécessaire ? ai-je dit d'une voix étranglée.

« — Tant que ma patrie aura besoin de moi, je resterai à son service.

A ce moment du récit, les larmes envahissaient les yeux bleu pâle de Mrs. Forester.

« — Mais la guerre ne durera pas toujours, ai-je rétorqué au capitaine.

« — Quand la guerre finira, à supposer qu'une balle ne m'ait pas abattu, je serai sans le sou. Je ne sais même pas comment j'essaierai de subvenir à mes besoins. Vous êtes une femme très riche et je suis un mendiant.

« — Mais vous êtes un gentleman.

« — Croyez-vous que ça comptera beaucoup, a-t-il dit amèrement, quand le monde aura repris, en toute sécurité, sa marche vers la démocratie ?

« A ce stade, je pleurais à chaudes larmes : tout ce qu'il disait était si admirable ! Je comprenais, bien sûr, le sens de ses propos : il trouvait malhonnête de me demander en mariage. J'avais le sentiment qu'il préférerait mourir plutôt que de me donner à penser qu'il en voulait à mon argent. C'est un homme d'une grande délicatesse. Je me savais indigne de lui, mais je me rendais compte que, pour le conquérir, il me fallait me jeter à sa tête.

« — A quoi bon le nier ? Vous m'avez tourné la tête.

« — Ne me rendez pas les choses encore plus difficiles, a-t-il murmuré d'une voix qui s'étranglait.

« J'ai eu un coup au cœur en l'entendant dire ça. Je savais tout ce que je voulais savoir. J'ai tendu la main et lui ai demandé carrément :

« — Robert, voulez-vous m'épouser ?

« Et il m'a répondu :

« — Éléonore !

« Il m'a avoué, à ce moment-là, qu'il m'aimait depuis le premier jour. D'abord, il n'avait pas pris la chose au sérieux : je n'étais qu'une infirmière avec qui il pourrait envisager une liaison. Et puis, quand il s'était aperçu que je n'étais pas une femme à ça et que j'avais de la fortune, il avait pris le parti de combattre son inclination. Voyez-vous, il croyait qu'entre lui et moi le mariage était impossible.

De savoir que le capitaine avait voulu faire d'elle sa petite amie flattait sans doute Mrs. Forester plus que tout au monde. Il était évident que personne d'autre ne lui avait jamais adressé de propositions déshonnêtes et, bien que Forester n'en eût rien fait non plus, la conviction qu'il en avait caressé le projet n'en finissait pas de la ravir. Après le mariage, la famille d'Éléonore, de la race opiniâtre des pionniers de l'Ouest, avait émis l'idée que son mari devrait prendre un emploi plutôt que de vivre à ses crochets, et il était lui-même tout à fait de cet avis. Il y mit une seule condition :

— Un gentleman, ma chère Éléonore, ne peut pas faire n'importe quoi. A cette réserve près, je ferai volontiers tout ce qu'on voudra. Dieu sait que je n'attache pas d'importance à ce genre de choses, mais un sahib, qu'il le veuille ou non, reste un sahib ; et, sacrebleu, surtout à notre époque, je n'ai pas le droit de trahir mon clan.

Éléonore trouvait qu'il en avait assez fait en risquant sa vie pour son pays, pendant quatre longues années et dans toute une série de batailles sanglantes ; mais elle était trop fière de lui pour laisser dire que c'était un chasseur de dot et qu'il l'avait épousée par intérêt : aussi décida-t-elle de ne pas faire d'objection s'il trouvait un métier digne de lui. Malheureusement, les seuls emplois qu'on lui proposait manquaient d'envergure. Malgré cela, jamais il ne prenait sur lui de décliner une offre :

— C'est à vous de décider, Éléonore, lui disait-il. Un seul mot de vous et j'accepterai cet emploi. Mon pauvre vieux père, s'il savait ça, se retournerait dans sa tombe, mais tant pis. Mon premier devoir est envers vous.

Éléonore répondait qu'il n'en était pas question et, peu à peu, le projet de lui trouver un travail fut abandonné. Les Forester passaient dans leur villa de la Côte d'Azur la majeure partie de l'année. Ils se rendaient rarement en Angleterre : Robert disait que, depuis la guerre, un gentleman s'y sentait étranger et que les compagnons de ses « années folles » — de bonne race tous tant qu'ils étaient — avaient péri à la guerre jusqu'au dernier. Il aurait bien aimé passer l'hiver en Angleterre, assister trois fois par semaine aux grands rendez-vous de la chasse au renard, ça c'était une vie d'homme : mais, dans cette coterie de chasseurs à courre, Éléonore se serait sentie tellement dépaysée qu'il n'avait pas le cœur de lui demander un tel sacrifice. Éléonore était prête à faire tous les sacrifices, mais le capitaine Forester hochait la tête. Sa jeunesse avait fui ; le temps de la chasse à courre était passé pour lui. Il lui suffisait bien d'élever des terriers Sealyham et des poules Orpington de couleur fauve. Ils avaient un grand domaine ; leur maison s'élevait au sommet d'une colline dont le plateau était, sur trois côtés, bordé par la forêt ; leur jardin, devant la maison, occupait le quatrième. Au dire d'Éléonore, son mari n'avait pas de plus grand plaisir que de faire le tour de la propriété, vêtu d'un vieux costume de tweed, en compagnie du valet de chenil, à qui revenait également le soin d'élever les poulets. C'est alors qu'on reconnaissait en lui l'héritier de toute une lignée de châtelains de village. Ses longs conciliabules avec le valet de chenil au sujet des Orpington fauves attendrissaient et amusaient Éléonore ; on aurait dit qu'il parlait faisans avec son capitaine des chasses ; et il s'affairait autour de ses Sealyham, comme s'il s'était agi d'une meute, dont on ne pouvait s'empêcher de penser que l'élevage lui aurait tellement mieux convenu. L'arrière-grand-père du capitaine avait été un dandy de la Régence. C'est lui qui avait ruiné sa famille et l'avait contrainte à vendre ses terres. Les Forester avaient possédé un admirable vieux manoir dans le Shropshire ; il leur avait appartenu pendant des siècles et, bien qu'il eût changé de mains, Éléonore aurait aimé le voir, mais le capitaine Forester lui avait dit que ce serait un crève-cœur pour lui et s'était toujours refusé à l'y conduire.

Les Forester recevaient beaucoup. Le capitaine s'y connaissait en vins et il était fier de sa cave.

— Le père de mon mari était tenu pour le plus fin gourmet d'Angleterre, disait Éléonore, et il a hérité de lui.

Ils fréquentaient surtout des Américains, des Français et des Russes. Robert les trouvait, tout compte fait, plus intéressants que les Anglais ; quant à Éléonore, elle aimait tous les gens qu'il aimait lui-même. Robert était d'avis que l'Angleterre déclinait. Ses amis d'autrefois appartenaient au monde des amateurs de pêche et de chasse au tir ou à courre ; mais les pauvres garçons étaient tous à présent tombés dans la débine et, sans être un snob, Dieu merci, l'idée de voir sa femme frayer avec des parvenus, dont on ignorait tout des origines, lui déplaisait fort. Mrs. Forester était loin d'être aussi exigeante, mais elle respectait ses préjugés et admirait son intransigeance mondaine.

— Bien sûr qu'il a des marottes, des idées bien à lui, disait-elle ; mais je ne serais pas loyale si je n'en tenais pas compte. Quand on connaît sa généalogie, on ne peut pas s'en étonner. La seule fois de ma vie où je l'ai vu en colère, c'est quand, au Casino, un gigolo est venu m'inviter à danser. Robert a failli l'assommer d'un coup de poing. Je lui ai fait remarquer que le pauvre petit ne faisait que son métier, mais il m'a répondu qu'il ne pouvait admettre qu'un saligaud de ce genre se permît d'inviter son épouse à danser.

Le capitaine Forester avait un sens moral très exigeant. Il rendait grâce au ciel de ne pas avoir d'œillères mais il y avait une limite à tout : il ne voyait pas pourquoi, en vertu du seul fait qu'il vivait sur la Côte d'Azur, il lui faudrait s'acoquiner avec des poivrots, des parasites et des pervers. Il ne transigeait pas sur les écarts sexuels et ne voulait pas voir Éléonore fréquenter des femmes de réputation douteuse.

— Voyez-vous, disait-elle, c'est un homme intègre s'il en fut, l'homme le plus probe que j'aie jamais connu, et s'il fait preuve parfois d'un peu d'intolérance, n'oubliez jamais qu'il n'exige rien des autres qu'il ne soit prêt à s'imposer à lui-même. Tout compte fait, comment ne pas admirer un homme si austère dans ses principes et prêt à payer le prix de ses convictions ?

Quand le capitaine Forester disait à Éléonore qu'Untel ou Untel, qu'on rencontrait dans tous les salons et qui semblait plutôt d'un commerce agréable, n'était pas un *pukkah sahib*, elle savait qu'il était inutile d'insister : dans l'esprit de son mari, ce verdict-là était définitif et elle était toute prête à s'y soumettre. Après bientôt vingt ans de mariage, s'il y avait une chose dont elle fût persuadée, c'était que Robert Forester était le plus parfait des gentlemen.

— Et je ne crois pas, disait-elle, qu'il existe au monde un type humain plus remarquable.

Malheureusement, le capitaine Forester était, dans le genre, un spécimen presque trop parfait. A quarante-cinq ans (car il avait deux ou trois années de moins qu'Éléonore), il conservait beaucoup de prestanceavec son abondante chevelure grise et frisée, et sa moustache généreuse ; il avait le teint hâlé, florissant, basané des hommes qui vivent beaucoup au grand air. Haut de stature, mince de taille, large d'épaules, il était martial de pied en cap, et son abord direct et jovial s'accompagnait d'un rire sonore et franc. Sa conversation, son maintien, son costume étaient incroyablement typés. Il avait tellement l'air d'un gentilhomme campagnard qu'il donnait un peu l'impression d'être un acteur admirable dans cet emploi. Quand on le voyait arpenter la Croisette en fumant la pipe, vêtu d'un pantalon de golf et d'une veste de tweed comme celle qu'il aurait mise pour parcourir la lande, l'on n'en revenait pas de constater à quel point il était conforme au portrait idéal du chasseur anglais. Et sa conversation, sa manière de trancher dans le vif, la platitude et l'ineptie de ses remarques sentaient tellement l'officier en retraite qu'on ne pouvait s'empêcher de trouver qu'il en rajoutait.

Quand Éléonore apprit qu'un certain Sir Frederic Hardy était venu habiter avec sa femme la maison au pied de leur colline, elle s'en réjouit vivement : ce serait une aubaine pour Robert d'avoir pour voisin immédiat un homme de son monde. Elle prit des renseignements sur le ménage Hardy auprès de ses amis de Cannes. A ce qui lui vint aux oreilles, Sir Frederic avait hérité depuis peu de son titre de baronet, après la mort d'un oncle, et il était venu vivre deux ou trois ans sur la Côte d'Azur, le temps d'acquitter les droits de succession. Il passait pour avoir eu une jeunesse dissipée mais, au moment de son arrivée à Cannes, il avait largement dépassé cinquante ans, était respectablement marié avec une petite dame très sympathique et avait deux jeunes fils. On pouvait regretter que Lady Hardy fût une ancienne actrice de théâtre car Robert était enclin à se montrer vieux jeu à l'égard des comédiennes. Mais, au dire de tout le monde, elle avait de bonnes manières et semblait comme il faut : jamais on n'aurait pu deviner qu'elle avait autrefois joué la comédie. Les Forester firent sa connaissance à l'occasion d'un thé où elle était venue sans son mari. Robert dut avouer qu'elle semblait très convenable ; si bien qu'Éléonore, dans un souci de bon voisinage, les invita tous les deux à déjeuner. On fixa un jour. Les Forester avaient fait venir pas mal de gens pour les présenter à eux, mais les Hardy arrivèrent très en retard. D'emblée, Sir Frederic plut à Éléonore. Elle ne l'imaginait pas d'aspect si juvénile, sans une trace de blanc dans ses cheveux en brosse ; il y avait même, dans son allure, un soupçon de grâce adolescente qui ne manquait pas de charme. Son corps était fluet et sa taille inférieure à la sienne. Ses yeux brillaient d'un éclat amical, et il avait un sourire empressé. Elle remarqua que sa cravate, aux couleurs de la Garde, était identique à celle que Robert mettait à l'occasion. Il était bien moins élégant que Robert, qui avait toujours l'air de sortir d'une vitrine, mais portait de vieux vêtements, comme si le costume n'avait pas d'importance, Éléonore n'avait pas de mal à croire qu'il avait eu une jeunesse un peu folle et n'était pas encline à lui en tenir rigueur.

— Il faut que je vous présente mon mari, lui dit-elle.

Elle appela Robert, qui parlait à un groupe d'autres invités sur la terrasse, et n'avait pas remarqué l'entrée des Hardy. Il s'avança vers eux pour serrer la main de Lady Hardy, affable et jovial comme à l'ordinaire, avec une grâce des mouvements qui continuait de charmer

Éléonore. Puis il se tourna vers Sir Frederic, qui lui jeta un coup d'œil intrigué :

— Est-ce que nous ne nous sommes pas déjà vus quelque part ? demanda-t-il.

Robert le toisa d'un air froid :

— Je ne crois pas.

— J'aurais juré que votre visage m'était familier.

Éléonore eut l'impression que son mari se raidissait et comprit aussitôt que quelque chose n'allait pas. Robert se mit à rire :

— Au risque de vous sembler très impoli, je dois vous dire que, pour autant que je sache, je ne vous ai jamais vu de ma vie. Peut-être nous sommes-nous rencontrés pendant la guerre, on côtoyait alors toutes sortes de types. Prendrez-vous un cocktail, Lady Hardy ?

Au cours du déjeuner, Éléonore remarqua que Hardy ne quittait pas Robert des yeux. Manifestement, il cherchait à le situer. Robert, occupé par ses voisines de droite et de gauche, ne rencontrait pas son regard. Il s'efforçait d'amuser les convives assis autour de lui, et son rire sonore retentissait dans toute la pièce. C'était un hôte merveilleux, dont Éléonore avait toujours admiré le sens des obligations mondaines : ses voisines immédiates avaient beau être ternes, il leur donnait toujours le meilleur de lui-même. Mais, après le départ des invités, l'enjouement de Robert tomba d'un seul coup, comme une cape qui glisse de vos épaules. Elle le sentait contrarié.

— Est-ce que la princesse a été très ennuyeuse ? lui demanda-t-elle gentiment.

— C'est une vieille chipie et une peste, mais à part ça, elle a été très convenable.

— C'est drôle que Sir Frederic ait cru vous reconnaître !

— Je ne l'ai jamais vu de ma vie, mais je sais tout de la sienne. A votre place, Éléonore, j'essayerais de le fréquenter le moins possible. Je ne crois pas qu'il soit tout à fait de notre bord.

— Mais son titre de baronet est l'un des plus anciens d'Angleterre ! Nous l'avons trouvé dans le Bottin mondain.

— C'est un vaurien, perdu de réputation. Je n'aurais jamais imaginé que le Sir Fred Hardy d'aujourd'hui était le capitaine Hardy — il se reprit —, le Fred Hardy dont j'avais entendu parler. Je ne vous aurais jamais permis de l'inviter chez moi.

— Mais pour quelle raison ? Je dois vous avouer que je lui ai trouvé beaucoup de charme.

Pour une fois, elle trouvait que son mari exagérait un peu.

— Bien d'autres femmes ont eu de lui la même opinion, et ça leur a coûté très cher.

— Vous savez comme les gens sont mauvaises langues. On ne peut vraiment pas croire tout ce qu'ils racontent.

Il prit sa main dans les siennes et la regarda longuement au fond des yeux :

— Éléonore, vous savez que je ne suis pas homme à dire du mal d'un autre derrière son dos, je préfère donc m'abstenir de vous apprendre ce que je sais de lui : je ne peux que vous demander de me croire sur parole si j'affirme que cet homme n'est pas fréquentable.

Éléonore était bien incapable de résister à une adjuration de ce genre. La grande confiance que Robert plaçait en elle l'exaltait : il savait bien que, dans une passe difficile, il lui suffisait, pour être entendu, de faire appel à sa loyauté.

— Personne, mon cher Robert, ne connaît mieux que moi votre parfaite honnêteté, répondit-elle gravement ; je sais que, si vous le pouviez, vous me diriez ce que vous savez, mais, à présent, même si vous vouliez le faire, je vous l'interdirais : vous pourriez croire que ma confiance en vous est moins grande que celle que vous me faites. Je m'en remets volontiers à votre jugement et je vous promets que les Hardy ne passeront plus notre seuil.

Mais Éléonore déjeunait souvent en ville avec Robert quand il jouait au golf et, de ce fait, elle rencontrait fréquemment les Hardy. Elle se montrait très distante avec Sir Frederic, puisque la réprobation de Robert s'imposait à elle, mais, soit qu'il ne s'en aperçût pas, soit que la chose lui fût indifférente, il se mettait en quatre pour être aimable et sa compagnie n'était jamais pesante. Comment en aurait-elle voulu à un homme qui, de toute évidence, ne tenait pas les femmes pour meilleures qu'elles n'étaient, mais qui, malgré tout, faisait preuve d'une si grande gentillesse et d'une courtoisie si exquise ? Peut-être était-il indigne d'être fréquenté mais, c'était plus fort qu'elle, elle aimait l'expression de ses yeux bruns. Leur regard narquois vous mettait sur vos gardes mais, en même temps, il avait quelque chose de si caressant qu'on ne pouvait pas croire que cet homme pût nourrir de mauvaises intentions. Néanmoins, plus Éléonore en apprenait sur lui, mieux elle comprenait le bien-fondé de l'opinion de Robert. C'était un mauvais sujet dépourvu de scrupules. L'on citait le nom de plusieurs femmes qui avaient tout sacrifié par amour pour lui et qu'il avait plaquées sans autre forme de procès dès qu'il s'était fatigué d'elles. Il semblait assagi et très attaché à son épouse comme à ses enfants, mais un léopard peut-il changer ses taches ? A coup sûr, Lady Hardy devait avaler plus de couleuvres que les gens ne le croyaient.

Fred Hardy ne valait pas cher. Les jolies femmes, le *chemin de fer*[1] et une fâcheuse propension à parier sur le mauvais cheval lui avaient valu des poursuites et l'avaient fait déclarer insolvable, dès l'âge de vingt-cinq ans, l'obligeant à quitter l'armée. Sans vergogne, il

---

1. En français dans le texte.

s'était laissé entretenir par des femmes d'âge mûr qui trouvaient son charme irrésistible. Mais, quand la guerre avait éclaté, il avait rejoint son régiment et gagné la médaille militaire. Après quoi, émigré au Kenya, il avait trouvé moyen de se faire citer comme complice d'adultère à l'occasion d'un divorce à scandale ; et des ennuis liés à l'émission d'un chèque l'avaient contraint à s'expatrier. En matière d'argent, il avait les idées larges : lui acheter une voiture ou un cheval n'allait pas sans risques ; et mieux valait se méfier du champagne dont il recommandait l'achat. Lorsque, avec l'éloquence de son charme, il vous proposait une affaire en Bourse propre à vous enrichir en même temps que lui, une seule chose était sûre : pour grand que fût son propre bénéfice, le vôtre serait nul. Il avait été à tour de rôle vendeur d'automobiles, courtier marron et comédien. S'il y avait eu une justice en ce bas monde, il aurait dû finir en prison, ou, du moins, dans le ruisseau. Mais l'immoralité du destin lui ménageait un tour à sa façon : après qu'il eut, enfin, hérité de son titre et d'un revenu convenable, et convolé, bien après quarante ans, avec une jolie femme intelligente (qui, en temps et lieu, lui donna deux beaux et solides garçons), l'avenir lui réserva fortune, rang et respectabilité. Il n'avait jamais pris la vie plus au sérieux que les femmes, et il l'avait trouvée tout aussi complaisante. S'il lui arrivait de se pencher sur son passé, c'était sans repentir : il s'était donné du bon temps, avait pris en bonne part les péripéties de sa carrière ; et, à présent, la conscience pure dans un corps sain, il était prêt, que diable, à s'installer une fois pour toutes dans la peau d'un gentilhomme campagnard, à élever les gosses dans les règles ; et, quand la vieille ganache qui représentait sa circonscription à la Chambre des communes passerait l'arme à gauche, lui-même, parbleu, s'y ferait élire.

— J'ai, disait-il, une ou deux choses à apprendre à ces messieurs.

En quoi il n'avait pas tort : encore ne prenait-il pas le temps de se demander si ces choses étaient de celles qu'ils tenaient à connaître.

Un jour, vers la fin de l'après-midi, Fred Hardy entra dans l'un des cafés de la Croisette. D'humeur sociable, il n'aimait pas boire seul, aussi jeta-t-il dans la salle un regard circulaire en quête d'un visage connu. Il aperçut Robert qui, après sa partie de golf, attendait là sa femme.

— Hello, Bob, veux-tu prendre un petit verre ?

Robert eut un sursaut. Personne ne l'appelait Bob sur toute la Côte d'Azur. Quand il vit à qui il avait affaire, il répondit d'un air guindé :

— Non, je vous remercie, j'ai déjà une consommation.

— Prends-en une autre. Ma bergère n'aime pas que je boive entre les repas mais, quand j'arrive à m'éclipser, d'habitude, je fais un tour au bistrot, vers cette heure-ci, pour prendre un pot. Je ne sais pas ce que tu en penses, mais j'ai dans l'idée que Dieu a créé la sixième heure du soir pour permettre à l'homme de boire un coup.

Il se laissa tomber dans un grand fauteuil de cuir à côté de celui que Robert occupait et, après avoir appelé le garçon, sourit à son voisin de son air engageant et plein de bonhomie.

— Il est passé beaucoup d'eau sous les ponts depuis notre première rencontre, pas vrai, mon vieux ?

Robert fronça légèrement les sourcils et lui lança un regard qu'un observateur aurait pu qualifier de circonspect.

— Je ne vois pas très bien ce que vous voulez dire. Pour autant que je sache, notre première rencontre date du jour où vous avez eu l'amabilité de venir déjeuner chez nous avec votre épouse.

— Allons donc, Bob ! Je savais que je t'avais déjà vu. D'abord ça m'a intrigué jusqu'à ce que la réponse me vienne dans un éclair. Tu étais le laveur de voitures de mon ancien garage, celui qui donne sur Bruton Street.

Le capitaine Forester s'esclaffa.

— J'ai le regret de vous dire que vous faites erreur. Jamais je n'ai rien entendu d'aussi absurde.

— J'ai une mémoire d'éléphant, et je n'oublie jamais un visage. Je parierais que toi non plus tu ne m'as pas oublié. Les jours où je ne voulais pas prendre la peine de quitter mon appartement pour amener la voiture au garage, je t'ai souvent donné la pièce pour venir la chercher.

— Vous dites absolument n'importe quoi. Je ne vous ai jamais vu avant de vous recevoir.

Hardy sourit d'un air narquois sans se départir de sa bonne humeur.

— Tu sais que j'ai toujours été un passionné de photo. Je garde dans des albums les clichés que j'ai pris à des moments divers. Eh bien, tu me croiras si tu veux : j'ai retrouvé un cliché qui te représente debout près d'un coupé que je venais de m'offrir. Tu étais rudement beau à l'époque malgré ta salopette et ton visage un peu maculé. Bien sûr, tu as épaissi, tes cheveux ont viré au gris, et tu as une moustache, mais cet homme c'est bien toi : aucun doute sur ce point.

Le capitaine le fixa d'un œil froid.

— Une ressemblance accidentelle a dû vous égarer. C'est à quelqu'un d'autre que vous donniez la pièce.

— Dans ce cas, où étais-tu entre 1913 et 1914, si tu n'étais pas laveur de voitures dans le garage de Bruton Street ?

— J'étais aux Indes.

— Avec ton régiment ? demanda Fred Hardy, retrouvant son sourire narquois.

— Je chassais le gros gibier.

— Menteur.

Le visage de Robert s'empourpra.

— L'endroit est mal choisi pour me chercher querelle, mais vous vous trompez si vous croyez que je vais rester là à me laisser insulter par un sale pochard de votre espèce !

— Ne souhaites-tu pas apprendre ce que je sais encore de toi ? Tu sais comme les souvenirs remontent à la surface ? C'est comme ça que je me suis rappelé pas mal de choses.

— Ça ne m'intéresse pas le moins du monde. Je vous affirme que vous vous trompez totalement. Vous me prenez pour un autre.

Mais il ne fit pas mine de s'en aller.

— A l'époque déjà, tu n'étais pas très ardent au boulot. Je me souviens d'un jour où, partant de bonne heure pour la province, je t'avais demandé de laver ma voiture pour neuf heures. Comme elle n'était pas prête, j'avais fait du scandale et le père Thompson m'avait dit alors que ton père était un vieux copain à lui et qu'il t'avait embauché par bonté d'âme parce que tu étais à fond de cale. Ton père avait été sommelier dans un club — *White* ou *Brooks*, je ne sais plus — et tu y avais travaillé toi-même comme chasseur. Tu t'étais ensuite engagé, si je me souviens bien, dans le deuxième régiment des fantassins de la Garde et quelqu'un t'en avait fait ressortir pour te prendre comme valet de chambre.

— C'est un conte à dormir debout, dit Robert d'un ton dédaigneux.

— Et je me souviens d'être allé au garage, un jour où j'étais revenu à Londres en permission, et d'y avoir appris par le père Thompson que tu avais pris du service dans l'Intendance. Tu voulais prendre le minimum de risques, pas vrai ? Tu as dû gasconner un peu, si je me fie à toutes les anecdotes qu'on me rapporte sur ton courage dans les tranchées ? Je suppose que ta promotion au rang d'officier n'est tout de même pas imaginaire ?

— Bien sûr que j'étais officier.

— Ma foi, à l'époque, c'est arrivé à pas mal de

drôles de gaziers. Mais tu sais, mon vieux, si tu as été promu dans l'Intendance, à ta place, je m'abstiendrais d'arborer la cravate des officiers de la Garde.

Le capitaine Forester porta machinalement la main à sa cravate, et Fred Hardy, qui l'épiait d'un œil moqueur, crut bien le voir blêmir en dépit de son hâle.

— La cravate que je porte ne vous regarde pas.

— Ne te fâche pas, mon vieux, inutile de monter sur tes grands chevaux. Je suis bien tuyauté, mais je n'ai pas l'intention de vendre la mèche, alors pourquoi ne pas passer aux aveux ?

— Je n'ai rien à vous avouer. Je vous dis que tout cela est un malentendu ridicule. Et j'ai le devoir de vous informer que si je m'aperçois que vous faites courir ces faux bruits sur mon compte, je vous intenterai sur-le-champ un procès en diffamation.

— Écrase, Bob, je ne ferai courir aucun bruit. Tu ne crois tout de même pas que ça m'empêche de dormir ? Je trouve toute cette histoire plutôt marrante et je n'ai rien contre toi. Moi aussi, j'ai vécu d'intrigues à l'occasion, et la réussite d'un coup de bluff aussi faramineux m'en bouche un coin. Avoir débuté comme chasseur dans un club, avoir été, ensuite, soldat, valet de chambre et laveur de voitures pour devenir ce que tu es devenu : un homme de la haute, propriétaire d'une superbe villa, qui reçoit chez lui toutes les grosses légumes de la Côte d'Azur, remporte des tournois de golf, est le vice-président du club nautique, et je ne sais quoi encore ! A Cannes, c'est toi le grand manitou, on ne peut pas s'y tromper. C'est époustouflant. J'ai trempé autrefois dans de drôles de combines, mais, mon vieux quand je pense à ton toupet, je te tire mon chapeau.

— J'aimerais bien mériter vos louanges, mais ce n'est pas le cas. Mon père a servi aux Indes dans la cavalerie et je suis, à tout le moins, un gentleman de naissance. Ma carrière n'a peut-être pas été très remarquable ; je suis sûr, en tout cas, que je n'ai jamais rien fait dont j'aie lieu d'avoir honte.

— Change de disque, Bob ! Je ne mangerai pas le morceau, tu sais, pas même à ma bourgeoise. Je ne dis jamais rien aux femmes qu'elles ne sachent déjà. J'ai été dans de mauvais draps mais, crois-moi, ç'aurait été bien pire si je ne m'en étais pas tenu à ce principe. J'aurais cru que ça te ferait plaisir d'avoir dans le voisinage quelqu'un avec qui tu pourrais être toi-même. Ça doit être éprouvant de rester toujours sur le qui-vive ? Tu as tort de me tenir à distance. Je ne te veux aucun mal, mon vieux. C'est vrai qu'à présent je suis un baronet et un propriétaire foncier mais, au cours de ma vie, je me suis souvent trouvé dans un fichu pétrin, et je me demande comment j'ai réussi à ne pas me faire mettre à l'ombre.

— Pas mal d'autres personnes se posent la même question.

Fred partit d'un gros rire.

— Tu marques un point, mon vieux. Tout de même, si tu me permets de le dire, je trouve que tu y es allé un peu fort quand tu as dit à ta femme que je n'étais pas pour elle un homme à fréquenter.

— Je n'ai jamais rien dit de ce genre.

— Oh ! que si. C'est une fille épatante, mais elle a la langue un peu longue, si je ne me trompe ?

— Je ne suis pas disposé à parler de mon épouse avec un homme de votre espèce, dit le capitaine Forester d'un ton cassant.

— Écoute, Bob, par pitié, épargne-moi tes grands airs. Toi et moi, nous sommes des tire-au-flanc, un point c'est tout. On pourrait passer de très bons moments ensemble si tu avais un peu de jugeote. Tu es un menteur, un imposteur et un tricheur, mais tu as l'air d'être très gentil avec ta femme, et ça c'est un bon point. Elle t'adore, pas vrai ? C'est drôle, les femmes ! La tienne, crois-moi, est très sympathique.

Le visage de Robert se congestionna ; il se souleva de son siège en serrant les poings.

— Le diable vous emporte, je vous défends de parler de mon épouse. Une allusion de plus et je vous jure que je vous assommerai.

— Oh que non ! Tu es trop grand seigneur pour frapper un plus petit que toi.

Hardy, qui avait dit cela par dérision, ne quittait pas Robert des yeux, prêt à esquiver son poing de colosse. L'effet de ses propres paroles le stupéfia. Robert se laissa retomber dans son fauteuil et desserra les poings.

— Vous avez raison. Mais seul un vil faquin tablerait là-dessus.

La réponse était si théâtrale que Fred Hardy rit d'abord dans sa barbe jusqu'au moment où il s'avisa que cet homme, loin de plaisanter, parlait le plus sérieusement du monde. Fred Hardy ne manquait pas d'intelligence. Comment aurait-il pu, pendant un quart de siècle, vivre d'expédients dans un confort relatif, s'il n'avait été doué d'une grande présence d'esprit ? Contemplant, stupéfait, ce robuste gaillard au fond de son fauteuil, si conforme à l'image du *sportsman* britannique, il comprit tout dans un éclair. Ce n'était pas un escroc banal qui aurait mis le grappin sur une femme assez niaise pour l'entretenir dans le luxe et l'oisiveté. Elle n'avait été pour lui qu'un marchepied au service d'une ambition plus haute. Séduit par un idéal, il ne s'était embarrassé d'aucun scrupule pour chercher à l'atteindre. Peut-être que le projet avait germé en lui quand il était groom dans un club sélect ? L'aisance nonchalante, les manières désinvoltes des membres du club avaient pu l'éblouir ; après quoi, dans ses occupations de soldat, de valet de chambre, de laveur de voitures, les nombreux hommes côtoyés qui appartenaient à un autre monde que le sien s'étaient confusément auréolés pour lui d'un prestige de héros. Sans doute les avait-il admirés et enviés, avait-il voulu leur ressembler, devenir l'un d'entre eux ? Tel était l'idéal qui hantait son sommeil. Son désir grotesque, son désir pathétique, était de devenir un gentleman. La guerre, en lui permettant d'acquérir son grade d'officier, lui en avait donné l'occasion, l'argent d'Éléonore procuré les moyens. Depuis vingt ans, ce pauvre type jouait un personnage dont seul le bon aloi aurait fait la valeur. Cela aussi était grotesque et pathétique. Sans le vouloir, Fred Hardy formula sa pensée.

— Mon pauvre vieux, fit-il.

Forester lui jeta un coup d'œil scrutateur. Il ne comprenait ni le sens de ces paroles ni leur intonation. Il devint écarlate.

— Qu'entendez-vous par là ?

— Oh rien, rien du tout.

— Il me semble inutile de prolonger cet entretien. A l'évidence, rien de ce que je puis dire n'est de nature à vous détromper. Je ne peux que répéter qu'il n'y a pas un seul mot de vrai dans tout ça. Je ne suis pas l'homme auquel vous pensez.

— D'accord, mon vieux, comme tu voudras.

Forester appela le garçon.

— Voulez-vous que je règle votre consommation ? demanda-t-il d'un ton glacial.

— Mais certainement, mon vieux.

D'un geste de grand seigneur, Forester tendit un billet au garçon en l'invitant à garder la monnaie ; puis, sans ajouter un mot, sans accorder un autre regard à Fred Hardy, il sortit dignement du café.

Le printemps succéda à l'hiver, et les jardins de la côte resplendirent de couleurs. L'éclat plus réservé des fleurs sauvages égaya les coteaux. Puis l'été succéda au printemps. Dans les villes du littoral, les rues étaient brûlantes. La chaleur, ardente et lumineuse, fouettait le sang ; les femmes se promenaient en pyjama de plage, coiffées de grands chapeaux de paille. Les plages étaient surpeuplées : des hommes en maillot de bain et des femmes presque nues s'y prélassaient au soleil. Le soir, les cafés de la Croisette étaient envahis par une foule fiévreuse et loquace, aussi bariolée que les fleurs du printemps. Il n'avait pas plu depuis des semaines. Plusieurs incendies de forêt avaient éclaté le long de la côte ; et, sans se départir de sa jovialité badine, Robert Forester avait dit plusieurs fois que, si le feu se déclarait au milieu de leurs bois, il y avait de grandes chances pour qu'ils passent eux-mêmes un mauvais quart d'heure. Une ou deux personnes leur avaient conseillé d'abattre une partie des arbres qui s'élevaient derrière la maison ; mais il ne pouvait pas s'y résoudre : à l'époque où les Forester avaient acquis le domaine, ces arbres dépérissaient mais, à présent, élagués plusieurs années de suite, dégagés des broussailles qui les étouffaient et traités contre les parasites, ils étaient devenus superbes.

— S'il me fallait abattre l'un d'entre eux, j'aurais l'impression de me faire amputer d'une jambe. Ils doivent être centenaires ou peu s'en faut !

Le quatorze juillet, les Forester se rendirent à Monte-Carlo pour assister à un repas de gala et donnèrent la permission à leurs domestiques d'aller à Cannes. Pour la fête nationale, on y dansait sous les platanes ; il y avait un feu d'artifice ; et les gens affluaient de partout pour se distraire. Les Hardy avaient, eux aussi, donné congé à leur personnel, mais ils passaient la soirée à la maison et leurs deux petits garçons étaient déjà au lit. Fred faisait une réussite et Lady Hardy une tapisserie de siège. Tout à coup, la sonnette retentit, et quelqu'un frappa à la porte à coups redoublés.

— Je me demande bien qui ça peut être ?

Hardy alla ouvrir et le jeune garçon qu'il trouva sur le seuil lui apprit que le feu s'était déclaré dans le bois des Forester. Des hommes du village étaient montés le combattre, mais ils avaient besoin de toute l'aide disponible et lui demandaient s'il voulait bien venir.

— Mais oui, bien sûr !

Il revint en toute hâte prévenir sa femme.

— Réveille les gosses et emmène-les là-haut, qu'ils ne manquent pas le spectacle. Après cette longue sécheresse, ça va drôlement flamber.

Il sortit précipitamment. Le jeune garçon lui dit qu'on avait téléphoné à la police et qu'un contingent de soldats était annoncé. Quelqu'un essayait d'avoir l'interurbain pour prévenir le capitaine Forester à Monte-Carlo.

— Il en a pour une heure à rentrer, dit Hardy.

Tout en courant, ils observaient dans le ciel la lueur rouge et, une fois parvenus au sommet de la colline, ils virent les flammes qui jaillissaient devant eux. Il n'y avait pas d'eau et le seul moyen de venir à bout du feu était de taper dessus avec un bâton. Un groupe d'hommes s'y employaient déjà, et Hardy se joignit à eux. Mais à peine avait-on éteint les flammes qui dévoraient un buisson qu'un autre se mettait à crépiter et s'enflammait en un clin d'œil comme une torche. La chaleur était atroce et les hommes qui luttaient, incapables d'y tenir, reculaient peu à peu. Un vent fort soufflait, qui transportait les étincelles des arbres aux broussailles. Après plusieurs semaines sans pluie, tout était sec comme de l'amadou et, dès la chute d'une étincelle, les troncs et les buissons s'embrasaient d'un seul coup. Si le spectacle d'un grand pin, haut d'une vingtaine de mètres, s'enflammant comme une allumette, n'avait pas eu quelque chose d'effrayant, on l'eût trouvé grandiose. Le feu grondait comme dans un haut fourneau. Le meilleur moyen de l'enrayer consistait à couper les arbres et le taillis, mais les hommes étaient peu nombreux et seuls deux ou trois d'entre eux étaient munis de haches. L'on ne pouvait plus compter que sur l'armée, habituée à combattre les feux de forêts, mais le détachement tardait à venir.

— Si les soldats n'arrivent pas bientôt, nous n'arriverons jamais à sauver la maison, dit Hardy.

Apercevant sa femme et ses deux garçons, qui

venaient de monter la côte, il leur fit de grands signes. Il était déjà noir de suie et son visage ruisselait de sueur. Lady Hardy vint vers lui en courant.

— Oh, Fred, n'oublie pas les chiens et les poulets.

— Nom de Dieu, tu as raison !

Les niches et la basse-cour se trouvaient derrière la maison, dans une clairière qu'on avait ménagée au milieu des bois, et les pauvres bêtes étaient déjà folles de terreur. Quand Hardy leur rendit la liberté, elles s'enfuirent devant le feu. On ne pouvait que les livrer à elles-mêmes : il faudrait songer plus tard à faire une battue pour les reprendre. Le brasier se voyait de loin à présent, mais le détachement militaire n'arrivait pas et les volontaires, en trop petit nombre, ne pouvaient pas contenir l'avance des flammes.

— Si ces sacrés soldats ne se pointent pas bientôt, la maison sera fichue, dit Hardy. Je crois que nous ferions mieux d'en sortir tout ce que nous pourrons.

C'était une maison de pierre mais elle était entièrement entourée de vérandas qui brûleraient comme du petit bois. A présent, les domestiques des Forester étaient revenus. Il les rassembla ; sa femme et les deux garçons vinrent aussi les aider : à eux tous, ils sortirent de la maison tout ce qui était transportable — linge, argenterie, vêtements, objets d'ornement, tableaux, meubles — pour le déposer sur la pelouse de devant.

Enfin, les soldats arrivèrent dans deux camions et entreprirent méthodiquement de creuser des tranchées et d'abattre des arbres. Ils étaient sous les ordres d'un officier et Hardy, soulignant le danger couru par la maison, le pria de s'attaquer en tout premier lieu aux arbres qui la cernaient.

— Il faudra que la maison se garde toute seule, répondit-il. Ma mission est d'empêcher la propagation du feu au-delà de la colline.

On vit alors les phares d'une automobile lancée à

toute allure épouser les lacets de la route et, un peu plus tard, Forester et sa femme sautaient de leur voiture.

— Où sont les chiens ? s'écria-t-il.

— Je les ai libérés, dit Hardy.

— Ah, c'est vous !

Au premier abord, il n'avait pas reconnu Fred Hardy dans cet homme très sale, barbouillé de suie et inondé de sueur. Furieux, il fronçait les sourcils.

— Il m'a semblé que la maison risquait de prendre feu. J'ai sorti tout ce que j'ai pu.

Forester regardait la forêt embrasée.

— Ma foi, dit-il, c'en est fini de mes arbres.

— Les soldats travaillent sur le flanc de la colline. Ils tentent de protéger la propriété contiguë. Nous ferions mieux de les rejoindre pour voir si nous pouvons sauver quelque chose.

— J'irai seul, vous n'avez pas besoin de venir avec moi ! s'écria Forester d'un ton de mauvaise humeur.

Soudain, Éléonore poussa un cri de détresse :

— Oh, regardez ! La maison !

De l'endroit où ils étaient, ils virent s'enflammer brusquement l'une des vérandas de derrière.

— Ce n'est pas grave, Éléonore. La maison ne peut pas brûler. Seules les parties en bois peuvent être atteintes. Gardez ma veste, je m'en vais aider les soldats.

Il enleva son smoking et le tendit à sa femme.

— Je vous accompagne, dit Hardy. Mrs. Forester, vous feriez mieux d'aller du côté de vos affaires. Je crois que nous avons sorti tout ce qui était précieux.

— Dieu merci, j'avais la plupart de mes bijoux sur moi.

Lady Hardy était une personne pleine de bon sens.

— Mrs. Forester, je vous propose de réunir les domestiques et de descendre chez moi tout ce que nous pourrons.

Les deux hommes se dirigèrent vers l'endroit où les soldats s'activaient.

— C'est très aimable à vous d'avoir sorti tout ça de ma maison, dit Robert avec raideur.

— C'était la moindre des choses, répondit Fred Hardy.

Ils n'étaient pas très loin lorsqu'ils entendirent un appel. Ils se retournèrent et virent une femme qui courait après eux.

— *Monsieur, Monsieur* [1] !

Ils s'arrêtèrent et la femme se hâta de les rejoindre. C'était la femme de chambre d'Éléonore. Elle levait les bras au ciel d'un air affolé.

— *La petite Judy* [1]. Judy. Je l'ai enfermée quand nous avons quitté la maison. Elle est en chasse. Je l'ai mise dans la salle de bains des domestiques.

— Grand Dieu ! s'écria Forester.

— De quel animal s'agit-il ?

— C'est la chienne d'Éléonore. Je dois la sauver coûte que coûte.

Il fit demi-tour et allait repartir en courant vers la villa quand Hardy le retint par le bras.

— Ne fais pas l'imbécile, Bob. La maison brûle. Tu ne peux pas y entrer.

Forester se débattit pour lui échapper.

— Lâchez-moi, nom de Dieu ! Vous ne croyez tout de même pas que je vais laisser un chien brûler vif ?

— Oh, la ferme ! Ce n'est pas le moment de plastronner.

D'un geste brusque, Forester repoussa Hardy, mais celui-ci s'élança sur lui et le saisit à bras-le-corps. Forester, de son poing serré, le frappa au visage de toutes ses forces. Hardy chancela, desserrant son étreinte, puis encaissa un second coup qui le projeta au sol.

---

1. En français dans le texte.

— Vous n'êtes qu'un goujat. Je m'en vais vous montrer comment on se comporte quand on est un gentleman.

Fred Hardy se relevait lentement et palpait son visage endolori.

— Quel bel œil au beurre noir je vais avoir demain, nom d'un chien !

Le choc l'avait secoué et il ne savait plus très bien où il était. La femme de chambre fut prise tout à coup de sanglots convulsifs.

— La ferme, sagouine ! s'écria-t-il furieux. Et pas un mot à ta patronne !

Forester avait disparu. Il fallut plus d'une heure pour le retrouver, gisant sur le palier devant la salle de bains, mort et serrant dans ses bras la chienne morte. Hardy le contempla longtemps avant de parler.

— Imbécile, marmonna-t-il rageusement, triste imbécile !

Son imposture s'était, au bout du compte, retournée contre lui. Comme un homme qui cultive un vice jusqu'à lui être, un jour, complètement asservi, il avait menti si longtemps qu'il en était venu à croire à ses mensonges. Bob Forester s'était fait passer pour un gentleman pendant tellement d'années, qu'à la fin, oubliant que c'était de l'esbroufe, il s'était vu contraint d'agir selon l'idée que son esprit, borné et conventionnel, se faisait du code d'un gentleman. Devenu incapable de distinguer le vrai du faux, il avait sacrifié sa vie à un héroïsme de pacotille. Mais il revenait à Fred Hardy d'annoncer la mauvaise nouvelle à Mrs. Forester. Il la trouva en compagnie de sa femme dans leur villa au pied de la colline, et elle croyait toujours que Robert aidait les soldats à abattre les arbres et couper les broussailles. C'est avec les plus grands ménagements qu'il lui dit ce qu'il en était, mais il fallait bien le faire et ne rien lui cacher. D'abord on aurait dit qu'elle ne comprenait pas le sens de ses paroles.

— Mort ? s'écria-t-elle. Mort, Robert, mon mari ?

Alors Fred Hardy, ce viveur désabusé, ce chenapan dépourvu de scrupules, prit ses mains dans les siennes et prononça les mots sans lesquels elle n'aurait pas pu supporter son deuil.

— Mrs. Forester, c'était un homme très brave, un parfait gentleman.

La leçon des choses

En quittant son bureau de la City, Henry Garnet ne manquait jamais de passer à son club pour faire une partie de bridge avant de rentrer chez lui. Il y était le bienvenu. C'était un bon bridgeur et l'on pouvait tenir pour assuré qu'il exploiterait au mieux les cartes qui lui reviendraient. Il savait perdre et, quand il gagnait, il était plus enclin à mettre son succès sur le compte de la chance que du savoir-faire. Il était indulgent et, quand son partenaire commettait une erreur, il lui trouvait toujours une excuse. C'est pourquoi, ce jour-là, ses compagnons de jeu furent surpris de l'entendre dire à celui-ci, d'un ton cassant que rien ne justifiait, qu'il n'avait jamais vu une main aussi mal jouée. Leur étonnement s'accrut de le voir à son tour faire une grave faute de jeu, dont ils auraient juré qu'il était incapable ; et, pour comble, lorsque son partenaire, ravi de lui rendre la monnaie de sa pièce, avait mis les points sur les *i*, de l'entendre soutenir mordicus qu'il avait eu raison. Mais c'étaient tous des amis de longue date, en sorte qu'aucun d'eux ne se formalisa de sa mauvaise humeur. Henry Garnet était agent de change dans une maison sérieuse qu'il dirigeait en association. Aussi l'idée vint-elle à l'un des autres joueurs qu'une des valeurs dans lesquelles il avait investi se trouvait peut-être en difficulté.

— Comment va la Bourse aujourd'hui ? demanda-t-il.

— Le marché est à la hausse. Même les gogos gagnent de l'argent.

Manifestement, il fallait chercher d'autres raisons à la contrariété d'Henry Garnet. Mais il était non moins manifeste qu'il y avait un problème. C'était un homme cordial qui se portait comme un charme et ne manquait pas de fortune. Il aimait bien sa femme et adorait ses enfants. En règle générale, il se montrait enjoué et riait facilement des plaisanteries rituelles en cours de jeu. Mais ce jour-là, il restait sombre et taciturne. Ses sourcils froncés exprimaient l'agacement, et sa bouche avait pris une moue boudeuse. Bientôt, pour détendre l'atmosphère, quelqu'un aborda un sujet dont tous savaient qu'Henry Garnet ne demandait qu'à parler.

— Comment va votre fils ? J'ai appris qu'il s'est bien défendu dans le tournoi ?

Le froncement de sourcils d'Henry Garnet s'accentua.

— Il n'a pas fait mieux que je ne m'y attendais.

— Quand rentre-t-il de Monte-Carlo ?

— Il est rentré hier soir.

— S'est-il bien amusé ?

— Sans doute. Tout ce que je sais, c'est qu'il s'est conduit comme le dernier des imbéciles.

— Ah ? Comment ça ?

— Si ça ne vous ennuie pas, je préférerais m'abstenir d'en parler.

Les trois hommes le regardèrent avec curiosité. Henry Garnet fixait le tapis vert d'un air renfrogné.

— Excusez-moi, mon vieux. C'est à vous de parler.

La partie se prolongea dans un silence tendu. Garnet fut le demandeur et, quand il joua si mal sa main qu'il eut trois plis de chute, personne ne broncha. Ils entamèrent un autre robre et, dans la seconde manche, Garnet se défaussa.

— Vous n'avez rien dans la couleur ? demanda son partenaire.

Garnet était de si mauvaise humeur qu'il ne prit même pas la peine de lui répondre. Mais, lorsque à la fin du coup son partenaire put voir qu'il avait fait une renonce et que cette étourderie leur avait fait perdre le robre entier, comment aurait-il pu ne pas relever la chose ?

— Henry, qu'est-ce qui ne va pas ? Vous jouez comme une savate.

Garnet fut décontenancé. Perdre une partie, quel qu'en fût l'enjeu, ne l'affectait pas outre mesure, mais l'idée d'avoir, par son inattention, fait, du même coup, perdre son partenaire le dépitait. Il se ressaisit.

— Je ferais mieux de m'arrêter. Je croyais qu'une partie me calmerait les nerfs, mais le fait est que je n'arrive pas à me concentrer. Je dois vous avouer que je suis d'une humeur exécrable.

Les trois autres s'esclaffèrent.

— Pas besoin de nous dire ça, mon vieux. C'est flagrant !

Garnet eut un sourire piteux.

— Ma foi, dans les mêmes circonstances, je parie que vous aussi vous seriez furibonds. En fait, je suis dans un sacré pétrin. Si l'un de vous peut me donner un conseil sur la façon de m'en sortir, je lui en serai reconnaissant.

— Prenons un verre ensemble et racontez-nous ça. Si à nous trois — un maître du barreau, un haut fonctionnaire du ministère de l'Intérieur et un chirurgien éminent — nous ne parvenions pas à vous dire ce qu'il faut faire pour vous tirer d'un mauvais pas, ce serait à désespérer.

L'avocat se leva et sonna le garçon.

— Il s'agit de mon satané fils, commença Henry Garnet.

Une fois les consommations commandées et les verres sur la table, voici l'histoire que Garnet leur conta.

Il était question de son fils unique : Nicholas de son prénom, Nicky de son diminutif que, naturellement, tout le monde employait. Il avait dix-huit ans. Les Garnet avaient aussi deux filles, l'une de seize et l'autre de douze ans. Mais, contre toute logique apparente, puisque d'ordinaire un père est censé avoir un faible pour ses filles, et malgré tous ses efforts pour dissimuler sa préférence, Henry Garnet vouait à son fils une nette prédilection. Avec ses filles, il se montrait prévenant, dans une note de taquinerie désinvolte. Il leur offrait de généreux cadeaux pour leur anniversaire aussi bien qu'à Noël. Mais il adorait Nicky. Rien n'était trop beau pour lui. Il le portait aux nues et le couvait des yeux. On ne pouvait l'en blâmer car Nicky était un fils qui aurait fait la fierté de n'importe quel père. Il mesurait un mètre quatre-vingt-dix. Alliant la souplesse à la vigueur, il avait la taille svelte et les épaules larges, et sa démarche cambrée lui donnait fière allure. Sa tête, bien dégagée, présentait un visage séduisant, accompagné de cheveux châtain clair qui frisaient légèrement ; des sourcils accusés surmontaient ses yeux bleus aux longs cils noirs ; une bouche vermeille, aux lèvres pleines, s'alliait à un teint pur sous son hâle ; et son sourire découvrait des dents bien plantées d'une blancheur éclatante. Sans être timide, il faisait preuve d'une charmante modestie. En société, il se montrait détendu, poli, d'un enjouement discret. Né d'un père et d'une mère bien portants, sympathiques et de bonne compagnie, il avait été bien élevé dans une famille bourgeoise, avant d'être envoyé comme interne dans un bon collège privé. Le résultat d'ensemble était un spécimen de jouvenceau aimable, tel qu'on n'a pas souvent l'heur d'en rencontrer. L'on avait le sentiment que son honnêteté, sa franchise et sa vertu tenaient la promesse des apparences. Jamais il n'avait causé la moindre inquiétude à ses parents. Rarement malade dans sa petite enfance, il n'avait jamais ensuite contrarié ses parents. Adolescent, il avait fait tout ce qu'on attendait de lui. Ses bulletins scolaires étaient élogieux et sa popularité stupéfiante. Il avait terminé ses études secondaires comme premier « préfet[1] » de son collège et capitaine de l'équipe de rugby, avec un nombre respectable de citations au palmarès. Mais ce n'était pas tout. Dès l'âge de quatorze ans, il avait révélé des aptitudes exceptionnelles pour le tennis. C'était un sport que son père aimait bien et pratiquait lui-même avec distinction. Aussi, dès qu'il avait discerné chez l'adolescent les promesses d'une carrière de tennisman, avait-il encouragé son goût. Pendant les vacances scolaires, il lui avait fait donner des cours par les meilleurs professionnels et, à seize ans, Nicky avait déjà gagné plusieurs tournois réservés aux cadets. Il était capable d'infliger à son père de si cuisantes défaites que seul l'amour paternel lui faisait accepter sa déconfiture.

Lorsqu'à dix-huit ans Nicky était entré à Cambridge, l'ambition était née dans le cœur d'Henry Garnet de voir son fils porter les couleurs de l'Université avant la fin de son cycle d'études. Nicky avait tous les dons d'un champion en puissance. Haut de taille, il avait une grande allonge et un jeu de jambes rapide. Il se plaçait à merveille : devinant d'instinct le point de chute de la balle, il venait l'y attendre sans précipitation apparente. Il avait un service puissant et donnait à la balle un effet redoutable qui la rendait difficile à reprendre. Ses coups droits, précis, au ras du filet, étaient meurtriers. Il était moins bon dans les revers et ses reprises de volée étaient mal contrôlées mais, tout au long de l'été précédant son entrée à Cambridge, Henry Garnet lui avait fait étudier ces deux coups avec le meilleur professeur d'Angle-

1. Dans les *public schools* anglaises, les fonctions de surveillance sont assumées par les grands élèves les plus sérieux. *(N.d.T.)*

terre. Tout au fond de lui-même, et à l'insu de Nicky, il nourrissait pour lui une ambition plus haute : celle de voir son fils jouer à Wimbledon et, qui sait, être un jour sélectionné pour la Coupe Davis. L'émotion lui serrait la gorge lorsqu'il voyait en imagination son fils sauter par-dessus le filet pour serrer la main du champion américain qu'il venait de battre, et quitter le court sous un tonnerre d'applaudissements.

En tant qu'habitué des tribunes de Wimbledon, Henry Garnet s'était fait beaucoup d'amis dans le monde du tennis professionnel. Un soir, à l'occasion d'un dîner d'affaires, il eut pour voisin de table l'un d'entre eux, un certain colonel Brabazon, et, à un moment favorable de la conversation, il se mit à lui parler de Nicky et des chances qu'il pouvait avoir d'être choisi pour représenter son université au cours de la saison à venir.

— Pourquoi ne pas le laisser aller à Monte-Carlo pour y prendre part au tournoi du printemps ? lui demanda soudain le colonel.

— Oh ! je ne crois pas qu'il soit à la hauteur ! Il n'a pas encore dix-neuf ans, il n'est entré à Cambridge qu'en octobre dernier : il n'aurait aucune chance contre tous les as qui viennent concourir.

— Bien sûr, Austin, von Cramm et quelques autres le battraient à plate couture, mais il pourrait leur arracher un jeu ou deux. Et s'il tombait contre des champions de moins grande classe, je ne serais pas surpris qu'il gagne un ou deux matchs. Il n'a jamais eu pour adversaires des joueurs de premier plan. Ce serait pour lui une expérience précieuse, beaucoup plus instructive que la pratique des tournois de plage auxquels vous l'inscrivez.

— C'est impossible. Je ne le laisserai pas quitter Cambridge en cours de trimestre. Je lui ai toujours mis dans la tête que le tennis n'est qu'un jeu et qu'il ne faudrait pas qu'il morde sur ses études.

Le colonel demanda à Garnet à quelle date s'achevait le trimestre universitaire.

— Pas de problème. Il lui suffirait de partir trois ou quatre jours plus tôt. On ne devrait pas lui en refuser l'autorisation. Voyez-vous, deux des joueurs sur lesquels nous comptions nous ont laissés en rade. Or, nous voulons envoyer la meilleure équipe possible. Les Allemands envoient leurs meilleurs joueurs et les Américains ne sont pas en reste.

— Rien à faire, mon vieux. D'abord, Nicky n'est pas assez bon, et ensuite l'idée d'expédier un garçon de cet âge à Monte-Carlo sans personne pour le surveiller ne me plaît guère. Si je pouvais l'accompagner moi-même, peut-être que je me laisserais convaincre, mais c'est hors de question.

— Je serai sur place. J'y vais au titre de directeur sportif de l'équipe anglaise. Je l'aurai à l'œil.

— Vous serez très occupé, et d'ailleurs je ne voudrais pas vous demander de prendre une telle responsabilité. Mon fils n'a encore jamais quitté l'Angleterre : je n'aurais pas l'esprit tranquille un seul moment en attendant son retour.

Les choses en restèrent là et Henry Garnet ne tarda pas à rentrer chez lui. La proposition du colonel Brabazon l'avait tellement flatté qu'il ne put se retenir d'en faire part à sa femme.

— Qui aurait cru qu'il pût faire si grand cas de Nicky ? Il m'a dit qu'il l'avait vu jouer et que son style était remarquable. Il ne lui manque qu'un peu d'entraînement pour rejoindre les têtes de file. Qui sait, ma bonne, si nous ne verrons pas un jour notre fiston disputer les demi-finales à Wimbledon ?

Il fut surpris de voir que Mrs. Garnet n'était pas si hostile à l'idée du voyage.

— Après tout, il a dix-huit ans. Nicky n'a encore jamais fait de sottises et je ne vois pas pourquoi il en ferait à présent.

— Il faut penser à ses études, ne l'oublie pas. Le laisser partir avant la fin du trimestre constituerait pour lui un précédent fâcheux.

— Quelle importance pour trois jours ? Je crois que ce serait dommage de le priver d'une telle occasion. Je suis persuadée que, si tu lui demandais ce qu'il en pense, il sauterait sur cette offre à pieds joints.

— Eh bien, je ne vais pas lui poser la question. Je ne l'ai pas envoyé à Cambridge uniquement pour jouer au tennis. Je connais son sérieux, mais ce serait trop bête de l'exposer à la tentation. Il est bien trop jeune pour aller tout seul à Monte-Carlo.

— Tu dis qu'il n'a aucune chance contre les as du tennis, mais qui sait !

Henry Garnet poussa un léger soupir. Dans sa voiture en revenant chez lui, l'idée l'avait traversé qu'Austin n'était pas toujours en bonne santé et qu'il arrivait à von Cramm d'avoir des passages à vide. En supposant, par hypothèse d'école, que Nicky bénéficie d'une chance de ce genre... alors, sans aucun doute, il serait choisi pour représenter Cambridge. Mais tout ça, bien sûr, ça ne tenait pas debout.

— Rien à faire, ma chère. J'ai pris ma décision et je n'en changerai pas.

Mrs. Garnet ne répondit rien. Mais, le lendemain, elle écrivit à Nicky pour le mettre au courant, et lui dire ce qu'elle aurait fait à sa place si, désirant faire le voyage, il voulait obtenir le consentement de son père. Un ou deux jours plus tard, Henry Garnet reçut une lettre de son fils. Ce dernier était tout émoustillé. Il avait vu son directeur d'études, qui pratiquait lui-même le tennis, et le principal de son collège universitaire, qui se trouvait connaître personnellement le colonel Brabazon : on ne mettrait aucun obstacle à son départ de Cambridge avant la fin du trimestre ; l'un et l'autre estimaient que c'était une occasion à ne pas manquer. Lui-même ne voyait pas ce qui pouvait lui arriver de mal et si, uniquement pour cette fois, son père voulait bien faire une exception, eh bien, c'était juré, il bûcherait comme un sourd le trimestre suivant. C'était une lettre admirable. Mrs. Garnet, qui, au petit déjeuner, regardait son époux plongé dans sa lecture, ne se laissa pas impressionner par son froncement de sourcils. Il lui jeta la lettre en travers de la table.

— Je ne comprends pas pourquoi tu as trouvé bon de rapporter à Nicky quelque chose dont je t'avais parlé en confidence ! Ce n'est pas bien de ta part. A présent, le voilà complètement déboussolé.

— Je le regrette. Je croyais que ça lui ferait plaisir de savoir que le colonel Brabazon le tenait en si haute estime. Je ne vois pas pourquoi on ne rapporterait aux gens que ce qu'on dit de mal sur eux. Naturellement, j'avais bien précisé que son départ était exclu.

— Tu m'as mis dans une situation odieuse. S'il y a quelque chose que je déteste, c'est d'apparaître aux yeux de notre fils comme un trouble-fête et un tyran.

— Mais non, de tels qualificatifs ne lui viendront jamais à l'idée. Peut-être te trouvera-t-il un peu vieux jeu et buté, mais il comprendra, j'en suis sûre, que tu ne penses qu'à son bien en te montrant si dur.

— C'est le bouquet ! s'écria Henry Garnet.

Sa femme se retenait pour ne pas éclater de rire. Elle savait que la bataille était gagnée. Pauvres hommes : obtenir d'eux ce que l'on attendait était l'enfance de l'art ! Pour sauver la face, Henry Garnet tint bon quarante-huit heures avant de capituler. Quinze jours plus tard, Nicky vint à Londres, la veille de son départ pour Monte-Carlo. Après le dîner, quand Mrs. Garnet et sa fille aînée les eurent laissés seuls, Henry profita de l'occasion pour donner à son fils de bons conseils.

— Je ne me sens pas tout à fait tranquille de te laisser partir, à ton âge et pratiquement seul, pour une ville comme Monte-Carlo, dit-il en conclusion, mais enfin c'est comme ça. Tout ce que je peux espérer, c'est que tu seras raisonnable. Je ne veux pas jouer les pères nobles, mais je tiens surtout à te mettre en garde contre trois dangers. Le premier concerne les jeux de hasard : abstiens-t'en. Le second a trait à l'argent : n'en prête à personne. Et le troisième aux femmes : ne t'en approche pas. Si tu évites ces trois risques, rien de bien fâcheux ne pourra t'arriver. Il faudra, donc, t'en souvenir soigneusement.

— D'accord, papa, répondit Nicky en souriant.

— C'est là-dessus que je voulais conclure. Je connais bien la vie : tu peux te fier à mes conseils.

— Je ne les oublierai pas. Je te le promets.

— Bravo ! A présent, rejoignons ces dames.

Dans le tournoi de Monte-Carlo, Nicky ne battit ni Austin ni von Cramm, mais il se comporta fort honorablement. Il arracha une victoire inattendue à un Espagnol et imposa à l'un des Autrichiens un match plus serré que personne ne l'avait prévu. Dans les doubles mixtes, il alla en demi-finale. Tout le monde fut conquis par son charme et lui-même prit un grand plaisir à ce qu'il faisait. De l'avis général, il donnait de belles espérances. Le colonel Brabazon lui dit que, quand il aurait pris un peu de bouteille et joué plus souvent contre des adversaires de premier plan, il ferait honneur à son père.

Le tournoi s'acheva et, le lendemain, il devait reprendre l'avion pour Londres. Comme il tenait à jouer au mieux de sa forme, il s'était imposé un régime très strict : fumant peu, ne buvant pas d'alcool, et se couchant tôt. Mais, pour ce dernier soir, il se dit qu'il aimerait se faire une idée de la vie de Monte-Carlo dont on lui avait rebattu les oreilles. Après le dîner officiel offert aux concurrents, il alla donc avec les autres au Casino d'été. C'était la première fois qu'il y mettait les pieds. Il y avait foule à Monte-Carlo et les salles de jeu étaient pleines de monde. Jusqu'à ce jour, Nicky n'avait jamais vu jouer à la roulette, sauf au cinéma. Désorienté, il s'arrêta à la première table : des jetons de tailles variées étaient répandus sur le tapis vert, simulant le plus grand désordre. Le croupier lança le cylindre d'un mouvement brusque et y projeta avec un bruit sec la petite boule blanche. Après un temps qui parut interminable, la boule s'immobilisa. Alors, d'un grand geste machinal, un second croupier ratissa les jetons perdants.

Bientôt Nicky se dirigea vers l'endroit où l'on jouait au trente-et-quarante, mais il ne comprit pas ce qui se passait et trouva le spectacle ennuyeux. Apercevant un grand nombre de personnes dans une autre salle, il y entra nonchalamment. Une grosse partie de baccara était en cours dont le suspens l'étreignit aussitôt. Une rampe de cuivre maintenait en arrière la foule des spectateurs. Les joueurs étaient assis autour de la table : neuf d'un côté, neuf de l'autre, avec, entre eux, se faisant face aux deux extrémités, le banquier et le croupier. De grosses sommes changeaient de mains. Le banquier appartenait au cartel grec des casinos de jeux. Nicky regarda son visage impassible. Ses yeux étaient vigilants mais, qu'il gagnât ou perdît, il demeurait imperturbable. Un tel spectacle faisait battre le cœur et frappait vivement l'imagination. Nicky, élevé dans un esprit d'économie, sentait passer en lui un grand frisson en voyant un joueur risquer mille livres sur une carte inconnue, puis prendre sa perte en riant. Tout cela le passionnait.

Un homme qu'il connaissait l'aborda.

— Ça marche ? lui demanda-t-il.

— Je ne joue pas.

— Vous avez raison, c'est un jeu déplaisant. Venez donc prendre un pot avec nous.

— D'accord.

En vidant son verre, Nicky dit à ses amis que c'était la première fois qu'il entrait dans les salles de jeu.

— Alors, vous ne pouvez pas repartir de Monte-Carlo sans avoir tenté la chance une seule fois. Ce serait trop bête. Après tout, vous n'en mourrez pas de perdre une centaine de francs.

— Bien sûr, mais mon père ne tenait déjà pas tellement à ce que je vienne ici, et le jeu de hasard est l'une des trois choses qu'il m'a particulièrement recommandé d'éviter.

Mais, quand Nicky se retrouva seul, il revint lentement vers l'une des tables où l'on jouait à la roulette. Il resta quelque temps à regarder le croupier qui ratissait l'argent perdu et les parieurs heureux qui encaissaient leurs gains. On ne pouvait nier que c'était palpitant. Son ami avait raison : ça paraissait stupide de quitter Monte-Carlo sans avoir fait une seule mise. Ce serait une expérience et, à son âge, il ne fallait en négliger aucune. Il se dit qu'il n'avait pas promis à son père de ne pas jouer, mais seulement de ne pas oublier son conseil. Ce n'était pas tout à fait la même chose, pas vrai ? Il sortit de sa poche un billet de cent francs et le déposa assez timidement sur le numéro dix-huit. Il l'avait choisi en pensant à son âge. Le cœur battant à tout rompre, il regarda la roulette qui tournait : la petite boule blanche filait dans tous les sens comme un lutin. Le mouvement se ralentit, la petite boule blanche hésita, sembla sur le point de s'arrêter, repartit. Nicky put à peine en croire ses yeux quand il la vit s'immobiliser dans la case du dix-huit. On poussa vers lui une grande masse de jetons qu'il ramassa les mains tremblantes. Ça avait l'air de représenter pas mal d'argent. Il était tellement abasourdi qu'il en oublia tout à fait de miser pour le tour suivant. En fait, il ne voulait plus jouer, une fois suffisait, et il fut surpris de voir ressortir le dix-huit. Il n'y avait qu'un jeton sur cette case.

— Sapristi, vous avez encore gagné ! dit un homme debout près de lui.

— Moi ? Je n'avais rien misé.

— Mais si. Votre mise de départ. Ils la laissent toujours en place, à moins que vous ne la réclamiez. Vous ne le saviez donc pas ?

Un autre tas de jetons fut remis à Nicky pris de vertige. Il fit le compte de ses gains : sept mille francs. Une curieuse sensation de puissance l'envahit : n'avait-il pas fait preuve d'un très grand savoir-faire ? C'était le moyen le plus facile de gagner de l'argent dont il eût jamais entendu parler. Son visage franc et séduisant rayonnait. Son regard illuminé croisa celui d'une femme debout près de lui. Elle lui sourit.

— Vous êtes dans un jour de chance, dit-elle.

Elle parlait anglais mais avec un accent étranger.

— J'ai du mal à y croire. C'est la première fois de ma vie que je joue dans un casino.

— Ça explique tout. Accepteriez-vous de me prêter mille francs ? J'ai perdu tout ce que j'avais sur moi. Je vous rendrai la somme dans une demi-heure.

— D'accord.

Elle prit dans le tas de Nicky un grand jeton rouge et disparut sans un mot de remerciement. L'homme qui avait déjà parlé grommela :

— Voilà de l'argent que vous ne reverrez plus !

Nicky resta penaud. Son père lui avait expressément recommandé de ne prêter de l'argent à personne. Il venait de faire une bourde. D'autant qu'il voyait cette personne pour la première fois de sa vie. En fait, son amour pour le genre humain était alors si grand que l'idée de dire non ne l'avait pas effleuré. Et ce grand jeton rouge, on ne se rendait guère compte de sa valeur. Ma foi, tant pis, il lui restait six mille francs : il tenterait encore sa chance une ou deux fois tout au plus et, s'il ne gagnait pas, il rentrerait se coucher. Il mit un jeton sur le seize en pensant à l'âge de l'aînée de ses sœurs, mais le seize ne sortit pas ; alors il joua le douze en l'honneur de la cadette, avec le même résultat ; enfin, il misa sur plusieurs numéros, pris au hasard, mais n'eut pas plus de succès. C'était curieux, on aurait dit qu'il avait perdu le chic ! Il voulut encore essayer une seule fois, la dernière, et il gagna. Il avait plus que compensé ses pertes. Une heure plus tard, après avoir connu des hauts et des bas et des moments d'exaltation comme jamais dans sa vie, il se retrouva avec un si grand nombre de jetons qu'ils tenaient à peine dans ses poches.

Il décida de s'arrêter. Quand il alla échanger ses jetons à la caisse, il eut le souffle coupé en voyant, étalés devant lui, vingt billets de mille francs. Jamais il n'avait eu autant d'argent. Il mit les billets dans sa poche. Il était sur le point de partir lorsque la femme à qui il avait prêté mille francs l'aborda.

— Je vous cherchais partout, dit-elle. J'avais peur que vous n'ayez quitté le casino. Je me faisais du mouron en me demandant ce que vous alliez penser de moi. Voici vos mille francs avec tous mes remerciements.

Le sang empourpra les joues de Nicky qui la regarda les yeux écarquillés. Comme il avait été injuste à son égard ! Son père lui avait dit « ne joue pas » : voilà qu'il avait joué, et gagné vingt mille francs. Son père lui avait dit « ne prête d'argent à personne » : voilà qu'il avait prêté une grosse somme à une parfaite inconnue et qu'elle venait de la lui rendre ! A coup sûr, son père l'avait pris pour plus bête qu'il n'était. Il avait eu l'intuition qu'il pouvait sans risque prêter l'argent que demandait cette personne : visiblement, son intuition ne l'avait pas trompé. Mais sa stupéfaction était si évidente que la petite dame ne put s'empêcher de rire.

— Qu'est-ce que vous avez ? demanda-t-elle.

— A dire vrai, je ne m'attendais pas à revoir cet argent.

— Pour qui m'aviez-vous prise ? Est-ce que vous vous êtes imaginé que j'étais une cocotte ?

Nicky rougit jusqu'à la racine de ses cheveux frisés.

— Mais non, bien sûr que non !

— Est-ce que je ressemble à une cocotte ?

— Certainement pas.

Elle était habillée en noir, très sobrement, et portait un collier en or. La coupe très simple de sa robe mettait en valeur sa taille bien prise et ses formes aimables. Des cheveux bien soignés encadraient son visage gracieux et délicat. Elle était maquillée, mais sans excès. Nicky eut l'impression qu'elle n'avait guère que trois ou quatre ans de plus que lui. Elle lui adressa un sourire indulgent.

— Mon mari est employé au Maroc dans l'administration et je suis venue passer quelques semaines à Monte-Carlo parce qu'il trouvait que j'avais besoin de me distraire.

— Je m'en allais, dit Nicky embarrassé pour lui répondre.

— Déjà !

— C'est qu'il faut que je me lève aux aurores demain. Je reprends l'avion pour Londres.

— Ah, c'est vrai. Le tournoi vient de se terminer, n'est-ce pas ? Savez-vous que je vous ai vu jouer deux ou trois fois ?

— Ah oui ? Vous auriez bien pu ne pas me remarquer.

— J'admire votre style de jeu. Et puis vous aviez l'air charmant en short.

Nicky n'était pas un jeune fat, mais l'idée le traversa qu'elle lui avait peut-être emprunté ces mille francs pour avoir l'occasion de faire sa connaissance.

— Êtes-vous jamais allé au *Knickerbocker* ? lui demanda-t-elle.

— Non, je n'y ai jamais mis les pieds.

— Vous ne pouvez vraiment pas quitter Monte-Carlo sans l'avoir fait ! Pourquoi ne pas y venir avec moi ? Nous pourrions y danser un peu ? A vrai dire, je meurs de faim et rien ne me ferait un plus grand plaisir que de manger des œufs au bacon.

Nicky se rappela le conseil de son père d'éviter tout rapport avec les femmes. Mais ça ne s'appliquait pas au cas présent : il suffisait de jeter un coup d'œil sur cette charmante petite personne pour se rendre compte qu'elle était tout à fait comme il faut. Son mari travaillait dans ce qui devait être l'équivalent de l'administration britannique. Les parents de Nicky fréquentaient quelques fonctionnaires qui amenaient parfois leurs épouses à dîner. Il fallait admettre qu'elles n'étaient ni aussi jeunes ni aussi jolies que son interlocutrice mais, en matière de bonnes manières, celle-ci n'avait rien à leur envier. Et puis, après avoir gagné vingt mille francs, il était très enclin à se distraire un peu.

— J'aimerais beaucoup vous accompagner, dit-il. Mais vous me pardonnerez de ne pas rester longtemps. J'ai demandé à l'hôtel qu'on me réveille à sept heures.

— Nous repartirons quand vous voudrez.

L'ambiance du *Knickerbocker* plut beaucoup à Nicky. Il mangea avec appétit ses œufs au bacon. A eux deux, ils vidèrent une bouteille de champagne. Ils dansèrent ensemble et la petite dame lui dit qu'il dansait très bien. Lui-même n'ignorait pas ses dons en la matière et, bien sûr, c'était un plaisir de danser avec elle. Légère comme une plume, elle appuyait sa joue contre la sienne et, quand leurs regards se croisaient, il lisait dans ses yeux un sourire qui lui chavirait le cœur. Une femme de couleur chantait d'une voix rauque et sensuelle. Le plateau était noir de monde.

— Vous a-t-on jamais dit que vous étiez très beau ? lui demanda-t-elle.

— Je ne crois pas, répondit-il en riant.

« Mince alors, pensait-il, je crois bien que j'ai fait une touche. »

Nicky n'était pas assez niais pour ne pas s'être aperçu qu'il plaisait souvent aux femmes. Quand celle-ci lui fit cette remarque, il la serra un peu plus fort contre lui. Elle ferma les yeux et poussa un profond soupir.

— Je suppose, dit-il, que ce ne serait guère convenable de vous embrasser devant tous ces gens ?

— Selon vous, que penseraient-ils de moi ?

Il commençait à se faire tard et Nicky fit remarquer qu'il devait vraiment songer à repartir.

— Et moi aussi, dit-elle. Ça ne vous ennuie pas de me déposer à mon hôtel sur le chemin du retour ?

Nicky régla l'addition. Son montant l'étonna un peu mais, avec tout l'argent qu'il avait dans sa poche, il pouvait se permettre de ne pas compter. Quand ils furent montés dans un taxi, elle se serra contre lui et il l'embrassa. Ça n'avait pas l'air de lui déplaire.

« Bon sang, se dit-il, je me demande si je n'ai pas mes chances. »

Elle était mariée, bien sûr, mais son époux était au Maroc. D'ailleurs, elle avait manifestement le béguin pour lui. Et pas qu'un petit béguin ! Il était non moins vrai que son père l'avait mis en garde contre la fréquentation des femmes mais il se dit, une fois de plus, qu'il n'avait pas vraiment promis de ne pas les fréquenter, mais seulement de ne pas oublier le conseil reçu. Eh bien, il ne l'oubliait pas : en ce moment même, il l'avait à l'esprit. Mais il faut toujours faire la part des choses. Cette petite était mignonne. Ce serait trop bête de ne pas profiter d'une aventure qui s'offrait à lui sur un plateau. Quand ils arrivèrent à l'hôtel, il régla le taxi.

— Je vais rentrer à pied, dit-il. On étouffait là-bas : le grand air me fera du bien.

— Montez donc un moment, proposa-t-elle. J'aimerais bien vous faire voir la photo de mon petit garçon.

— Ah, vous avez un petit garçon ? s'écria-t-il, quelque peu refroidi dans son ardeur.

— Oui, un charmant petit garçon.

Il la suivit jusqu'à son étage. Voir la photographie de son jeune fils ne le tentait nullement, mais il avait l'impression que la stricte politesse lui enjoignait de prétendre le contraire. Il craignait de s'être ridiculisé : l'idée lui vint qu'elle l'amenait voir la photographie pour lui faire gentiment comprendre qu'il s'était trompé

121

sur son compte. Il lui avait confié qu'il n'avait que dix-huit ans.

« Sans doute pense-t-elle que je ne suis qu'un gamin ? »

Il commençait à regretter d'avoir dépensé tout cet argent pour lui offrir du champagne dans la boîte de nuit.

Mais, au bout du compte, elle ne lui montra pas la photo du gamin. A peine étaient-ils entrés dans sa chambre qu'elle se tourna vers lui, lui jeta les bras autour du cou et l'embrassa à pleine bouche : jamais de sa vie on ne l'avait embrassé aussi passionnément.

— Mon chéri, dit-elle.

L'espace d'un instant, les conseils de son père revinrent à l'esprit de Nicky, puis il les oublia.

Nicky avait le sommeil léger : le moindre bruit suffisait à l'éveiller. Tiré de son repos, deux ou trois heures plus tard, il se demanda quelques instants où il pouvait bien être. La chambre n'était pas dans l'obscurité complète car la lumière, restée allumée dans la salle de bains, filtrait par la porte entrouverte. Soudain, il se rendit compte qu'une personne se déplaçait dans la pièce. Alors il se souvint. Il comprit que c'était sa petite amie et était sur le point de lui parler, mais quelque chose dans son comportement le fit changer d'avis. Elle marchait en prenant de grandes précautions comme si elle avait peur de l'éveiller et s'arrêta une ou deux fois pour jeter un coup d'œil du côté du lit. Que cherchait-elle ? Il eut tôt fait de s'en apercevoir. Elle avança jusqu'à la chaise sur laquelle il avait déposé ses vêtements et se retourna une fois de plus vers lui. Pendant un laps de temps qui lui parut interminable, elle attendit. Le silence était si profond que Nicky croyait entendre battre son propre cœur. Après quoi, très lentement et très discrètement, elle souleva sa veste, glissa la main dans la poche intérieure et en retira tous les beaux billets de mille francs que Nicky avait été si fier de gagner. Elle remit la veste à sa place, la recouvrit avec d'autres vêtements pour donner l'impression qu'on n'y avait pas touché puis, la liasse de billets dans la main, se figea à nouveau dans une attente assez longue. Nicky avait résisté à son impulsion première de sauter du lit pour lui mettre la main au collet : en partie sous l'effet d'une surprise inhibante, mais aussi à l'idée que, dans un hôtel inconnu en pays étranger, l'esclandre qu'il ferait pourrait bien mal tourner. Elle regarda dans sa direction. Il n'avait les yeux qu'à demi ouverts et lui donnait assurément l'impression qu'il dormait. Dans le silence, elle ne pouvait manquer d'entendre sa respiration régulière. Enfin, persuadée qu'elle n'avait pas troublé le sommeil du jeune homme, elle traversa la pièce avec circonspection. Sur une petite table devant la fenêtre, un pot de fleurs contenait une cinéraire. A présent, Nicky surveillait les mouvements de sa compagne les yeux grands ouverts. De toute évidence, la plante n'était pas enracinée car, en la saisissant par les tiges, elle la sortit d'un coup, puis déposa les billets au fond du pot avant de la remettre à sa place. C'était une cachette admirable. Qui aurait pu deviner que l'on avait dissimulé quelque chose sous cette plante abondamment fleurie ? Elle tassa bien la terre avec les mains puis, très lentement, en veillant à ne faire aucun bruit, revint à pas de loup jusqu'au lit et se glissa à nouveau sous les draps.

— *Chéri* [1], fit-elle d'une voix caressante.

Nicky avait la respiration régulière d'un homme plongé dans un sommeil de plomb. La petite dame se retourna sur le côté et se disposa à dormir. Mais Nicky, pour immobile qu'il fût, méditait activement. La scène à laquelle il venait d'assister l'avait empli d'une vive indignation qui donnait de la vigueur à ses pensées secrètes.

« Cette femme est une belle grue ! Son cher petit

_____

1. En français dans le texte.

mignon et son mari au Maroc, quelle bonne blague ! C'est une sale voleuse, un point c'est tout. Elle m'a pris pour une poire. Si elle se figure qu'elle va s'en tirer comme ça, elle se met le doigt dans l'œil. »

Il avait déjà décidé de l'utilisation de l'argent qu'il avait su gagner. Depuis longtemps, il rêvait d'une voiture à lui et trouvait que son père était plutôt ladre de ne pas la lui offrir. Après tout, il y a des moments où, quand on est un homme, on n'a pas envie de se promener dans le bahut de la famille ! Eh bien, il donnerait une leçon au paternel en s'achetant une voiture tout seul. Pour vingt mille francs, en gros deux cents livres, il pourrait trouver une voiture d'occasion très convenable. Il avait l'intention de récupérer l'argent, mais se demandait comment il allait s'y prendre. Il ne tenait guère à faire du scandale dans un hôtel dont il ne savait rien et où lui-même n'était connu de personne : qui sait si cette garce n'avait pas des amis dans la place ? Dans un combat loyal, il ne craignait aucun homme mais il n'aurait pas l'air fin en face d'un revolver ! Il se disait, de surcroît, avec quelque raison, qu'il n'avait aucune preuve que l'argent lui appartenait. Si, mise au pied du mur, cette femme jurait qu'il était à elle, lui-même pourrait bien se voir embarqué au commissariat. Que faire ? Bientôt, la respiration régulière de sa voisine lui apprit qu'elle dormait. Elle avait dû s'assoupir l'esprit tranquille, puisqu'elle avait fait son micmac sans anicroche. Nicky était furieux de penser qu'elle dormait ainsi du sommeil du juste alors qu'il restait éveillé à se faire une bile noire. Soudain, une idée le traversa. Elle était si parfaite qu'il eut grand-peine à s'empêcher de sauter du lit pour la mettre aussitôt à exécution. A bon chat, bon rat ! Puisqu'elle lui avait volé son argent, eh bien, il le lui volerait à son tour, et ils seraient quittes. Il résolut d'attendre dans le plus grand silence d'avoir la conviction que la perfide dormait à poings fermés. Il attendit un temps qui lui parut très long. Elle ne bougeait pas.

Son souffle avait la régularité d'une respiration enfantine.

— Chérie ? murmura-t-il enfin.

Pas de réponse. Aucun geste. Son sommeil la coupait du monde. Très lentement, en s'arrêtant après chacun de ses gestes, et en évitant de faire le moindre bruit, il se glissa hors du lit. Debout, il resta immobile quelques instants, les yeux tournés vers la dormeuse : la régularité persistante de sa respiration l'assurait qu'il n'avait pas troublé son repos. Dans l'intervalle, il avait fait du regard un inventaire soigneux du mobilier de la chambre pour éviter de heurter bruyamment une chaise ou un pied de table. Il fit deux pas, attendit, puis recommença. Avançant sur la pointe des pieds, il ne faisait aucun bruit. Il mit cinq bonnes minutes pour atteindre la fenêtre devant laquelle il attendit encore. Un léger grincement du lit le fit sursauter : mais la jeune femme s'était seulement retournée en dormant. Il s'obligea à compter jusqu'à cent. Elle dormait comme une souche. Avec un soin extrême, il prit entre les doigts les tiges de la cinéraire pour la sortir délicatement du pot. Il glissa la main droite à l'intérieur et, lorsqu'elle vint au contact des billets, son cœur se mit à battre la chamade. Refermant la main sur eux, il les sortit lentement du pot, remit la plante en place et, à son tour, tassa soigneusement la terre. Il n'avait pas cessé de guetter du coin de l'œil la forme sous les draps : elle restait immobile. Après un nouveau temps d'arrêt, il se glissa jusqu'à la chaise sur laquelle il avait déposé ses vêtements. D'abord, il remit la liasse dans la poche de sa veste, puis il entreprit de s'habiller. Il lui fallut un bon quart d'heure, car il ne pouvait pas se permettre de faire le moindre bruit. Avec son smoking, il portait une chemise à col mou et s'en félicita parce qu'elle était plus facile à remettre en silence qu'une chemise à col dur. Il eut un peu de mal à nouer sa cravate, faute de pouvoir se regarder dans une glace ; mais, se dit-il très sagement, que son nœud fût

125

mal fait ne tirait guère à conséquence. Sa bonne humeur lui revenait. Il commençait à trouver plutôt drôle tout ce qui venait de lui arriver. Quand il fut entièrement vêtu, il prit ses chaussures à la main, résolu à les enfiler une fois dans le couloir. Il lui fallait, à présent, gagner la porte. Il traversa la pièce si discrètement qu'il n'aurait pas réveillé un chat. Mais il fallait ouvrir la porte et la serrure grinça lorsqu'il tourna la clef.

— Qui est là ?

La petite jeune femme s'était dressée d'un coup sur son séant. Le sang de Nicky ne fit qu'un tour. Il dut prendre sur lui pour garder son calme.

— Ce n'est que moi. Il est six heures et il faut que je m'en aille. J'essayais de ne pas vous réveiller.

— Oh ! j'avais oublié que tu devais partir !

Elle laissa retomber sa tête sur l'oreiller.

— Maintenant que vous êtes réveillée, je vais mettre mes souliers.

Il s'assit sur le bord du lit pour le faire.

— Ne fais pas de bruit en sortant. Les gens de l'hôtel n'aiment pas ça. Oh ! ce que j'ai sommeil !

— Vous n'avez qu'à vous rendormir tout de suite.

— Embrasse-moi avant de t'en aller.

Il se pencha pour l'embrasser.

— Tu es un garçon adorable et un merveilleux amant. *Bon voyage*[1] !

Nicky ne se sentit vraiment en sécurité qu'une fois sorti de l'hôtel. Le jour pointait. Le ciel était sans nuages et, dans le port, les yachts et les bateaux de pêche, portés par une eau calme, ne remuaient pas. Sur le quai, des marins pêcheurs se préparaient à sortir en mer. Les rues étaient désertes. Nicky inspira profondément l'air du matin. Il se sentait frais et dispos, et le roi n'était pas son cousin. D'une démarche dégagée, les épaules bien rejetées en arrière, il monta vers la ville et

---

1. En français dans le texte. *(N.d.T.)*

126

longea les serres du Casino — dont les fleurs, humectées de rosée, prenaient un bel éclat dans la transparence du jour — jusqu'à l'entrée de son hôtel. Là, le travail du jour avait commencé. Des employés de l'hôtel portant un cache-col et la tête protégée par un béret s'affairaient à balayer le hall. Nicky monta à sa chambre où il prit un bain très chaud. Il se prélassa en se disant avec satisfaction qu'il n'était pas aussi niais que d'aucuns pourraient le croire. Après son bain, il fit sa culture physique, s'habilla, emballa ses effets et descendit prendre son déjeuner. Il avait une faim de loup. Pas question d'un petit déjeuner continental ! Il se fit servir un pamplemousse, du porridge, des œufs au bacon, des petits pains à peine sortis du four — croustillants et qui lui fondaient délicieusement dans la bouche — avec de la confiture à l'orange ; et il but trois tasses de café. Après quoi, il se sentit encore mieux qu'avant. Il alluma la pipe dont il avait depuis peu appris à se servir, régla sa note d'hôtel et monta dans la voiture qui l'attendait pour le conduire à l'aéroport au-delà de la ville de Cannes. Jusqu'à Nice, la route en corniche lui permettait de voir en contrebas la mer d'azur et la ligne du rivage. Il n'y avait pas à dire, c'était drôlement chouette ! Après la traversée de Nice, si accueillante au petit matin avec ses couleurs vives, ils s'engagèrent bientôt sur une route droite qui longeait la côte.

Nicky avait réglé sa note non pas avec l'argent gagné la veille au Casino, mais avec celui que son père lui avait donné. Il avait échangé un billet de mille francs pour payer le souper au *Knickerbocker*, mais cette petite garce lui avait rendu les mille francs prêtés auparavant, si bien qu'il avait vingt billets en poche. Il eut envie de les contempler : il avait été si près de les perdre qu'ils avaient pris pour lui une valeur double. Il les sortit de la poche revolver où, par mesure de prudence, il les avait fourrés en mettant son costume pour le voyage de retour, et les compta un par un. Quelque chose d'étrange leur était arrivé. Au lieu des vingt billets qu'il s'attendait à voir, il en trouva vingt-six. Il n'y comprenait rien. Il les recompta par deux fois. Aucun doute : il se trouvait, Dieu sait comment, à la tête de vingt-six mille francs au lieu des vingt mille qu'il aurait dû détenir. C'était inexplicable. N'aurait-il pas gagné au Casino plus d'argent qu'il n'avait cru ? Mais non, c'était impossible : il se souvenait clairement d'avoir vu le caissier étaler les billets sur quatre rangs de cinq, et de les avoir, alors, comptés lui-même. L'explication lui vint dans un éclair : quand il avait plongé la main au fond du pot après en avoir retiré la cinéraire, il avait empoigné tout ce qui était venu au contact de ses doigts. Le pot de fleurs tenait lieu de tirelire à cette petite voleuse : il en avait sorti non seulement son propre argent, mais celui qu'elle-même avait mis de côté. Se renversant en arrière, Nicky partit alors d'un énorme éclat de rire. C'était la meilleure ! Il rit encore plus fort à la pensée qu'en s'éveillant un peu plus tard elle irait voir dans leur cachette les billets si adroitement raflés, pour découvrir non seulement qu'ils s'étaient envolés mais que ses propres fonds avaient pris le même chemin. Et, quant à lui, il ne pouvait rien y faire : il ignorait son nom comme celui de l'hôtel où elle l'avait amené. Même s'il le voulait, comment aurait-il pu lui rendre son argent ?

« C'est bien fait pour sa pomme ! » se dit-il.

Tel fut le récit que Garnet rapporta à ses amis bridgeurs car la veille, à l'heure du digestif, quand sa femme et sa fille aînée les avaient laissés seuls, Nicky lui avait conté son aventure par le menu.

— Et savez-vous ce qui m'a mis en rage ? C'est de le voir si content de lui. Comme un chat qui viendrait d'avaler un canari ! Vous ne devinerez jamais ce qu'il m'a dit pour finir, en me regardant de ses yeux innocents ? « Tu sais, papa, je ne peux pas m'empêcher de penser que tes conseils n'étaient pas tout à fait valables. Tu m'as dit de ne pas jouer, et, quand je l'ai fait, j'ai gagné un fric fou. Tu m'as dit de ne pas prêter d'argent, et celui que j'ai prêté m'a été rendu. Et tu m'as dit de me tenir à l'écart des femmes, et quand je n'en ai rien fait, ça m'a rapporté six mille francs ! »

Les trois partenaires d'Henry Garnet s'esclaffèrent, ce qui n'était pas fait pour arranger les choses.

— Vous pouvez rire, mais moi, voyez-vous, je me trouve dans le pétrin. Ce garçon m'admirait, me respectait, prenait tout ce que je lui disais pour parole d'Évangile, mais maintenant, je l'ai lu dans son regard, il me prend pour un vieux radoteur, un point c'est tout. A quoi bon lui dire qu'une hirondelle ne fait pas le printemps ? Il ne se rend pas compte qu'il a eu un coup de veine et se figure qu'il doit tout à son savoir-faire. Ce pourrait bien être sa perte !

— C'est vrai, mon vieux, que vous n'avez pas l'air malin, dit l'un de ses amis. Comment dire le contraire ?

— Je sais et ça ne m'enchante pas. Ce n'est vraiment pas juste ! Le destin n'a pas le droit de nous jouer de tels tours. Après tout, vous devez bien admettre que mes conseils étaient bons ?

— Excellents !

— Et que ce malheureux garçon aurait dû se brûler les doigts ? Eh bien non ! Vous qui êtes tous des hommes d'expérience, dites-moi ce que je dois faire pour m'en sortir à présent ?

Mais aucun d'entre eux n'en fut capable.

— Écoutez, Henry, lui dit l'avocat, à votre place je me tranquilliserais. Je crois que votre fils est né coiffé : à la longue, ça vaut mieux que d'être né riche ou intelligent.

Une perle

Richard Harenger était un homme heureux. Les pessimistes, l'Ecclésiaste en tête, ont beau dire : le cas n'est pas si rare en ce monde d'infortune. Mais Richard Harenger connaissait son bonheur, ce qui est bien exceptionnel. Le juste milieu dont les Anciens faisaient un si grand cas est passé de mode et ceux qui le cultivent sont en butte aux ironies discrètes des gens qui ne voient ni le prix de la modération ni la vertu du bon sens. Courtois et souriant, Richard Harenger se contentait de hausser les épaules. Libre à d'autres de vivre dangereusement, de brûler d'une ardeur dure et pure comme le diamant, de jouer leur destin sur un coup de poker, de marcher sur la corde raide qui conduit à la gloire ou au tombeau, de risquer leur vie pour l'amour d'une bonne cause, au service d'une passion, ou par goût de l'aventure. Il n'était ni jaloux de la célébrité qu'ils tiraient de leurs exploits ni enclin à les plaindre lorsque leurs grands efforts les menaient au désastre.

Mais l'on aurait tort d'en conclure que Richard Harenger était un égoïste et un homme au cœur sec. Prévenant et généreux, il était toujours prêt à aider un ami, et ses moyens lui permettaient de suivre son penchant à servir son prochain : à une fortune personnelle, s'ajoutait le traitement convenable qui rétribuait ses fonctions au ministère de l'Intérieur. Cet emploi, régulier, agréable, non dépourvu de responsabilités, lui allait comme un gant. Chaque jour, en quittant son bureau, il se rendait au cercle pour jouer au bridge pendant une heure ou deux et pratiquait le golf le samedi et le dimanche. Au cours de ses vacances, qu'il passait à l'étranger, il descendait dans de bons hôtels, visitait les églises, les galeries, les musées. C'était un habitué des premières et il dînait souvent en ville. Ses amis l'appréciaient et trouvaient son commerce agréable : il était cultivé, bien informé et spirituel. De surcroît, sans être un Apollon, il était bien de sa personne : grand, svelte, cambré dans sa démarche, avec un visage mince et intelligent. Ses cheveux s'étaient clairsemés à l'approche de la cinquantaine, mais ses yeux bruns conservaient leur sourire et il avait encore toutes ses dents. D'une constitution robuste, il avait toujours pris grand soin de sa santé. Pourquoi donc ne se serait-il pas senti bien dans sa peau ? S'il avait eu, d'ailleurs, la moindre suffisance, il aurait pu se targuer de mériter son bonheur.

Il avait même eu la chance de franchir sans encombre la passe dangereuse et turbulente du mariage, où tant d'hommes vertueux et prudents font naufrage. Mariés par amour peu après vingt ans, sa femme et lui avaient quasiment filé le parfait amour durant quelques années, avant de se détacher peu à peu l'un de l'autre. Comme ils ne souhaitaient pas refaire leur vie, la question du divorce ne fut pas soulevée : les fonctions officielles de Richard Harenger auraient, d'ailleurs, rendu la chose inopportune. Mais, par commodité, grâce aux conseils de l'avoué de la famille, ils avaient mis sur pied un contrat de séparation qui laissait chacun d'eux libre de vivre à sa guise, sans ingérence de l'autre ; et ils s'étaient quittés sur des paroles d'estime et d'amitié.

Richard Harenger avait vendu sa maison de St John's Wood pour prendre un appartement proche de Whitehall, ce qui lui permettait de se rendre à pied au ministère. Ce logement comportait un petit salon autour duquel il avait disposé sa bibliothèque, une salle à manger juste assez grande pour accueillir son mobilier de style Chippendale, une belle chambre à coucher pour son usage personnel, et deux chambres de bonnes que la cuisine séparait des autres pièces. Parmi ses domestiques de St John's Wood, trop nombreux désormais, il n'avait conservé que la cuisinière, qu'il employait depuis plusieurs années, et avait fait appel à un bureau de placement pour trouver une femme de chambre capable de servir à table. Comme il savait très bien ce qu'il voulait, il avait pu formuler dans le détail ses exigences auprès de la directrice. Il cherchait une personne pas trop jeune, non seulement parce que les jeunes femmes sont écervelées, mais encore parce que, en dépit de son âge mûr et de ses principes moraux, il voulait éviter les commérages, à commencer par ceux du concierge et des commerçants. Pour sa réputation comme pour celle de son employée, il estimait que la candidate devait avoir passé l'âge de faire des bêtises. D'autre part, elle devait savoir astiquer l'argenterie. Il avait toujours été amateur d'argenterie ancienne : des couverts qui avaient appartenu à une femme de qualité au temps de la reine Anne méritaient bien d'être traités avec amour et considération. D'un naturel hospitalier, il aimait, une fois par semaine, donner un petit dîner de quatre à huit couverts. Assuré que sa cuisinière préparerait un repas savoureux, il attendait de sa nouvelle employée de maison un service efficace et rapide. Ensuite, l'entretien de ses affaires devait être impeccable. Il s'habillait bien, d'une façon qui convenait à son âge et à son rang social, et souhaitait qu'on prît grand soin de ses vêtements. La femme de chambre qu'il cherchait devait savoir refaire le pli d'un pantalon, repasser une cravate, faire briller parfaitement ses chaussures. Ce dernier point lui tenait à cœur : il avait le pied petit et ne portait que des souliers d'une forme irréprochable. Il en avait tout un assortiment et exigeait qu'on y remît les tendeurs dès qu'il venait de les quitter. Enfin, il fallait que son appartement fût maintenu propre et net. Il allait de soi que la candidate devait être d'une moralité parfaite, sérieuse, honnête, digne de confiance et d'un physique agréable. En contrepartie, il était prêt à lui verser de bons gages, à lui laisser du temps libre dans des limites raisonnables et à lui payer de longues vacances. La directrice du bureau de placement l'écouta sans sourciller. A coup sûr, lui dit-elle, elle pourrait lui trouver la personne qu'il fallait : mais la kyrielle des candidates qu'elle lui adressa montra bien qu'elle n'avait pas écouté un traître mot de son exposé. Il prit la peine de les recevoir toutes personnellement. Certaines étaient manifestement incapables, d'autres, d'un genre trop déluré ; il y en avait de trop âgées, il y en avait de trop jeunes ; d'autres encore n'avaient pas la bonne présentation qu'il estimait indispensable : aucune d'entre elles ne l'incita même à la prendre à l'essai. Poli et prévenant selon son caractère, il déclina leurs offres de service en s'excusant avec une courtoisie souriante. Il était prêt à subir ce défilé jusqu'à ce qu'il trouvât la femme de chambre idoine.

Il est curieux de voir que, dans l'existence, les perfectionnistes parviennent très souvent à leurs fins. En refusant tout net ce que l'on peut avoir, on finit très probablement, d'une manière ou d'une autre, par avoir ce que l'on veut. Comme si la fortune, face au parfait idiot qui cherche la perfection, décidait, par un caprice de femme, de la lui apporter sur un plateau. Un beau jour, le concierge de l'immeuble où logeait Harenger lui dit de but en blanc :

— Il paraît, Monsieur, que vous cherchez une femme de chambre ? Je connais quelqu'un de libre qui pourrait vous convenir.

En la matière, Richard Harenger avait le bon sens

d'accorder plus de prix à l'opinion d'un autre employé de maison qu'à celle d'un employeur.

— C'est une personne très comme il faut, je peux vous le garantir. Elle a occupé de très bonnes places.

— Je compte rentrer vers sept heures ce soir pour me changer. Je pourrais la recevoir à ce moment-là si ça lui convient.

— Très bien, Monsieur. Je me charge de lui faire la commission.

Ce soir-là, cinq minutes tout au plus après son retour, la sonnette retentit. Après avoir ouvert la porte, la cuisinière vint lui annoncer que la personne dont le concierge lui avait parlé venait se présenter.

— Faites-la entrer, dit-il.

Il augmenta l'éclairage de la pièce pour mieux juger de l'allure de la candidate et quitta son fauteuil pour s'installer debout, le dos à la cheminée. Une femme franchit la porte du salon et s'immobilisa aussitôt dans une attitude respectueuse.

— Bonjour, dit-il. Comment vous appelez-vous ?

— Élisabeth, Monsieur.

— Quel âge avez-vous ?

— J'ai trente-cinq ans, Monsieur.

— Ma foi, c'est un âge raisonnable.

Il tira une bouffée de sa cigarette et considéra son interlocutrice d'un air réfléchi. Elle était plutôt grande, presque de sa taille : elle devait porter des talons hauts. Sa robe noire convenait à son état. D'un bon maintien, elle avait, de surcroît, un visage agréable et un teint assez vif.

— Voulez-vous ôter votre chapeau ?

En lui obéissant, elle découvrit des cheveux châtain clair, coiffés avec soin et de façon seyante. Ni trop grosse ni trop maigre, elle semblait vigoureuse et rayonnait de santé. Une fois revêtue d'un uniforme *ad hoc*, elle devrait faire très bon effet. Sans être d'une beauté embarrassante, elle ne manquait pas de charme : si elle avait appartenu à un milieu plus relevé, on aurait presque pu lui trouver de la prestance. Il entreprit de lui poser une série de questions auxquelles elle répondit de façon satisfaisante. Elle avait quitté sa dernière place pour une bonne raison. Elle avait appris d'un maître d'hôtel comment servir à table et semblait avertie de ce qu'elle aurait à faire. Dans sa dernière maison, elle avait eu deux autres femmes de chambre sous ses ordres, mais ne voyait pas d'inconvénient à prendre soin de l'appartement toute seule. Elle avait déjà assuré un service de valet de chambre auprès d'un monsieur qui l'avait envoyée au préalable apprendre chez un tailleur à repasser les costumes. La réserve dont elle faisait preuve était dénuée de timidité ou de gaucherie. Aux questions que Richard lui adressait posément, de son ton affable, elle répondait sans s'émouvoir et avec modestie. Très favorablement impressionné, il lui demanda ses références, qu'il trouva excellentes.

— Écoutez, lui dit-il, je ne demande qu'à vous engager. Mais j'ai horreur du changement : ma cuisinière est à mon service depuis douze ans. Si vous faites mon affaire et si la place vous plaît, j'espère que vous la garderez. Comprenez-moi, je ne voudrais pas que vous veniez me dire dans trois ou quatre mois que vous me quittez pour vous marier.

— N'ayez crainte, Monsieur. Je suis veuve. Pour une femme dans ma situation, je trouve que le mariage n'est pas une aubaine. Mon mari n'a rien fait de ses dix doigts depuis le jour où je l'ai épousé jusqu'à celui de sa mort et j'ai dû l'entretenir. Ce que je veux à présent, c'est une bonne place.

— J'abonde dans votre sens, répondit-il en souriant. Le mariage, c'est très bien en soi, mais il ne faudrait pas en faire une habitude.

Elle eut la bienséance de ne pas répondre et attendit sans rien dire qu'il lui fît part de sa décision. Elle semblait peu inquiète du résultat : si elle était aussi capable

135

qu'elle en avait l'air, elle devait bien savoir qu'elle n'aurait aucun mal à trouver un emploi. Il précisa le montant des gages qu'il était prêt à verser, et la somme mentionnée sembla la satisfaire. Mais, quand il voulut la mettre au courant de son service, elle lui donna à entendre qu'elle savait déjà à quoi s'en tenir : il en conclut, avec plus d'amusement que de surprise, qu'elle avait fait sa petite enquête avant de se présenter. Voilà qui témoignait de sa prudence et de son sens pratique.

— Le cas échéant, quand pourriez-vous débuter ? Je n'ai personne pour l'instant. La cuisinière se débrouille comme elle peut avec l'aide d'une femme de ménage mais j'aimerais régler cette question le plus tôt possible.

— A vrai dire, Monsieur, je comptais me donner une semaine de vacances mais, pour vous être agréable, je veux bien m'en passer. Je pourrais commencer dès demain si ça vous arrangeait ?

Richard Harenger lui adressa son aimable sourire :

— Pas question de vous priver de vos vacances. Vous deviez les attendre impatiemment. Je peux fort bien prolonger l'état de choses actuel une semaine de plus. Ne prenez le service qu'après votre congé.

— Je remercie beaucoup Monsieur. Demain en huit conviendrait-il ?

— Parfaitement.

Après son départ, Richard Harenger fut content de sa journée. N'avait-il pas trouvé la personne qu'il fallait ? Il sonna la cuisinière pour lui dire qu'il venait enfin d'engager une femme de chambre.

— Je crois que Monsieur en sera content, dit-elle. Elle est venue bavarder avec moi cet après-midi et j'ai vu tout de suite qu'elle connaissait bien son affaire. Et ce n'est pas une tête en l'air.

— Nous verrons à l'usage, Mrs. Jeddy. J'espère que vous m'avez présenté à elle sous un bon jour ?

— Ma foi, j'ai dit que Monsieur était exigeant, et qu'il n'aimait pas les à-peu-près.

— C'est vrai !

— Elle m'a répondu qu'elle n'avait rien contre, qu'elle aimait un patron qui savait faire la différence : on n'a pas de plaisir, qu'elle m'a dit, à bien faire les choses s'il n'y a personne pour s'en apercevoir. A croire qu'elle mettra tout son amour-propre à donner satisfaction.

— J'y compte bien. Je crois que nous aurions pu tomber plus mal.

— Comme dit Monsieur, c'est déjà ça. Pour le reste, on ne connaît pas le pâté à la croûte. Mais, si Monsieur me demande mon avis, je parierais que cette femme est une perle.

Il se trouva que c'était le mot juste. Jamais homme ne fut mieux servi. Élisabeth avait une façon de faire reluire les chaussures qui tenait du miracle : quand le soleil brillait, Harenger partait le matin pour son bureau d'un pas plus allègre à l'idée qu'on aurait presque pu se mirer dans ses bottines. Elle prenait si grand soin de ses costumes que ses collègues du ministère commencèrent à le chiner, prétendant qu'il était l'homme le mieux habillé de la Fonction publique.

Un jour qu'il était rentré à l'improviste, il découvrit une rangée de chaussettes et de mouchoirs qui séchaient sur un fil dans la salle de bains. Il appela Élisabeth.

— Est-ce donc vous, Élisabeth, qui lavez mes chaussettes et mes mouchoirs ? Vous devez pourtant avoir assez à faire par ailleurs ?

— Ce petit linge revient de la blanchisserie dans un tel état ! Si Monsieur me le permet, j'aime autant m'en charger.

Elle savait précisément quelle tenue serait dans la note, et n'avait pas besoin de lui demander si, pour une réception, il fallait préparer un smoking avec une cravate noire ou un habit avec une cravate blanche. Quand il se rendait à une soirée où le port de ses décorations était de rigueur, il ne manquait jamais de trouver leur brochette soigneusement accrochée à sa boutonnière. Il renonça bientôt à sortir, le matin, de son armoire la cravate qu'il voulait porter : à quoi bon, puisque, immanquablement, elle lui préparait celle que lui-même aurait prise ? Jamais le bon goût de sa femme de chambre n'était en défaut. Elle devait lire ses lettres pour être au courant de ses occupations. S'il avait oublié l'heure d'un rendez-vous, il n'avait pas besoin de consulter son agenda : Élisabeth pouvait le renseigner. Au téléphone, elle savait sur quel ton il convenait de répondre. Sauf à l'égard des commerçants, avec qui il lui arrivait d'être cassante, sa politesse ne se démentait pas : mais dans une gamme qui variait considérablement selon qu'il s'agissait de gens de lettres connus de son patron ou de l'épouse d'un ministre en titre. Elle savait d'instinct avec qui Harenger avait envie de causer et quel appel devait l'importuner. Installé au salon, il l'entendait, parfois, répondre placidement et d'un ton convaincu : « Monsieur est sorti. » Puis elle venait lui dire que Madame Une Telle avait appelé, mais qu'elle-même avait cru comprendre qu'il ne souhaitait pas être dérangé.

— Vous avez très bien fait, Élisabeth, lui répondait-il en souriant.

— Je savais qu'elle voulait seulement relancer Monsieur à propos de cette soirée musicale.

Les amis d'Harenger prenaient rendez-vous avec lui par l'intermédiaire de sa femme de chambre, qui le mettait au courant quand il rentrait le soir.

— Mrs. Soames a téléphoné pour inviter Monsieur à déjeuner avec elle le jeudi 8, mais je lui ai dit qu'à son grand regret ce n'était pas possible vu qu'il devait déjeuner ce jour-là avec Lady Versinder. Par ailleurs, j'ai eu un appel de Mr. Oakley : il conviait Monsieur à un cocktail au *Savoy*, mardi prochain à dix-huit heures. J'ai répondu que vous feriez l'impossible pour vous y rendre mais que, peut-être, vous seriez obligé d'aller chez le dentiste.

— Vous avez très bien fait.

— Il m'a semblé que ça vous laisserait les coudées franches, le jour venu.

L'appartement brillait comme un sou neuf. Un jour, peu après qu'il eut engagé Élisabeth, Richard, au retour d'un congé, vit, en prenant un volume sur une étagère, qu'on l'avait épousseté. Il sonna sa domestique.

— J'ai oublié de vous dire en partant de ne toucher à mes livres sous aucun prétexte. Quand on enlève un livre d'un rayon pour le dépoussiérer, on ne le remet jamais à la bonne place. Ça ne me gêne pas d'avoir des livres sales, mais j'ai horreur de ne pas les retrouver.

— Que Monsieur ne m'en veuille pas, lui dit Élisabeth. Je sais que certains Messieurs tiennent beaucoup au rangement de leurs livres, c'est pourquoi j'ai veillé à remettre chaque volume là où je l'avais pris.

Un coup d'œil circulaire rassura Harenger : pour autant qu'il pouvait en juger, tous ses livres figuraient à leur place habituelle. Il s'excusa en souriant.

— Monsieur doit savoir qu'ils étaient recouverts de poussière. Rien que d'en ouvrir un, on avait les mains noires.

Manifestement, l'argenterie d'Harenger n'avait jamais été si bien entretenue. Il tint à la complimenter.

— Je dois vous dire, lui expliqua-t-il, qu'elle date en grande partie du temps de la reine Anne ou du règne de George Ier.

— Oui, Monsieur, je le savais. Quand on a de si belles choses à entretenir, on prend beaucoup de plaisir à le faire comme il faut.

— Vous avez un don remarquable pour faire l'argenterie. Je n'ai jamais eu un maître d'hôtel qui s'y prenne aussi bien.

— Les femmes ont plus de patience, répondit-elle d'un air modeste.

Dès qu'il avait eu le sentiment qu'Élisabeth avait pris la routine de la maison, Harenger avait relancé les petites réceptions qu'il aimait à donner une fois par semaine. Il avait déjà eu l'occasion de remarquer qu'elle servait bien à table mais il exulta en voyant avec quelle compétence elle savait prendre soin de ses invités. Elle était vive, silencieuse, empressée. A peine un convive avait-il besoin de quoi que ce soit, qu'elle était près de lui pour le satisfaire. Elle ne mit pas longtemps à découvrir les goûts des intimes : elle n'oubliait jamais que tel d'entre eux préférait son whisky à l'eau plate plutôt qu'à l'eau de Seltz et que tel autre, dans un gigot d'agneau, aimait par-dessus tout qu'on lui serve la souris. Elle connaissait la température exacte jusqu'à laquelle on peut rafraîchir un vin du Rhin sans le rendre insipide, et savait combien de temps un bordeaux doit être chambré pour livrer son bouquet. C'était un plaisir de voir avec quelle adresse elle vidait dans les verres une bouteille de bourgogne sans en remuer le fond. Un jour, le vin qu'elle apporta n'était pas celui que Richard lui avait demandé : il lui en fit le reproche sur un ton assez vif.

— Je dois dire à Monsieur qu'en ouvrant la bouteille je me suis aperçue qu'elle sentait un peu le bouchon. C'est pour ça que j'ai pris le chambertin : ça m'a semblé plus sûr !

— Vous avez très bien fait, Élisabeth.

Il ne tarda pas à lui laisser carte blanche pour le choix des boissons : il s'était rendu compte qu'elle connaissait parfaitement les goûts de ses amis. S'il lui semblait avoir affaire à des gourmets, et sans qu'il eût besoin de rien lui dire, elle sortait les bouteilles de derrière les fagots et le plus vieux cognac. Mais, estimant que peu de femmes ont le palais fin, elle profitait parfois d'une tablée mixte pour servir le champagne sur le point de s'éventer. Avec le sens inné des domestiques anglais, elle savait à quel monde appartenaient les gens : elle reconnaissait un parvenu sous le titre nobiliaire ou l'étalage de la richesse. Mais, parmi les amis d'Harenger, elle avait ses têtes et, quand l'un de ses favoris était invité, elle prenait l'air d'un chat qui vient d'avaler un canari pour lui apporter l'une des bouteilles que son patron gardait en réserve pour les grandes occasions, ce qui le faisait rire.

— Mon cher, s'écriait-il, je vois qu'Élisabeth vous a à la bonne ! Elle ne sert pas ce vin-là à n'importe qui !

Élisabeth fut bientôt connue comme le loup blanc : elle passait pour incomparable et l'on jalousait Harenger de l'avoir à son service, plus encore que pour tous ses autres privilèges. Elle n'avait pas de prix. Quand il entendait chanter ses louanges, Richard rayonnait et se rengorgeait :

— Les bons maîtres font les bons valets, disait-il avec enjouement.

Un soir de réception, après qu'elle eut tourné les talons pour laisser ces messieurs déguster leur porto, la conversation se porta sur Élisabeth.

— Ce sera un rude coup quand elle vous quittera !

— Pourquoi me quitterait-elle ? Une ou deux personnes ont déjà essayé de me la souffler, mais elle les a envoyées paître. Elle connaît son bonheur.

— Un de ces jours, elle se mariera.

— Je ne crois pas que ce soit son genre.

— Elle est bien de sa personne.

— Oui, elle présente pas mal.

— Vous plaisantez ! C'est une très belle femme. Si ç'avait été une femme du monde, on aurait célébré sa beauté et les journaux se seraient disputé sa photographie.

Comme Élisabeth arrivait alors avec le café, Richard Harenger la contempla. A force de la voir quotidiennement, une minute par-ci, une minute par-là, depuis, mais oui, depuis quatre ans — fichtre ! comme le temps passe ! — il avait franchement oublié de quoi elle avait l'air. Elle semblait n'avoir guère changé depuis leur première rencontre. Elle n'avait ni grossi ni perdu son teint vermeil, et son visage aux traits réguliers demeurait à la fois alerte et réservé. Son uniforme noir l'avantageait. Elle sortit.

— En tout cas, c'est une employée de maison idéale.

— Comment ne le saurais-je pas ? répondit Harenger. Elle a toutes les vertus. Sans elle, je ne sais pas ce que je ferais. Le plus drôle, c'est qu'elle m'inspire assez peu de sympathie.

— Pourquoi ?

— Je crois que c'est parce qu'elle m'ennuie un peu. Voyez-vous, elle n'a aucune conversation. J'ai souvent essayé de causer avec elle : elle répond quand je lui parle, un point c'est tout. En quatre ans, pas une seule opinion spontanée n'est tombée de ses lèvres. Je ne sais rien d'elle : même pas si elle éprouve de l'affection pour moi ou l'indifférence la plus totale. C'est un parfait robot. Je l'estime à son juste prix et j'ai confiance en elle. Elle a toutes les qualités du monde et je me suis souvent demandé comment il se fait qu'en dépit de tout cela je ne ressente pour elle qu'une grande indifférence. Ce doit être parce qu'elle manque entièrement de charme.

Sur quoi, ils passèrent à un autre sujet.

Deux ou trois jours plus tard, Richard Harenger dînait seul à son cercle : c'était le jour de sortie d'Élisabeth et personne ne l'avait invité à dîner. Un chasseur vint lui faire une commission : on venait de lui téléphoner de son appartement pour lui faire dire qu'il était parti en oubliant ses clefs. Fallait-il les lui apporter en taxi ? En portant la main à sa poche, Richard se rendit compte que l'on avait dit vrai. Par extraordinaire, quand il s'était changé avant d'aller dîner, il avait omis de remettre le trousseau dans la poche de son complet de serge blanc. Il s'était proposé de faire un bridge au cercle mais ce n'était pas un jour d'affluence, et il aurait du mal à trouver des partenaires convenables : pourquoi ne pas en profiter pour aller voir un film dont il avait entendu parler ? Il fit

142

donc répondre par le chasseur qu'il repasserait lui-même, dans une demi-heure, prendre ses clefs à l'appartement.

Quand il sonna, ce fut Élisabeth qui lui ouvrit la porte. Elle tenait le trousseau à la main.

— Comment se fait-il que vous soyez là ? s'étonna-t-il. Je croyais que c'était votre jour de sortie ?

— En effet, Monsieur. Mais, comme je n'avais pas envie de sortir, j'ai proposé à Mrs. Jeddy de le faire à ma place.

— Vous devriez sortir quand vous en avez l'occasion, lui dit-il avec sa prévenance habituelle. Ce n'est pas bon pour vous d'être toujours cloîtrée.

— Je descends de temps en temps pour faire des courses mais, depuis un mois, je ne suis pas sortie le soir.

— Je me demande bien pourquoi ?

— Vous savez, ce n'est pas tellement drôle de sortir toute seule, et il se trouve que, ces temps-ci, je ne connais personne dont la compagnie me tente beaucoup.

— Vous devriez vous divertir de temps en temps. Cela vous ferait du bien.

— J'en ai perdu l'habitude, je ne sais pas trop pourquoi.

— Écoutez, je vais au cinéma. Est-ce que ça vous plairait de m'accompagner ?

Son offre, impulsive, lui était dictée par son bon cœur ; à peine l'avait-il formulée qu'il commença à se mordre les lèvres.

— Certainement, Monsieur, lui répondit-elle.

— Dans ce cas, dépêchez-vous d'aller mettre un chapeau.

— Je n'en ai pas pour longtemps.

Elle disparut. Harenger entra au salon et alluma une cigarette. La situation l'amusait et ne manquait pas de charme : n'est-il pas agréable de pouvoir faire plaisir à si peu de frais ? C'était bien dans le genre d'Élisabeth de n'avoir marqué aucune surprise et d'avoir accepté

143

sans hésitation. L'attente de Richard ne dura guère plus de cinq minutes et, quand elle revint, il nota qu'elle s'était changée. Elle portait une robe bleue, sans doute en rayonne, avec un petit chapeau noir, relevé par une broche assortie à la robe, et un renard argenté autour du cou. Il fut rassuré de voir que sa toilette n'était ni trop minable ni tapageuse. Qui aurait pu, en les voyant ensemble, se douter qu'il avait sous les yeux un haut fonctionnaire du ministère de l'Intérieur amenant sa femme de chambre au cinéma ?

— Que Monsieur me pardonne de l'avoir fait attendre.

— Ce n'est vraiment pas grave, répondit-il, bon prince.

Il lui ouvrit la porte et elle passa la première. L'anecdote rebattue au sujet de Louis XIV et de son courtisan lui revint à l'esprit et il sut gré à Élisabeth de l'avoir précédé sans faire de manières. Comme le cinéma où ils allaient n'était pas bien loin, ils s'y rendirent à pied. Harenger parla de la pluie et du beau temps, de l'état de la chaussée, du régime hitlérien : elle lui donnait la réplique de façon adéquate. Quand ils entrèrent dans la salle, le dessin animé commençait : c'était un Mickey, qui les mit en joie. Depuis quatre ans qu'elle était à son service, Richard Harenger n'avait jamais noté même l'esquisse d'un sourire sur les lèvres de sa femme de chambre : ses joyeux éclats de rire le divertissaient fort. Il jouissait du plaisir qu'elle éprouvait. Puis l'on projeta le grand film, qui était de qualité, et dont le suspense les tint en haleine. Quand il sortit son porte-cigarettes, il le tendit machinalement à Élisabeth.

— Merci, Monsieur, dit-elle en prenant une cigarette.

Il l'alluma pour elle. Les yeux fixés sur l'écran, elle ne prêta pour ainsi dire pas attention à son geste. A la fin du film, ils ressortirent, noyés dans la foule des spectateurs, et reprirent le chemin de la maison. Les étoiles brillaient dans un ciel sans nuages.

— Est-ce que le film vous a plu ? demanda-t-il.

— Énormément, Monsieur, je me suis régalée.

Une idée traversa l'esprit de Richard :

— A propos, avez-vous dîné ?

— Non, Monsieur, je n'ai pas eu le temps.

— Vous devez mourir de faim ?

— Je prendrai une collation de pain et de fromage en rentrant et je ferai couler ça avec une tasse de chocolat.

— Ça ne me paraît pas très alléchant.

Il y avait de la gaieté dans l'air : la foule qu'ils côtoyaient ou croisaient semblait pleine d'allégresse. Quand le vin est tiré, se dit-il...

— Écoutez, Élisabeth, est-ce que ça vous tenterait de venir souper avec moi quelque part ?

— Si Monsieur le désire.

— Suivez-moi !

Il appela un taxi. La conscience qu'il prenait de sa belle philanthropie ne manquait pas de charme. Il donna au chauffeur l'adresse d'un restaurant d'Oxford Street : bien que l'ambiance y fût joyeuse, il ne risquait pas d'y rencontrer des relations personnelles. Il y avait un orchestre : Élisabeth trouverait distrayant de regarder les danseurs. Dès qu'ils s'attablèrent, un garçon vint prendre leur commande.

— Voulez-vous que nous prenions le menu à prix fixe ? lui proposa-t-il, persuadé qu'elle préférerait ne pas avoir à choisir. Que boirez-vous ? un vin blanc ?

— J'ai plutôt envie d'une bière au gingembre, répondit-elle.

Pour lui-même, Harenger commanda un whisky soda. Elle mangea de bon appétit et, bien qu'il n'eût guère faim, il fit honneur au souper pour la mettre à son aise. Le film qu'ils venaient de voir leur donnait un sujet de conversation. Ce que les amis de Richard avaient dit quelques jours plus tôt était très juste. Élisabeth n'était pas mal du tout : il n'aurait pas eu honte d'être vu avec elle. Ça ferait une bonne histoire à raconter à ses intimes, cette sortie au cinéma avec l'incomparable Élisabeth, suivie d'une invitation, au restaurant. Élisabeth esquissait un sourire en regardant les couples évoluer.

— Aimez-vous la danse ? lui demanda-t-il.

— Je me défendais très bien dans ma jeunesse. Mais j'ai pour ainsi dire cessé de danser après mon mariage. Mon mari était un peu plus petit que moi et, je ne sais pas pourquoi, il m'a toujours semblé que, quand le cavalier n'est pas plus grand que sa partenaire, ça faisait ridicule. Monsieur doit me comprendre. Bientôt, d'ailleurs, je crois bien que j'aurai passé l'âge.

A n'en pas douter, Richard était plus grand que sa femme de chambre. Ils n'auraient pas l'air ridicule. Il était bon danseur. Pourtant, il hésita à inviter Élisabeth : n'allait-il pas l'embarrasser ? Peut-être valait-il mieux ne pas aller trop loin. Mais, après tout, qu'y aurait-il de mal ? Elle menait une vie si monotone. Si l'invitation qu'il allait lui faire lui semblait inconvenante, il comptait sur son bon sens à elle pour la décliner sous quelque bon prétexte.

— Est-ce que ça vous tenterait de faire un tour de piste ? lui demanda-t-il, au moment où l'orchestre attaquait un autre air.

— Il faut que Monsieur sache que je suis très rouillée.

— Qu'est-ce que ça peut faire ?

— Si ça ne gêne pas Monsieur, dit-elle avec flegme en se levant.

Nullement intimidée, elle avait seulement craint de ne pas pouvoir le suivre. Une fois sur la piste, il se rendit compte qu'elle y était à l'aise.

— Mais vous dansez à la perfection, Élisabeth !

— Ça me revient petit à petit.

Malgré sa grande taille, elle se déplaçait avec légèreté et avait un sens inné du rythme. Danser avec elle était un régal ! En jetant un coup d'œil dans l'une des glaces qui recouvraient les murs du restaurant, il ne put s'empêcher de penser qu'ils formaient un beau couple. Leurs yeux se rencontrèrent dans la glace et il se demanda si elle n'était pas en train de se dire la même chose. Après qu'ils eurent encore dansé deux fois ensemble, Harenger lui proposa de rentrer. Il paya l'addition et ils sortirent. Il remarqua qu'elle n'avait nullement l'air emprunté en se frayant un chemin à travers la foule. Ils prirent un taxi qui les ramena à la maison au bout de dix minutes.

— Je vais monter par l'escalier de service, Monsieur, dit Élisabeth.

— Pour quoi faire ? Vous pouvez prendre l'ascenseur avec moi.

Au passage, il jeta au portier de nuit un coup d'œil assez réfrigérant pour lui ôter l'envie de se poser des questions sur son retour tardif en compagnie de sa femme de chambre. Il ouvrit la porte de son appartement avec son propre passe pour faire entrer Élisabeth.

— Eh bien, bonsoir, Monsieur, dit-elle. Je remercie beaucoup Monsieur. C'était vraiment très bien.

— C'est à moi de vous remercier, Élisabeth. Sans vous, j'aurais passé tout seul une soirée ennuyeuse. J'espère que cette sortie vous a vraiment distraite ?

— Pour ça, oui, Monsieur, et plus que je ne saurais le dire !

C'était une réussite. Richard Harenger était content de lui, fier de sa générosité. Il lui était bien doux d'avoir su procurer un plaisir aussi vif et sincère. Sa propre bienveillance lui réchauffa le cœur, l'emplit momentanément d'un grand amour pour toute la race humaine.

— Bonne nuit, Élisabeth, dit-il, et, dans l'excès de son bonheur et de sa bonne conscience, il l'embrassa sur les lèvres.

Les lèvres d'Élisabeth étaient très douces. Loin de se dérober, elle lui rendit son baiser avec l'ardeur cordiale d'une femme robuste, dans la fleur de l'âge. Et quand, dans la douceur de l'instant, il la serra plus fort contre lui, elle lui passa les bras autour du cou.

En règle générale, c'était Élisabeth qui tirait Richard de son sommeil en lui apportant le courrier mais, le lendemain matin, une sensation curieuse qu'il ne s'expliquait pas l'éveilla dès sept heures et demie. Alors qu'il dormait, d'ordinaire, avec deux oreillers, il s'aperçut soudain qu'il en avait un seul. La mémoire lui revint dans un sursaut et il tourna la tête : le second oreiller reposait près du sien. Dieu merci, il était inoccupé, mais l'on voyait bien qu'il avait servi. Le désespoir envahit Harenger qui fut pris de sueurs froides.

— Grand Dieu, s'écria-t-il tout haut, quel idiot j'ai pu être !

Comment avait-il pu se montrer si stupide ? Il ne comprenait vraiment pas ce qui l'avait pris ! N'était-il pas le dernier homme à rechercher des amours ancillaires ! C'était indigne de son âge et de sa position. Pour n'avoir pas entendu Élisabeth se glisser hors du lit, il devait dormir à poings fermés. Et il n'avait même pas l'excuse d'avoir eu pour elle une vive inclination : ce n'était pas son genre de femme et, comme il l'avait dit l'autre soir, il la trouvait plutôt ennuyeuse. Même à présent, il ne la connaissait que par son prénom de domestique : il avait complètement oublié son nom de famille. Quelle folie ! Et maintenant, qu'allait-il arriver ? La situation était impossible. Il allait de soi qu'il ne pouvait pas la garder chez lui ; et pourtant, la congédier pour une faute dont il partageait la responsabilité lui semblait très injuste. Quel imbécile il faisait : perdre ainsi la crème des femmes de chambre pour une heure d'égarement !

— Tout ça, je le dois à mon foutu bon cœur, gémit-il.

Jamais il ne retrouverait une femme de chambre

capable d'entretenir aussi bien ses vêtements, de faire briller son argenterie d'un tel éclat. Elle savait les numéros de téléphone de tous ses amis et s'y connaissait en vins. Mais pas question qu'elle restât à son service. Elle devait bien se rendre compte elle-même qu'après ce qui s'était passé, plus rien ne serait jamais comme avant. Il comptait lui faire un cadeau généreux et lui donner le meilleur des certificats. D'un instant à l'autre, il la verrait entrer dans la chambre. Allait-elle se montrer espiègle ou bien effrontée ? Ou encore, se donnerait-elle de l'importance ? Peut-être même ne prendrait-elle pas la peine de lui apporter le courrier ? Ce serait affreux d'avoir à sonner et de voir arriver la cuisinière pour lui dire : « Élisabeth n'est pas encore debout, Monsieur, elle fait la grasse matinée pour se reposer de la soirée d'hier. »

— J'ai vraiment été le dernier des imbéciles et je me suis comporté comme un triste mufle, gémit-il.

On frappa à la porte. Il était dans les transes.

— Entrez.

Richard Harenger était très malheureux.

Élisabeth entra comme la pendule sonnait. Elle portait la robe d'indienne qu'elle mettait d'habitude en début de journée.

— Bonjour, Monsieur, dit-elle.

— Bonjour.

Elle tira les rideaux de la chambre avant de lui remettre ses lettres et ses journaux. Son visage était imperturbable, son allure inchangée. Ses gestes étaient comme toujours calculés, efficaces. Elle n'évitait pas le regard de Richard mais ne le cherchait pas non plus.

— Monsieur compte-t-il mettre son costume gris ? Il est revenu hier de chez le tailleur.

— Oui.

Tout en faisant mine de lire ses lettres, il la surveillait par en dessous. Elle avait le dos tourné. Elle prit son gilet de flanelle et son caleçon qu'elle replia avant de les déposer provisoirement sur une chaise. Elle retira les boutons de manchette de la chemise qu'il portait la veille et les mit à une chemise propre. Elle lui sortit une autre paire de chaussettes qu'elle posa sur un siège avec des jarretières de la même couleur. Puis, sortant le costume gris, elle fixa les bretelles au pantalon et eut un temps de réflexion pour choisir dans l'armoire une cravate assortie. Elle prit sur le bras le costume de la veille et ramassa les chaussures de sa main libre.

— Monsieur désire-t-il déjeuner tout de suite ou prendre son bain d'abord ?

— Je vais déjeuner tout de suite.

— Très bien, Monsieur.

De son pas mesuré et tranquille, elle sortit placidement. Son visage, comme toujours empreint de sérieux, n'avait rien perdu de son air de respect et de retenue. Ce qui s'était produit aurait pu être un rêve. Rien dans le comportement d'Élisabeth n'indiquait qu'elle avait conservé le moindre souvenir de la nuit précédente.

Il poussa un soupir de soulagement. Inutile de la renvoyer, Dieu merci ! Élisabeth était, décidément, une femme de chambre en or. Il était convaincu que jamais un seul mot, un seul geste de sa part ne viendraient lui rappeler que leurs relations s'étaient, pour un temps bref, écartées des rapports de maître à domestique. Richard Harenger nageait dans le bonheur.

Lord Mountdrago

Le docteur Audlin regarda la pendulette placée sur son bureau. Il était six heures moins vingt. Il était surpris du retard de son client, car Lord Mountdrago mettait son point d'honneur à être ponctuel ; sa façon sentencieuse de s'exprimer donnait à une remarque banale l'air d'une épigramme et c'était bien dans sa manière de dire que « la ponctualité est un compliment fait aux gens d'esprit, une rebuffade administrée aux sots ». Or Lord Mountdrago avait rendez-vous à cinq heures et demie.

Rien dans l'apparence du docteur Audlin ne pouvait attirer l'attention. Grand, maigre, avec des épaules étroites, il se tenait un peu voûté ; sa chevelure était grise et clairsemée ; son long visage terreux profondément ridé. Il n'avait pas dépassé la cinquantaine, mais paraissait plus âgé. Ses yeux bleu pâle, assez grands, étaient las. On s'apercevait, au bout d'un moment, que son regard était peu mobile ; ses yeux restaient fixés sur un visage, mais si vides d'expression qu'on n'en éprouvait aucune gêne. Ils s'éclairaient rarement, ne révélaient rien de ses pensées, et gardaient leur fixité même pendant qu'il parlait. Un bon observateur se serait peutêtre aperçu qu'il battait des paupières beaucoup moins souvent que la plupart des gens. Ses mains étaient plutôt grandes, avec de longs doigts fuselés, des mains douces mais fermes, fraîches sans être moites. On ne pouvait dire ce que portait le docteur Audlin à moins d'y prêter expressément attention ; ses vêtements sombres, sa cravate noire rendaient son visage terni et ridé plus pâle encore, et ses yeux pâles en paraissaient blêmes. Il donnait l'impression d'un homme en très mauvaise santé.

Le docteur Audlin était psychanalyste. Il avait embrassé cette profession par accident et ne l'exerçait pas sans craintes. Quand éclata la guerre[1], il venait de terminer ses études et s'initiait à la pratique dans divers hôpitaux ; il proposa ses services aux autorités militaires, et quelque temps après fut envoyé en France. C'est alors qu'il se découvrit un don singulier : il pouvait atténuer certaines souffrances par le toucher de ses mains calmes et fermes et, en parlant, rendre parfois le sommeil à ceux qui en étaient privés. Il parlait lentement. Sa voix au ton invariable n'avait pas de couleur particulière, mais elle était musicale, douce et apaisante. Il disait aux hommes qu'ils devaient dormir ; et le repos descendait sur leurs corps harassés, la tranquillité effaçait l'angoisse, comme lorsqu'on trouve une place sur un banc encombré, et le sommeil tombait sur leurs paupières lasses comme la pluie légère du printemps sur la terre fraîchement retournée. Le docteur Audlin découvrit aussi qu'en s'adressant aux hommes de sa voix basse et monotone, en les regardant de ses yeux pâles et calmes, en portant ses longues mains fermes sur leurs fronts fatigués, il avait le pouvoir de calmer leurs anxiétés, de dissoudre les conflits qui leur brouillaient l'esprit, de bannir les obsessions qui faisaient de leur vie un supplice. Il lui arriva de réussir des guérisons qui paraissaient miraculeuses : il rendit l'usage de la parole à un homme frappé de mutisme après avoir été enseveli par l'éclatement d'une bombe, celui des poumons à un autre, paralysé à la suite d'un accident d'avion. Il ne

---

1. La Première Guerre mondiale (1914-1918). *(N.d.T.)*

parvenait pas à comprendre cette faculté ; d'un naturel sceptique, et bien qu'on dise qu'en de telles circonstances le plus important est de croire en soi-même, il n'y parvint jamais tout à fait ; seuls les effets de son traitement, manifestes aux yeux de l'observateur le plus incrédule, le contraignirent à admettre qu'il possédait un certain don, venu il ne savait d'où, obscur et incertain, qui le rendait capable de choses qu'il ne pouvait expliquer. La guerre terminée, il se rendit à Vienne pour étudier, puis à Zurich[1], et s'établit ensuite à Londres afin d'y exercer l'art dont il avait si étrangement découvert le secret. Il y avait quinze ans de cela et il avait acquis dans sa spécialité une éminente réputation. On s'entretenait de choses stupéfiantes qu'il avait faites, et bien que ses honoraires fussent élevés, il avait autant de clients qu'il en pouvait recevoir. Le docteur Audlin savait qu'il avait obtenu quelques résultats très extraordinaires : il avait sauvé des hommes du suicide, d'autres de l'asile, il avait soulagé les peines qui envenimaient des vies utiles, transformé des mariages malheureux en unions assorties, extirpé des instincts anormaux et délivré ainsi bien des gens d'une servitude haïssable ; il avait rendu la santé aux malades de l'esprit. Tout cela, il l'avait accompli et pourtant une arrière-pensée lui restait qu'il n'était guère plus qu'un charlatan.

C'est à contrecœur qu'il exerçait un pouvoir qu'il ne pouvait comprendre, et son honnêteté se révoltait de tirer parti de la foi que lui montraient ses patients alors qu'il ne croyait pas en lui-même. Il était maintenant assez riche pour vivre sans travailler, et le travail l'épuisait : une douzaine de fois il avait été sur le point d'abandonner son cabinet. Il savait ce qu'avaient écrit Freud et Jung et tous les autres, il n'en était pas satisfait,

---

1. Vienne était la patrie de Freud et Zurich celle de Jung, considérés à l'époque comme les « frères ennemis » de la psychanalyse. (N.d.T.)

ayant l'intime conviction que toute leur théorie était de la bouillie pour les chats ; pourtant, les résultats étaient là, incompréhensibles mais manifestes. Que n'avait-il appris de la nature humaine au cours des quinze années pendant lesquelles les malades avaient fréquenté son cabinet défraîchi de Wimpole Street ! Les flots de révélations qui lui avaient été faites, quelquefois de trop bonne volonté, quelquefois avec honte, réticence, ou colère, avaient depuis longtemps cessé de le surprendre. Plus rien ne pouvait le choquer. Il savait désormais que les hommes sont menteurs, et combien extravagante est leur vanité ; il en savait bien pire encore à leur sujet, mais ce n'était pas à lui de juger et de condamner. Pourtant d'année en année, à mesure que ces confidences terribles lui étaient faites, son visage devenait plus gris, ses rides se creusaient et ses yeux pâles se faisaient plus las. Il riait rarement, mais de temps en temps, lorsqu'il lisait un roman pour se détendre, il souriait. Les écrivains pensent-ils réellement que les hommes et les femmes sont ainsi ? S'ils savaient seulement combien ils sont plus compliqués, combien plus imprévisibles, quels éléments inconciliables coexistent dans leurs âmes, et de quels sombres et sinistres conflits intérieurs ils sont affligés !

Il était six heures moins le quart.

Parmi les cas étranges dont il s'était occupé, le docteur Audlin ne pouvait se rappeler plus étrange que celui de Lord Mountdrago. La personnalité du patient y avait sa part. Lord Mountdrago était un homme capable et distingué. Ministre des Affaires étrangères à moins de quarante ans, il parvenait dès cette époque, trois ans après son entrée en fonctions, à faire prévaloir ses vues. On le tenait généralement pour l'homme politique le plus compétent du parti conservateur, et seul le fait qu'il accéderait à la pairie à la mort de son père, ce qui ne lui permettrait plus de siéger à la Chambre des communes, lui interdisait d'être un jour Premier ministre. Mais si, en ces temps de démocratie, il est hors de question qu'un Premier ministre d'Angleterre fasse partie de la Chambre des lords, rien n'empêchait Lord Mountdrago de rester ministre des Affaires étrangères durant plusieurs législatures pourvu que le parti conservateur demeure au pouvoir ; il pouvait diriger longtemps la politique extérieure de son pays.

Lord Mountdrago avait beaucoup de qualités. Il était intelligent et habile, avait voyagé et parlait couramment plusieurs langues. Très jeune, il s'était spécialisé dans les Affaires étrangères, se mettant consciencieusement au courant des données politiques et économiques des autres pays. Il avait courage, perspicacité, détermination, était bon orateur, en réunion publique comme au Parlement : clair, précis, souvent spirituel ; brillant dans les débats, il était célèbre pour ses dons de repartie. Il avait belle prestance : grand et bien tourné, il était un peu massif et sa calvitie naissante lui conférait un air de maturité dont il tirait avantage. Jeune homme, il avait eu du goût pour le sport, ayant ramé dans le huit d'Oxford, et l'on savait qu'il était l'un des meilleurs fusils d'Angleterre. A vingt-quatre ans, il avait épousé une jeune fille de dix-huit, dont le père était duc et la mère une illustre héritière américaine, de sorte qu'elle avait position sociale et fortune. Il avait eu d'elle deux fils. Depuis quelques années, les époux, quoique vivant séparément, se montraient ensemble en public, de sorte que les apparences étaient sauves, d'autant qu'aucun attachement, ni d'un côté ni de l'autre, n'avait donné prise aux mauvaises langues. Lord Mountdrago était en vérité trop ambitieux, trop dur au travail, et l'on doit ajouter trop conscient des destinées de son pays, pour être tenté par des plaisirs qui auraient pu contrarier sa carrière. Il avait, en résumé, beaucoup de ce qu'il faut pour devenir un personnage comblé par le succès. Malheureusement, il avait de grands défauts.

Il était horriblement snob. Cela n'aurait rien eu de

surprenant, si son père avait été le premier à porter le titre. Que le fils d'un tabellion anobli, d'un industriel ou d'un distillateur attache une importance démesurée à son rang est compréhensible. Mais le titre de comte porté par le père de Lord Mountdrago avait été accordé à ses ancêtres par Charles II[1], et les origines de leur noblesse remontaient à la guerre des Deux-Roses[2]. Pendant trois siècles, ceux qui avaient successivement porté ce titre s'étaient alliés aux familles les plus aristocratiques d'Angleterre. Pourtant Lord Mountdrago était aussi conscient de sa naissance qu'un nouveau riche de son argent ; jamais il ne manquait d'en faire état. Il avait les plus belles manières quand il se mettait en tête de les déployer, mais ne le faisait qu'en compagnie de ceux qu'il regardait comme ses égaux. Froidement insolent envers ceux qu'il tenait pour socialement inférieurs, il était grossier avec ses serviteurs, insultant avec ses secrétaires. Les fonctionnaires subalternes attachés aux postes qu'il avait successivement occupés le craignaient et le haïssaient. Son arrogance était terrible : se sachant bien plus intelligent que la plupart de ceux à qui il avait affaire, il n'hésitait jamais à le leur faire comprendre. Sans patience pour les infirmités de la nature humaine, il se sentait né pour commander et s'irritait de ce que les gens s'attendent à le voir prêter attention à leurs arguments, ou souhaitent connaître les motifs de ses décisions. Il était démesurément orgueilleux et regardait tout service comme dû bel et bien à son rang comme à son intelligence, ne méritant donc nulle gratitude. Jamais il ne lui était venu à l'esprit qu'il pût être appelé à faire quoi que ce soit pour autrui. Il avait beaucoup d'ennemis ; il les méprisait. Ne connaissant personne qui fût digne de son aide, de sa sympathie ou de sa compassion, il n'avait pas d'amis. Ses chefs se

1. Roi d'Angleterre de 1660 à 1685. *(N.d.T.)*
2. 1455-1485. *(N.d.T.)*

méfiaient de lui, mettant en doute sa loyauté ; il était impopulaire dans son parti en raison de son port avantageux et de sa discourtoisie ; et cependant son mérite était si grand, si évident son patriotisme, si solide son intelligence et si brillante son administration qu'il fallait bien composer avec lui ; ce qu'il rendait possible en se montrant à l'occasion tout à fait séduisant : avec ses égaux, ou ceux qu'il désirait charmer ; avec des dignitaires étrangers ou des femmes distinguées, il pouvait être gai, spirituel, bon garçon même ; ses manières rappelaient alors qu'il était du même rang que Lord Chesterfield ; il pouvait conter une anecdote significative, être naturel, sage et même profond. On était surpris de l'étendue de ses connaissances et de ce qu'il entrait de sensibilité dans son goût. On découvrait en lui le meilleur des compagnons, oubliant qu'il vous avait insulté la veille et était fort capable le lendemain de se détourner à votre approche.

Il s'en fallut de peu que le docteur Audlin ne soigne pas Lord Mountdrago. Un secrétaire téléphona au médecin pour lui dire que M. le comte, désirant consulter, serait heureux qu'il se rende chez lui à dix heures le lendemain matin. Le docteur Audlin répondit qu'il ne le pouvait pas mais serait heureux de recevoir Lord Mountdrago à son cabinet à cinq heures le surlendemain. Le secrétaire prit bonne note du message, puis rappela, disant que Lord Mountdrago insistait pour que le docteur Audlin se rende à son domicile, et qu'il pouvait fixer ses honoraires à sa guise. Le médecin répondit qu'il ne donnait ses soins qu'à son cabinet et exprima ses regrets de ne pouvoir s'occuper de Lord Mountdrago si celui-ci ne se déplaçait pas. Un quart d'heure plus tard un message bref lui fit savoir que M. le comte viendrait, non le surlendemain, mais le jour suivant, à cinq heures.

Quand Lord Mountdrago fut introduit dans le cabinet, il ne s'avança pas mais resta sur le seuil et insolemment examina le médecin de haut en bas. Le docteur Audlin s'aperçut qu'il était en rage ; il le regarda, silencieusement mais fixement. Il vit un homme corpulent, aux cheveux grisonnants, avec un front dégarni qui lui donnait un air noble, un visage boursouflé aux traits réguliers et vigoureux, et une expression hautaine. Il y avait en lui quelque chose des Bourbons du XVIIIᵉ siècle.

— Docteur Audlin, il semble qu'il soit aussi difficile de vous voir que le Premier ministre. Je suis un homme extrêmement occupé.

— Ne voulez-vous pas vous asseoir ? dit le docteur.

Aucun signe sur son visage ne révélait que les paroles de Lord Mountdrago l'eussent atteint. Le médecin s'assit derrière son bureau. Lord Mountdrago ne bougea pas et se renfrogna un peu plus.

— Je pense que je dois vous dire que je suis le ministre des Affaires étrangères de Sa Majesté, dit-il d'un ton acide.

— Ne voulez-vous pas vous asseoir ? répéta le docteur.

Lord Mountdrago fit un geste suggérant qu'il allait tourner les talons et vider les lieux ; mais si telle était son impulsion, il décida apparemment de la dominer. Il s'assit. Le docteur Audlin ouvrit un grand registre et prit sa plume. Il écrivit sans lever les yeux sur le malade.

— Quel âge avez-vous ?

— Quarante-deux ans.

— Êtes-vous marié ?

— Oui.

— Depuis combien de temps ?

— Dix-huit ans.

— Avez-vous des enfants ?

— Deux fils.

Le docteur Audlin notait ces renseignements que Lord Mountdrago laissait tomber sèchement. Puis il se redressa et le regarda. Il ne parlait pas ; se contentant de

158

regarder, gravement, de ses yeux pâles qui ne bougeaient pas.

— Pourquoi êtes-vous venu me voir ? demanda-t-il enfin.

— J'ai entendu parler de vous. Lady Canute est une de vos malades, si je ne m'abuse. Elle m'a dit que vous lui aviez fait un certain bien.

Le docteur Audlin ne répondit pas. Ses yeux demeuraient fixés sur le visage de l'autre, mais si vides d'expression qu'on aurait pu croire qu'il ne le voyait même pas.

— Je ne peux pas faire de miracles, finit-il par dire.

Pas un sourire, mais l'ombre d'un sourire brilla dans ses yeux.

— Si j'en faisais, l'Ordre des Médecins me désavouerait.

Lord Mountdrago émit un petit rire. Son hostilité en parut diminuée. Il parla plus aimablement.

— Vous avez la réputation de quelqu'un de très remarquable. Les gens semblent croire en vous.

— Pourquoi êtes-vous venu me voir ? répéta le docteur Audlin.

C'était maintenant au tour de Lord Mountdrago de demeurer silencieux. Il semblait avoir du mal à répondre. Le docteur Audlin attendait. Lord Mountdrago parut enfin faire un effort, il parla.

— Je suis en parfaite santé. Par acquit de conscience, je me suis fait examiner l'autre jour par mon médecin, Sir Augustus Fitzherbert, dont vous avez certainement entendu parler, et il m'a dit qu'au point de vue physique j'ai trente ans. Je travaille beaucoup, mais je ne suis jamais fatigué, et j'ai plaisir à travailler. Je fume très peu, et je bois de façon extrêmement modérée. Je prends suffisamment d'exercice et je mène une vie régulière. Je suis tout à fait équilibré, normal, en bonne santé. Je m'attends à ce que vous trouviez bien sot et enfantin d'être venu vous consulter.

Le docteur Audlin vit qu'il devait lui venir en aide.

— Je ne sais pas si je puis faire quelque chose pour vous. J'essaierai. Vous êtes déprimé ?

Lord Mountdrago fronça les sourcils.

— Le travail dans lequel je suis engagé est important. Les décisions que je suis appelé à prendre peuvent avoir des répercussions sur le salut du pays et même sur la paix du monde. Il est indispensable que mon jugement soit sain et que j'aie les idées nettes. Je considère donc de mon devoir d'éliminer toute cause de souci qui puisse peser sur mes obligations.

Le docteur Audlin ne l'avait pas quitté des yeux. Il y lisait bien des choses. Il voyait une angoisse que ses manières suffisantes et son arrogante fierté ne pouvaient dissimuler.

— Je vous ai demandé de bien vouloir venir ici parce que l'expérience m'a prouvé qu'il est plus facile de parler à cœur ouvert dans le décor défraîchi d'un cabinet de consultation que dans son cadre habituel.

— Le décor est certainement défraîchi, dit aigrement Lord Mountdrago.

Il en resta là. Sans doute aucun, cet homme plein d'assurance, au cerveau si vif et décidé qu'il n'était jamais pris de court, était à ce moment-là embarrassé. Il sourit pour montrer au docteur qu'il se sentait à l'aise, mais ses yeux trahissaient son inquiétude. Quand il parla de nouveau, ce fut avec une cordialité anormale.

— Toute cette affaire est si banale que je ne me décide pas à vous ennuyer. Je crains que vous ne me disiez que je vous ai dérangé pour des bêtises alors que votre temps est précieux.

— Même des choses qui semblent tout à fait banales ont de l'importance. Elles peuvent être le symptôme d'un dérèglement profondément enraciné. Mon temps est tout à votre disposition.

La voix du docteur Audlin était basse et grave. Sa

monotonie même était étrangement sédative. Lord Mountdrago se décida enfin à parler franchement.

— Le fait est que j'ai eu ces temps derniers des rêves tout à fait exaspérants. Je sais qu'il est sot d'y prêter attention, mais, enfin, je crains que cela n'affecte mes nerfs, je l'avoue.

— Pouvez-vous me décrire certains de ces rêves ?

Lord Mountdrago sourit, d'un sourire qu'il aurait voulu insouciant mais qui n'était que lugubre.

— Ils sont d'une telle idiotie ! J'ai du mal à vous les raconter.

— Ça ne fait rien.

— Bon. Le premier m'est venu il y a à peu près un mois. J'ai rêvé que j'étais à une réception à Connemara House. Une réception officielle. Le roi et la reine devaient y assister, et le port des décorations allait de soi ; je portais donc mon cordon et mon étoile. Je me rendis dans une sorte de vestiaire pour ôter mon pardessus. Il y avait là un petit homme, un certain Owen Griffiths, qui représente une circonscription galloise aux Communes, et à vrai dire, je fus surpris de le voir. Il est tout à fait vulgaire, et je me disais à moi-même : « Vraiment, Lydia Connemara va trop fort, qui invitera-t-elle la prochaine fois ? » Je trouvais qu'il me regardait de façon plutôt curieuse, mais je ne fis pas attention à lui ; en fait, j'ignorai cet intrus et montai au premier. Je suppose que vous ne connaissez pas les lieux ?

— Nullement.

— Non, ce n'est pas le genre d'endroit que vous puissiez être appelé à fréquenter. La maison est assez quelconque, mais il y a un très bel escalier de marbre, en haut duquel les Connemara recevaient leurs invités. Lady Connemara me regarda toute surprise quand je lui serrai la main, et se mit à pouffer. Je n'y prêtai guère attention. C'est une femme fort sotte, mal élevée, avec des façons qui ne valent pas mieux que celles de son aïeule, dont le roi Charles II fit une duchesse. Je dois dire que les salles de réception de Connemara House ont grande allure. J'avançai, faisant des signes de tête et serrant des mains ; je vis alors l'ambassadeur d'Allemagne en conversation avec l'un des archiducs d'Autriche. Comme je tenais particulièrement à parler à ce dernier, je m'approchai et tendis la main. Dès qu'il me vit, l'archiduc éclata de rire. J'en fus profondément offensé et je le regardai sévèrement. Il se prit à rire de plus belle. J'allais le remettre à sa place sans ménagements quand s'éleva un murmure, et je me rendis compte que le roi et la reine arrivaient. Tournant le dos à l'archiduc, je m'avançai et, tout d'un coup, m'aperçus que je n'avais pas de pantalon. Je portais un caleçon court en soie et des fixe-chaussettes cramoisis. Voilà pourquoi Lady Connemara pouffait de rire, pourquoi l'archiduc était hilare ! Je ne peux vous dire ce que furent ces instants. Un paroxysme de honte ! Je m'éveillai dans des sueurs froides. Non, vous ne pouvez pas savoir quel soulagement ce fut de m'apercevoir que ce n'était qu'un rêve.

— Ce genre de rêve n'est pas tellement rare, dit le docteur Audlin.

— Je vous crois. Mais une chose bizarre arriva le jour suivant. J'étais dans les couloirs de la Chambre des communes quand ce Griffiths vint lentement à ma hauteur. Délibérément, il regarda mes jambes puis me dévisagea, et je pourrais presque assurer qu'il me lança un clin d'œil. Une pensée ridicule me vint. Il avait dû être présent la nuit précédente, m'avoir vu me donner en spectacle, ignoblement, et s'en amusait. Mais naturellement je savais que c'était impossible puisqu'il ne s'agissait que d'un rêve. Je lui jetai un regard glacial et il s'en alla, le visage épanoui, prêt à éclater de rire.

Lord Mountdrago tira son mouchoir de sa poche et essuya les paumes de ses mains. Il ne faisait plus maintenant aucun effort pour cacher son trouble. Le docteur Audlin ne le quittait toujours pas des yeux.

— Racontez-moi un autre rêve.

— La nuit suivante, mon rêve fut encore plus absurde. Un débat se déroulait sur les Affaires étrangères, débat attendu dans l'anxiété, non seulement par le pays, mais par le monde entier. Le gouvernement avait pris le parti de modifier sa politique d'une façon lourde de conséquences pour l'avenir même de l'Empire. Le moment était historique. Il y avait foule à la Chambre des communes ; tous les ambassadeurs étaient là, dans les tribunes, on s'écrasait. Il m'appartenait de prononcer le discours capital de la séance. Je l'avais préparé soigneusement. Un homme tel que moi a des ennemis : bien des gens m'envient d'occuper une position si élevée à un âge où même les hommes les plus capables se satisfont d'une obscurité relative ; aussi étais-je résolu à faire un discours non seulement digne des circonstances, mais qui imposerait le silence à mes détracteurs. Cela me stimulait de penser que le monde entier était suspendu à mes lèvres. Je me levai. Si vous êtes allé à la Chambre des communes, vous savez que les députés bavardent pendant les débats, froissent des papiers, tournent des pages. Le silence qui se fit quand je commençai à parler était celui de la tombe. Soudain mon regard rencontra celui de l'odieux petit prétentieux, ce Gallois de Griffiths assis sur un des bancs de l'opposition. Il me tira la langue. Peut-être n'avez-vous jamais entendu une rengaine de music-hall, tout à fait vulgaire, qui s'appelle *Une bicyclette pour deux*. Elle était très populaire il y a fort longtemps. Pour témoigner mon souverain mépris à Griffiths, je me mis à la chanter. Je chantai le premier couplet d'une traite. Il y eut un moment de surprise, et quand j'eus fini l'opposition cria : « Bravo ! Bravo ! » J'élevai la main pour faire le silence et entamai le second couplet. L'assemblée m'écouta dans un silence glacial et je sentis que l'accueil fait à ma chanson laissait à désirer. J'étais vexé car j'ai une bonne voix de baryton, et je voulais qu'on me rende justice. Quand j'entamai le troisième couplet, les députés commencèrent à rire ; en un instant le rire s'étendit ; les ambassadeurs, les personnalités étrangères dans leur tribune, les dames dans la galerie, les journalistes, étaient pliés en deux, hurlaient, se cramponnaient à leurs accoudoirs, se tenaient les côtes : tous étaient la proie du fou rire, sauf les autres membres du gouvernement, assis juste derrière moi. Entendant ce vacarme incroyable, sans précédent, ils demeuraient pétrifiés. Je jetai un coup d'œil de leur côté, et brusquement l'énormité de ce que j'avais fait m'accabla. J'étais devenu le bouffon du monde entier. Désespéré, je me rendis compte que je devais donner ma démission. Je m'éveillai et sus que ce n'était qu'un rêve.

La superbe de Lord Mountdrago l'avait abandonné pendant qu'il faisait ce récit ; il était pâle et tremblant. Il fit effort sur lui-même pour se remettre, eut un rire forcé, mais sa bouche tremblait.

— Toute cette scène était si énorme que je ne pouvais m'empêcher d'en rire. Je la chassai de mon esprit, et quand l'après-midi suivant je me rendis à la Chambre je me sentais en excellente forme. Le débat était morne mais il fallait que je sois là, et je me plongeai dans différents documents. Pour une raison ou une autre, je levai les yeux et vis que Griffiths avait pris la parole. Son accent gallois est déplaisant, son apparence peu engageante. Je ne pouvais m'imaginer qu'il eût à dire quoi que ce soit d'intéressant, et j'allais retourner à mes documents quand il cita deux vers d'*Une bicyclette pour deux*. Je ne pus m'empêcher de le regarder et vis qu'il avait les yeux fixés sur moi et qu'il souriait d'un air moqueur. J'eus un vague haussement d'épaules. Il était comique que ce mal fichu de petit parlementaire gallois me regarde comme ça et c'était par une coïncidence bizarre qu'il avait cité deux vers de cette rengaine épouvantable que j'avais chantée d'un bout à l'autre dans mon rêve. Je me remis à lire mes papiers, mais je ne vous cache pas que j'avais du mal à me concentrer.

164

J'étais assez perplexe. Owen Griffiths avait paru dans mon premier rêve, celui qui s'était passé chez les Connemara, et j'avais eu quelques heures après l'impression très nette qu'il savait quel pauvre sire j'étais dans ce rêve. Était-ce simple coïncidence qu'il eût cité ces deux vers ? Je me demandai s'il se pouvait qu'il ait fait les mêmes rêves que moi. Naturellement cette idée était absurde, et je résolus de ne pas y revenir.

Il y eut un silence. Le docteur Audlin regardait Lord Mountdrago et Lord Mountdrago regardait le docteur Audlin.

— Les rêves des autres sont très ennuyeux, dit Lord Mountdrago. Ma femme rêvait de temps à autre et elle tenait à me raconter ses rêves dans tous les détails. Je trouvais ça exaspérant.

Le docteur eut un petit sourire.

— Vous ne m'ennuyez pas, dit-il.

— Je vais vous raconter un autre rêve que j'eus quelques jours plus tard. J'allais dans une taverne de Limehouse. De ma vie je ne suis allé à Limehouse et je ne crois pas avoir mis les pieds dans une taverne depuis que j'ai quitté Oxford, pourtant je vis la rue et l'endroit où je me rendais avec autant d'exactitude que si je m'y sentais chez moi. J'entrai dans la pièce, je ne sais pas si c'était un *saloon* ou un *private bar*[1] ; il y avait une cheminée et, d'un côté de cette cheminée, un large fauteuil de cuir, de l'autre un petit sofa. Le comptoir s'étendait sur toute la longueur de la pièce, d'où l'on pouvait jeter un coup d'œil dans le bar public. Près de la porte il y avait une table de marbre et deux fauteuils. C'était un samedi soir, et le bar était comble ; la pièce était très éclairée et la fumée si épaisse qu'elle me fit mal aux yeux. J'étais vêtu comme un voyou, la casquette vissée

---

1. En Angleterre, les cafés sont divisés en deux parties : le *public bar* et le *saloon* ou *private bar* (où le prix des consommations est plus élevé). *(N.d.T.)*

sur la tête et un mouchoir autour du cou. La plupart des gens semblaient ivres et je trouvais cela plutôt amusant. Il y avait un phono, ou bien était-ce la radio, je ne sais au juste, et deux femmes dansaient de façon grotesque devant la cheminée. On faisait cercle autour d'elles, et on riait, on hurlait des encouragements, on chantait. Je me levai pour regarder, un homme me dit : « Tu prends un verre, Bill ? » Il y avait sur la table des verres remplis d'un liquide foncé qu'on appelle, je crois, *brown ale*[1]. Il me tendit un des verres et pour ne pas me faire remarquer, j'avalai cette boisson. Une des femmes qui dansaient quitta sa partenaire pour me prendre le verre des mains. « Alors, dit-elle, c'est ma bière que vous vous envoyez ! — Je vous demande pardon, dis-je, ce monsieur me l'a offerte, et naturellement j'ai cru qu'il en disposait. — T'en fais pas, mon gars, dit-elle. Ça m'est égal. Fais un tour de danse avec moi. » Avant que j'aie pu protester, elle m'avait enlacé et nous dansions ensemble. Et je me suis retrouvé dans un fauteuil avec la femme sur mes genoux, et nous buvions dans le même verre. Je dois vous dire que les choses du sexe n'ont jamais tenu une grande place dans ma vie. Je me suis marié jeune parce que c'était souhaitable dans ma position, mais aussi pour régler la question sexuelle une fois pour toutes. J'ai eu deux fils comme je le désirais et j'ai ensuite classé la question. J'ai toujours été trop occupé pour m'intéresser beaucoup à ce genre de choses, et ma vie est trop publique pour que je risque de m'exposer en quoi que ce soit au scandale. Un homme politique peut tirer le plus grand avantage d'une réputation sans tache et je n'éprouve aucune indulgence envers les hommes qui brisent leur carrière pour les femmes. Je les méprise seulement. La femme que j'avais sur les genoux était saoule. Elle n'était ni jolie ni jeune ; en fait, c'était très exactement une vieille

---

1. Bière brune. *(N.d.T.)*

prostituée, mal peignée. Elle me dégoûtait et pourtant quand elle m'embrassa sur la bouche, malgré son haleine qui puait la bière et ses dents gâtées, je voulus la prendre, je la voulus de tout mon être. Soudain j'entendis une voix. « Allez-y, mon vieux, amusez-vous bien. » Je levai les yeux et vis devant moi Owen Griffiths. Je voulus bondir du fauteuil, mais cette femme horrible ne me laissait pas faire. « T'occupe pas de lui, disait-elle. C'est seulement une espèce de voyeur. — Allez-y, disait-il. Je connais Moll. Elle vous en donnera pour votre argent. » Vous savez, ce qui me mettait en colère, ce n'était pas tellement qu'il m'ait surpris dans cette situation absurde, c'était qu'il m'appelle « mon vieux ». Je repoussai la femme, me levai et lui fis face. « Je ne vous connais pas, dis-je, et ne veux pas vous connaître. — Je vous connais bigrement bien, dit-il. Et si tu m'en crois, Molly, arrange-toi pour te faire payer, il te flouera s'il le peut. » Une bouteille de bière était posée sur la table. Sans un mot je la saisis par le goulot et je le frappai sur la tête de toutes mes forces. Le geste était si violent que je m'éveillai.

— Un tel rêve n'est pas incompréhensible, dit le docteur Audlin. C'est la revanche que la nature prend sur les personnes qui se veulent au-dessus de tout soupçon.

— L'histoire est idiote. Je ne vous l'ai pas racontée pour elle-même. Je vous l'ai racontée à cause de ce qui arriva le lendemain. J'avais besoin d'un renseignement urgent et je me rendis à la bibliothèque des Communes, pris un livre et commençai à lire. Je n'avais pas remarqué en m'asseyant que Griffiths était non loin de là. Un autre député travailliste entra et vint vers lui. « Hello, Owen, vous n'avez pas l'air en forme, aujourd'hui. — J'ai une migraine épouvantable, répondit-il. Comme si on m'avait fracassé une bouteille sur le crâne. »

Le visage de Lord Mountdrago était maintenant terreux, on l'aurait cru au supplice.

— Je sus à ce moment-là que l'idée que j'avais écartée comme ridicule était juste. Je sus que Griffiths rêvait mes rêves et qu'il s'en souvenait aussi bien que moi.

— C'était peut-être une coïncidence.

— En parlant il ne s'adressait pas à son ami. Il s'adressait à moi délibérément, et me regardait d'un air rogue, comme s'il m'en voulait.

— Avez-vous trouvé une autre explication à la présence de cet homme dans vos rêves ?

— Aucune.

Le docteur Audlin, qui n'avait pas quitté le visage de son client, vit qu'il mentait. Il tenait en main un crayon et traça un ou deux traits sur son buvard. Il fallait souvent longtemps pour obtenir des gens qu'ils disent la vérité, quoiqu'ils sachent que sans cela le médecin ne pouvait rien pour eux.

— Le rêve que vous venez de me décrire a eu lieu il y a un peu plus de trois semaines. En avez-vous fait d'autres depuis ?

— Chaque nuit.

— Et ce Griffiths est toujours présent ?

— Oui, toujours.

Le médecin traça de nouvelles lignes sur son buvard. Il voulait que le silence, la grisaille, la morne lumière de cette petite pièce fassent leur effet sur la sensibilité de Lord Mountdrago. Celui-ci se renversa sur sa chaise et détourna la tête pour éviter le regard grave de son interlocuteur.

— Docteur Audlin, dit-il, vous devez faire quelque chose pour moi. Je suis à bout de nerfs. Si cela continue, je vais devenir fou. J'ai si peur de m'endormir que depuis deux ou trois nuits je n'ai pas fermé l'œil. Je m'assieds et me mets à lire et quand je commence à m'assoupir, j'enfile une robe de chambre et je marche jusqu'à l'épuisement. Mais il faut que je trouve le sommeil ; avec tout le travail que j'ai, je dois être au meilleur de ma forme ; il me faut la maîtrise complète de mes facultés. J'ai donc besoin de repos et le sommeil ne m'en apporte aucun. Dès que je m'endors, mes rêves commencent, et il est toujours là, ce vulgaire petit mufle, hilare, me tournant en dérision, me méprisant. C'est une persécution monstrueuse. Écoutez, docteur, je ne suis pas l'homme de mes rêves. On ne peut me juger sur eux. Demandez à n'importe qui. Je suis un homme honnête, convenable et droit. Personne ne trouve à redire à ma moralité publique ou privée. Toute mon ambition est de servir ma patrie et de maintenir sa grandeur. J'ai de l'argent, une position sociale, je suis à l'abri des tentations des hommes de moindre condition, de sorte que mon intégrité ne peut être portée à mon crédit ; mais je puis déclarer ceci, c'est qu'aucun honneur, aucun avantage personnel, aucune pensée égoïste ne pourrait m'induire à dévier si peu que ce soit de mon devoir. J'ai tout sacrifié pour devenir l'homme que je suis. La grandeur est mon but, la grandeur est à ma portée et je perds mon sang-froid. Je ne suis pas la créature que voit cet horrible petit homme, un être mesquin, méprisable, lâche, lubrique. Je vous ai raconté trois de mes rêves. Ce n'est rien. Cet homme m'a vu faire des choses si ignobles, si horribles, si honteuses que même si ma vie en dépendait je ne vous les dirais pas. Mais lui s'en souvient. Je puis à peine faire face à la dérision et au dégoût que je lis dans ses yeux et j'hésite à parler, sachant que dans mes paroles il n'entendrait que sornettes et tartuferies. Il m'a vu faire des choses qu'aucun homme qui se respecte ne fait, de ces choses pour lesquelles les hommes sont bannis de la société de leurs semblables et condamnés à de longues peines de prison ; il a entendu la fausseté de mes paroles ; il me voit non seulement ridicule, mais révoltant. Il me méprise et ne prétend même plus le cacher. Je vous dis que si vous ne faites pas quelque chose pour m'aider, ce sera l'un ou l'autre, ou je *me* tuerai ou je *le* tuerai.

— Je ne le tuerais pas si j'étais vous, dit le docteur

Audlin, tranquillement, de sa voix apaisante. Dans ce pays, tuer son semblable entraîne des conséquences gênantes.

— Je ne serais pas pendu, si c'est ce que vous voulez dire. Qui saurait que je l'ai tué ? Le rêve dont je vous ai parlé m'a indiqué le moyen. Le lendemain du jour où je l'ai frappé sur la tête, il ne voyait plus clair, il l'a dit lui-même. Cela prouve qu'il peut ressentir dans son corps ce qui lui arrive en rêve. Ce n'est pas avec une bouteille que je le frapperai la prochaine fois. Une nuit, en rêvant, je me trouverai avec un couteau à la main ou un revolver dans ma poche ; il le faut car je le veux intensément, et je saisirai la bonne occasion. Je le frapperai comme un cochon, je l'abattrai comme un chien. Au cœur. Et je serai libéré de cette persécution satanique.

Beaucoup de gens auraient pensé que Lord Mountdrago était fou ; mais après tant d'années passées à traiter les âmes malades, le docteur Audlin savait combien courte est la distance qui sépare ceux que nous disons normaux de ceux que nous jugeons anormaux. Combien d'êtres sains de corps et d'esprit en apparence, qui semblent dépourvus d'imagination, et s'acquittent des devoirs de la vie en société aussi honorablement pour eux que pour autrui, révèlent, une fois mis en confiance, une fois arraché le masque qu'ils portent dans le monde, de hideuses bizarreries, d'étranges déviations, des extravagances mentales si peu croyables qu'on ne peut que les dire fous ! Si on voulait les enfermer, tous les asiles du monde ne seraient pas assez grands. De toute façon, on ne pourrait enfermer un homme parce que des rêves étranges lui détraquent les nerfs. Le cas était singulier, mais ce n'était en somme pour le docteur Audlin qu'une version plus poussée de précédentes confidences. Il doutait cependant que les traitements appliqués avec succès se montrent efficaces cette fois.

— Avez-vous consulté l'un de mes confrères ? demanda-t-il.

— Uniquement Sir Augustus. Je lui ai simplement dit que j'avais de pénibles cauchemars. Il m'a répondu que j'étais surmené et m'a recommandé de faire une croisière. C'est ridicule : je ne peux pas abandonner le Foreign Office juste au moment où la situation internationale nécessite une attention de tous les instants. Je suis indispensable, et je le sais ; de ma conduite actuelle dépend toute ma carrière future. Il m'a ordonné des sédatifs : ils n'ont eu aucun effet. Il m'a ordonné des stimulants : ils ont été pires qu'inutiles. C'est un vieil idiot.

— Pouvez-vous expliquer la présence constante de cet homme dans vos rêves ?

— Vous m'avez déjà posé cette question. J'y ai répondu.

C'était vrai. Mais le médecin n'avait pas trouvé la réponse satisfaisante.

— Vous avez parlé de persécution. Pourquoi Owen Griffiths voudrait-il vous persécuter ?

— Je ne sais pas.

Le regard de Lord Mountdrago dévia légèrement. Le docteur Audlin était sûr qu'il ne disait pas la vérité.

— Lui avez-vous jamais fait du tort ?

— Jamais.

Lord Mountdrago n'avait pas bougé, mais le docteur Audlin éprouvait le sentiment étrange qu'il s'était comme recroquevillé dans sa peau. Il avait sous les yeux un homme fort et fier, qui donnait l'impression de juger insolentes les questions qu'on lui posait ; et en dépit de tout cela, derrière cette façade, quelque chose se déplaçait et sursautait, comme un animal effrayé, pris au piège. Le docteur Audlin se pencha en avant, et la puissance de son regard força Lord Mountdrago à le regarder dans les yeux.

— En êtes-vous tout à fait sûr ?

— Tout à fait. Vous ne semblez pas comprendre que nos routes ne se croisent pas. Je ne voudrais pas rabâcher, mais je vous rappelle que je suis ministre de la Couronne et que Griffiths est un membre obscur du parti travailliste. Naturellement il n'y a pas de lien social entre nous ; c'est un homme de très modeste origine, que je ne peux être amené à rencontrer dans les maisons que je fréquente ; et politiquement nous nous tenons si loin l'un de l'autre qu'il est inconcevable que nous ayons quoi que ce soit de commun.

— Je ne puis rien faire pour vous à moins que vous ne me disiez toute la vérité.

Lord Mountdrago fronça les sourcils. Il parla d'une voix âpre.

— Je n'ai pas l'habitude de voir ma parole mise en doute, docteur Audlin. Si c'est ce que vous faites, prendre un peu plus de votre temps ne servirait qu'à me faire perdre le mien. Si vous voulez bien indiquer à mon secrétaire le montant de vos honoraires, il vous fera adresser un chèque.

A voir l'expression du docteur Audlin à ce moment-là, on aurait cru qu'il n'avait tout simplement pas entendu ce que Lord Mountdrago venait de lui dire. Il continuait à le regarder fixement dans les yeux. Sa voix était grave et basse.

— Avez-vous fait quoi que ce soit à cet homme que *lui* puisse considérer comme un tort ?

Lord Mountdrago hésita. Il détourna son regard puis, comme s'il y avait dans les yeux du docteur Audlin une force irrésistible, de nouveau il le regarda et répondit d'un ton boudeur :

— Seulement si c'est une fripouille de bas étage.

— Mais c'est exactement ainsi que vous le dépeignez.

Lord Mountdrago soupira ; il était battu. Le docteur Audlin savait la signification de ce soupir : il allait enfin avouer. Inutile d'insister davantage. Le médecin baissa les yeux et de nouveau dessina de vagues figures géométriques sur son buvard. Le silence dura deux ou trois minutes.

— Je désire vivement vous dire tout ce qui peut vous être utile. Je n'en ai pas fait état plus tôt, car il me semblait inconcevable d'établir un rapport quelconque entre ce fait et mes rêves. Griffiths a obtenu son siège aux dernières élections, et presque aussitôt il a commencé à se rendre insupportable. Son père était mineur, et lui-même a travaillé à la mine quand il était très jeune, puis il fut instituteur et journaliste. C'est un de ces types à demi cultivés, intellectuels vaniteux, avec des connaissances insuffisantes, des idées mal digérées et des plans irréalisables, vrai produit de l'instruction obligatoire de la classe ouvrière. Il est maigrichon, avec un teint terreux, l'air plutôt famélique, et très négligé. Dieu sait si les députés ont peu souci de leur toilette de nos jours, mais sa mise est une insulte à la dignité de la Chambre des communes. Ses vêtements sont minables de façon ostentatoire, son col n'est jamais propre, sa cravate jamais nouée ; on croirait qu'il n'a pas pris de bain depuis un mois et ses mains sont dégoûtantes. Le parti travailliste a deux ou trois personnes d'une certaine compétence à la tête de sa représentation parlementaire, mais le reste ne vaut pas cher. Au royaume des aveugles, les borgnes sont rois : Griffiths a de la faconde, et un tas de connaissances superficielles sur un certain nombre de sujets, aussi ses chefs de file commencèrent à le désigner comme porte-parole à toute occasion. Il faut croire que les Affaires étrangères étaient à son goût car il n'en finissait plus de me poser des questions sottes, exaspérantes. Cela ne me gêne pas de vous dire que je me fis une règle de le remettre à sa place aussi vertement qu'à mon avis il le méritait. Depuis le début je haïssais sa façon de parler, sa voix geignarde, son accent vulgaire, ses gestes nerveux qui m'agaçaient particulièrement. Il parlait de façon plutôt timide, hésitante, comme si c'était un supplice et qu'une force intérieure l'y contraignît ; souvent il lui arrivait de dire des choses tout à fait déconcertantes. Je reconnais que de temps à autre il avait une sorte d'éloquence de tréteau qui agissait sur les cerveaux débiles des membres de son parti. Ils étaient sensibles à sa conviction et ne trouvaient pas, comme moi, sa sentimentalité repoussante. Une certaine sentimentalité est monnaie courante dans les débats politiques. Les nations sont régies par leur propre intérêt, mais elles préfèrent croire que leurs buts sont altruistes et cela justifie le recours de l'homme politique aux mots flatteurs et aux belles phrases quand il veut faire croire au corps électoral que le dur marchandage qu'il entreprend au seul profit de son pays tend au bien de l'humanité. L'erreur de gens comme Griffiths est de prendre ces mots flatteurs et ces belles phrases pour argent comptant. Griffiths est un hurluberlu, un dangereux hurluberlu. Il se dit idéaliste ; il a sur les lèvres toutes les fastidieuses bêtises dont le clan intellectuel nous rebat les oreilles depuis des années. La non-violence. La fraternité humaine. Vous connaissez toutes ces niaiseries. Le pire c'est qu'il a impressionné non seulement son propre parti, mais aussi quelques-uns des nôtres parmi les plus sots, ceux qui versent dans la sensiblerie. J'entendis raconter que Griffiths aurait probablement un portefeuille dans le prochain ministère travailliste. On parla même des Affaires étrangères. L'idée était grotesque, mais pas impossible.

« J'eus à conclure un jour un débat sur les Affaires étrangères qu'avait ouvert Griffiths. J'ai cru que l'occasion était excellente de lui faire son affaire et, par Dieu, je l'ai fait. Il avait parlé pendant une heure. Je mis son discours en pièces, soulignant l'incorrection de son raisonnement, comme l'insuffisance de ses connaissances. A la Chambre des communes, l'arme la plus terrible, c'est le ridicule : aussi l'ai-je tourné en dérision sans aucun ménagement. J'étais en bonne forme ce jour-là et la Chambre était secouée par les rires. Ces rires me stimulaient et je me surpassai. L'opposition était silencieuse et renfrognée, mais même sur ses bancs, quelques députés ne purent s'empêcher de rire une fois ou deux : on supporte facilement, vous vous en doutez, de voir ridiculiser un collègue, qui est toujours un rival possible. Si jamais un homme fut ridiculisé, ce fut bien Griffiths, et de mon fait. Il se recroquevilla sur son siège, je le vis pâlir, puis se cacher la tête dans les mains. Quand je me rassis je l'avais tué, j'avais détruit son prestige à jamais. Il lui restait autant de chances de devenir ministre dans un gouvernement travailliste qu'au policeman qui se tient à l'entrée du Parlement. On m'a raconté ensuite que son père, le vieux mineur, et sa mère étaient venus du pays de Galles avec différents électeurs de sa circonscription, pour assister à son triomphe ; et ce qu'ils virent, ce fut son absolue humiliation. Il avait obtenu son siège d'extrême justesse, pareil contretemps pouvait très bien le lui faire perdre. Mais cela ne me concernait pas.

— Est-ce que j'exagérerais en disant que vous avez brisé sa carrière ? demanda le docteur Audlin.

— Je suppose que non.

— C'est donc un préjudice considérable que vous lui avez causé.

— Il l'a cherché.

— N'avez-vous jamais éprouvé de remords à ce sujet ?

— Je me dis quelquefois que j'aurais été un peu moins féroce si j'avais su que ses parents étaient là.

Le docteur Audlin n'avait rien à ajouter. Il entreprit de soigner son malade et s'efforça de le suggestionner pour qu'au réveil il ne se souvînt pas de ses rêves ; il chercha donc à le faire dormir profondément pour l'empêcher de rêver. Mais il s'aperçut qu'il était impossible de briser la résistance de Lord Mountdrago. Au bout d'une heure il interrompit la séance et depuis lors il l'avait vu une demi-douzaine de fois. Il ne lui avait fait aucun bien : des rêves horribles continuaient de harasser chaque nuit le pauvre homme et, visiblement, son état général empirait. Il n'en pouvait plus et se trouvait incapable de dominer son irritabilité.

Lord Mountdrago, quoique furieux de n'éprouver aucune amélioration, continuait à se soumettre à ce traitement parce qu'il n'avait pas d'autre espoir et parce qu'il était soulagé de pouvoir s'entretenir librement avec quelqu'un. Le docteur Audlin en vint à conclure qu'il n'y avait qu'une seule façon de le délivrer de son mal, mais il le connaissait assez pour être sûr que de sa propre volonté jamais, jamais il n'y consentirait. Si Lord Mountdrago voulait éviter l'effondrement qui le menaçait, il lui fallait faire une démarche qui répugnait autant à la fierté de sa naissance qu'à la haute opinion qu'il avait de lui-même. Le docteur Audlin était convaincu qu'il n'était plus question de reculer. Il traitait son malade par suggestion, et après plusieurs visites le trouva plus malléable. Il réussit enfin à l'endormir. De sa voix basse, douce, monotone, il apaisait ses nerfs à la torture. Il répétait les mêmes mots encore et encore. Lord Mountdrago était étendu, calme, les yeux clos, la respiration régulière, les muscles décontractés. Alors le docteur Audlin prononça du même ton calme les mots qu'il avait préparés.

— Vous vous rendrez auprès d'Owen Griffiths et vous lui direz que vous êtes désolé de lui avoir causé un tort aussi considérable. Vous lui direz aussi que vous ferez tout ce qui est en votre pouvoir pour réparer le mal que vous lui avez fait.

Ces mots firent sur Lord Mountdrago l'effet d'un coup de fouet. Il fut tiré brusquement de son état hypnotique et se dressa sur ses pieds. Les yeux embrasés de rage, il déversa sur le docteur Audlin le plus furieux torrent d'invectives qu'il ait jamais entendu. Il l'injuria, il le maudit, il usa d'un langage d'une telle obscénité que

le docteur Audlin, qui avait entendu toutes les grossiè-
retés possibles, parfois de la bouche de femmes chastes
et distinguées, fut surpris de savoir qu'il les connaissait.

— M'excuser auprès de cet immonde petit Gallois !
Je me tuerais plutôt !

— Je suis convaincu qu'il n'y a pas d'autre moyen
de retrouver votre équilibre.

Le docteur Audlin avait rarement vu un homme pré-
sumé normal dans un tel état de furie : il était écarlate,
les yeux lui sortaient de la tête et l'écume, réellement,
lui venait à la bouche. Le docteur Audlin l'observait
froidement, attendant que se passe l'orage. Le moment
vint bientôt où Lord Mountdrago, affaibli par la tension
à laquelle il était soumis depuis tant de semaines, se
trouva à bout de forces.

— Asseyez-vous, dit-il alors, d'un ton sans réplique.

Lord Mountdrago s'effondra sur une chaise.

— Bon Dieu, je suis à bout, dit-il. Je me repose une
minute, puis je m'en vais.

Pendant cinq minutes peut-être, ils restèrent assis, en
silence. Il y avait en Lord Mountdrago une brute gros-
sière et violente, mais il était aussi un gentleman. Quand
il rompit le silence, il avait recouvré son sang-froid.

— Je me rends compte que j'ai été très malhonnête
avec vous. J'ai honte de ce que je vous ai dit, et vous
seriez en droit de refuser de vous intéresser encore à
mon cas. Je souhaite que vous n'en fassiez rien, car je
me suis aperçu que ces visites me font du bien. Je crois
que vous êtes ma seule chance.

— Vous ne devez plus penser à ce que vous m'avez
dit. Cela ne tire pas à conséquence.

— Mais il y a une chose que vous ne devez pas me
demander de faire, c'est de présenter des excuses à Griffiths.

— J'ai longuement réfléchi à votre cas. Je ne pré-
tends pas le comprendre, mais j'ai la conviction que
votre seule chance de vous libérer est de faire ce que je

177

vous propose. Chacun de nous, selon moi, est formé de plusieurs êtres ; l'un des êtres qui est en vous s'est indigné du préjudice que vous avez causé à Griffiths et a assumé son apparence dans votre esprit pour vous punir de votre cruauté. Si j'étais un prêtre, je vous dirais que votre conscience a revêtu la forme et les traits de cet homme pour vous amener au repentir et vous persuader de réparer.

— Ma conscience est nette. Ce n'est pas ma faute si j'ai détruit la carrière de cet homme. Je l'ai écrasé comme une limace dans mon jardin. Je ne regrette rien.

Sur ces mots, Lord Mountdrago l'avait quitté. Consultant ses notes pendant qu'il l'attendait, le docteur Audlin se demandait comment il pourrait amener son malade au seul remède maintenant efficace. Ses méthodes habituelles avaient échoué. Il jeta un coup d'œil sur la pendulette. Six heures ; et Lord Mountdrago n'était pas là. C'était étrange : un secrétaire l'avait appelé dans la matinée pour lui confirmer qu'il viendrait à l'heure habituelle. Sans doute un travail urgent l'avait-il retenu. Cette idée en amena une autre : Lord Mountdrago était incapable de travailler, certainement pas en mesure de traiter des affaires d'État. Le docteur Audlin se demanda s'il ne devait pas avertir une autorité politique, le Premier ministre ou le plus haut fonctionnaire des Affaires étrangères, de sa conviction que Lord Mountdrago avait l'esprit trop dérangé pour qu'on lui laisse sans danger les affaires du moment. C'était chose délicate. Il pouvait déclencher des complications inutiles, et être carrément remis à sa place. Il haussa les épaules. Après tout, se dit-il, les politiciens ont réussi un tel gâchis dans le monde depuis vingt-cinq ans qu'il ne doit pas y avoir grande différence s'ils sont fous ou sains d'esprit.

Il sonna.

— Si Lord Mountdrago vient maintenant, vous lui

direz que j'ai un autre rendez-vous à six heures et quart et que je regrette de ne pouvoir le recevoir.

— Très bien, monsieur.

— Le journal du soir est-il arrivé ?

— Je vais voir.

Le domestique revint un moment plus tard. Une manchette énorme couvrait la première page : *Mort tragique du ministre des Affaires étrangères.*

— Grands dieux ! s'exclama le docteur Audlin.

Pour une fois il était arraché à son calme. C'était un choc, un choc terrible, et pourtant il n'était pas totalement surpris. Il avait plusieurs fois envisagé l'éventualité d'un suicide et il ne doutait pas que Lord Mountdrago avait attenté à ses jours. Selon le journal, Lord Mountdrago attendait le métro à l'extrémité d'une station, et à l'arrivée de la rame, on l'avait vu tomber sur la voie. On supposait qu'il avait eu un brusque malaise. Le journal ajoutait que depuis quelques semaines Lord Mountdrago était surmené, mais qu'il ne lui avait pas semblé possible de s'absenter tant que la situation resterait grave. Lord Mountdrago était une nouvelle victime de la tension que la politique moderne impose à ceux qui en détiennent les clés. Il y avait encore un petit couplet bien troussé sur les talents, les capacités, le patriotisme et les vues de l'homme d'État décédé, puis des conjectures sur le choix de son successeur. Le docteur Audlin lut tout cela. Il n'avait pas aimé Lord Mountdrago et la principale raison de son émotion était le mécontentement de n'avoir pu le soulager.

Peut-être avait-il eu tort de ne pas joindre le médecin du ministre. Il était découragé, comme chaque fois que ses efforts n'aboutissaient pas, et dégoûté de la théorie comme de la pratique d'une doctrine à laquelle il devait son gagne-pain. Les puissances auxquelles il se heurtait étaient sombres, mystérieuses et peut-être inconcevables pour l'esprit humain. Il était comme un aveugle cherchant son chemin vers l'inconnu. Tournant distrai-

tement les pages du journal, il eut brusquement un sursaut, une exclamation lui échappa une seconde fois. Ses
yeux venaient de tomber sur un court paragraphe en
bas de colonne. *Mort soudaine d'un député,* lut-il.
Mr. Owen Griffiths, qui représentait telle circonscription, était tombé malade dans l'après-midi, et de Fleet
Street avait dû être conduit à l'hôpital de Charing Cross
où on n'avait pu que constater son décès. La mort était
due, croyait-on, à des causes naturelles, mais il y aurait
enquête. Le docteur Audlin en croyait à peine ses yeux.
Se pouvait-il qu'au cours de la nuit précédente Lord
Mountdrago se fût, pendant son rêve, armé d'un couteau
ou d'un revolver, comme il le souhaitait depuis longtemps, qu'il eût tué son tourmenteur, et que le meurtre
de ce fantôme, de la même façon que la bouteille fracas-
sée lui avait donné le lendemain une violente migraine,
ait rejailli quelques heures plus tard sur l'homme éveillé ? Ou se pouvait-il, hypothèse plus mystérieuse et plus
effroyable encore, qu'au moment où Lord Mountdrago
recherchait l'apaisement dans la mort l'ennemi qu'il
avait si cruellement outragé, voyant sa vengeance inas-
souvie, se soit échappé à son tour dans la mort, et le
poursuive jusque dans l'autre monde pour l'y tourmenter ? C'était étrange. Le bon sens ne voulait voir dans
ces événements qu'une coïncidence bizarre. Le docteur
Audlin sonna.

— Dites à Mrs. Milton que je regrette de ne pas la
recevoir ce soir. Je ne me sens pas bien.

C'était vrai. Il frissonnait comme sous l'effet de la
fièvre. Dans une sorte de vision spirituelle, il eut la sensation d'un vide froid, horrible. La sombre nuit de l'âme
l'engloutissait, et il éprouva l'étrange, la primitive terreur de l'Inconnu.

Un emploi officiel[1]

C'était un type robuste, de taille moyenne, aux épaules larges. Il avait la cinquantaine, et, sans être gros, il était bien en chair. Ni le climat débilitant ni la chaleur n'avaient dégradé la couleur de son teint. Ses veines charriaient un sang généreux. Il avait une épaisse tignasse brune, qui commençait à grisonner vers les tempes, et il était fier de sa belle moustache blonde, soigneusement brossée. Ses yeux bleus avaient une expression sympathique, et il donnait l'impression d'un homme gâté par l'existence. Il respirait la bienveillance et la santé, évoquant ces personnages que l'on peut admirer chez les maîtres hollandais, ces bourgeois bien nourris, aux mines rubicondes, aux épouses replètes, âpres au gain et sachant jouir de leur argent. Mais il était veuf. Il s'appelait Louis Remire, et portait le matricule n° 68 763. Il purgeait une peine de douze ans de travaux forcés à Saint-Laurent-du-Maroni, le grand pénitencier de Guyane française, pour le meurtre de sa femme. Mais, ayant naguère appartenu à la police de Lyon, sa ville natale, et s'étant fait bien noter pour sa bonne conduite, on lui avait confié une fonction officielle.

---

1. Publiée en 1939, cette nouvelle, comme la suivante, se fonde sur une visite faite à Saint-Laurent trois ans plus tôt. *(N.d.T.)*

181

Parmi les quelque deux cents candidats, c'est lui que l'on avait désigné pour faire office de bourreau.

Voilà pourquoi on lui permettait de garder la belle moustache qu'il arborait si fièrement. Il était le seul forçat à jouir d'un tel privilège. C'était, en quelque sorte, l'emblème de son office. Pour la même raison, il avait le droit de porter des vêtements civils et non l'uniforme des forçats composé d'un pyjama aux rayures roses et blanches, d'un chapeau de paille rond, et de galoches recouvertes de cuir. Louis Remire portait des espadrilles, des pantalons de coton bleu et une chemise kaki, dont le col ouvert laissait apparaître une toison virile. A le voir déambuler dans le jardin public, considérant d'un regard bienveillant les petits Noirs ou les petits métis qui venaient y jouer, on l'eût pris pour un respectable commerçant venu se délasser un moment. Il avait une maison à lui, mais cela ne constituait pas un privilège dû à sa position. C'était une nécessité, car s'il avait partagé le logement des autres forçats du camp, ils lui eussent vite fait son affaire, et un beau matin on l'eût retrouvé le ventre ouvert. La maison n'était pas grande, c'était une simple pièce construite en planches, avec un appentis qui servait de cuisine. Elle était entourée d'un petit jardin protégé par une palissade, et dans lequel poussaient des bananes, des papayes, et les quelques légumes que le climat tolérait. Le jardin faisait face à la mer, et il était entouré d'une petite plantation de cocotiers. C'était un site ravissant, à quelques centaines de mètres de la prison, ce qui était bien pratique pour son ravitaillement. Son assistant s'en chargeait. Ce dernier, un grand gaillard maladroit, aux yeux caverneux, aux joues creuses, purgeait une condamnation à perpétuité pour viol suivi d'assassinat. Il n'était pas très malin, mais comme il avait été cuisinier, les légumes que Louis Remire cultivait et les condiments achetés à l'épicerie chinoise lui permettaient d'améliorer considérablement l'ordinaire de la prison, lequel consistait en soupe, choux, pommes de terre et bœuf bouilli, tout au long des trois cent soixante-cinq jours de l'année. Telle était, d'ailleurs, la raison qui avait poussé Louis Remire à réclamer sa nomination, quand on avait jugé indispensable de lui donner un nouvel assistant. Le précédent n'avait pas pu tenir le coup et, cédant à une lubie dont Remire se moquait secrètement, il s'était un beau jour découvert des scrupules à propos de la peine capitale et en avait fait une dépression nerveuse. On l'avait alors expédié sur l'île Saint-Joseph avec les aliénés.

Or l'assistant actuel était malade. Il avait une forte fièvre et ne paraissait plus en avoir pour longtemps. On avait dû l'envoyer à l'hôpital. Louis Remire en était contrarié : ce n'était pas de sitôt qu'il retrouverait un cuisinier comme lui. De plus, le moment était bien mal choisi, car il y avait beaucoup de travail le lendemain. Il devait exécuter six hommes : deux Algériens, un Polonais, un Espagnol, et seulement deux Français. Ils s'étaient évadés ensemble et, remontant le fleuve, ils avaient semé la terreur sur leur passage, volant, violant, tuant, sans l'ombre d'un scrupule. Les villageois se terraient dans leurs maisons. On avait fini par les reprendre. Leur condamnation à mort avait été prononcée, mais la sentence devait être approuvée par le ministre des Colonies, et la confirmation venait seulement d'arriver. Louis Remire ne pouvait pas travailler sans aide et, de plus, il y avait des dispositions à prendre à l'avance. Il allait devoir faire appel à un assistant dépourvu d'expérience, ce qui, dans cette circonstance précise, tombait on ne peut plus mal. Le commandant lui avait adjoint un geôlier. Les geôliers sont également des forçats, mais ils doivent leur emploi à leur bonne conduite et ils habitent un quartier séparé. Se trouvant du côté des autorités, ils sont impopulaires auprès des autres prisonniers. Louis Remire était un garçon consciencieux, et il tenait à ce que les choses se passent bien le lendemain. Il demanda que son assistant par intérim vienne le voir cet après-midi-là, à l'emplacement où l'on remisait la guillotine, afin de lui montrer comment elle fonctionnait, et ce qu'il devrait faire.

Quand elle ne servait pas, la guillotine était rangée dans une petite pièce qui faisait partie de la prison, mais à laquelle on accédait par une porte extérieure. Lorsqu'il se rendit au rendez-vous fixé, l'homme était déjà là. C'était un costaud, aux traits grossiers. Il portait le pyjama rayé des forçats, mais aussi un chapeau de feutre, pour le distinguer des autres.

— Pourquoi as-tu été condamné ?

L'homme haussa les épaules.

— J'ai tué un paysan et sa femme.

— Ah... et tu en as pour combien ?

— Perpétuité.

Il avait l'air d'une brute, mais il ne faut pas s'y fier. Un jour, Remire avait vu un gardien, pourtant apparemment solide, s'évanouir à la vue d'une exécution. Il ne tenait pas à ce que son aide se trouve mal au mauvais moment. Il lui adressa un sourire, et, du pouce, indiqua la porte close derrière laquelle se trouvait la guillotine.

— Ce n'est pas un boulot ordinaire. Ils seront six. Des sales types. Mieux vaut en finir le plus vite possible.

— Rien à craindre. J'en ai assez vu ici pour n'avoir plus peur de rien. Cela ne me fera pas plus d'effet que de couper la tête à un poulet.

Louis Remire ôta le cadenas de la porte et entra, suivi de son assistant. Dans cette petite pièce, à peine plus grande qu'une cellule, la guillotine prenait beaucoup de place. Elle avait un air sinistre. Louis perçut un léger bruit et, tournant la tête, il vit que le geôlier regardait l'appareil avec terreur. Il avait ce teint terreux que la fièvre et le ténia donnaient aux prisonniers, mais il était maintenant pâle comme la mort. Le bourreau lui sourit avec bienveillance.

— Cela t'impressionne, hein ! Tu ne l'avais jamais vue ?

— Jamais.

Louis ricana.

— Probablement que si tu l'avais vue tu ne serais pas là pour le dire. Comment t'en es-tu tiré ?

— Je mourais de faim quand j'ai fait le coup. J'ai demandé à manger et ils ont lâché les chiens. Ils m'ont condamné à mort. L'avocat est allé à Paris et il a eu la grâce du président.

— Vaut mieux être vivant que mort, pour sûr, dit Remire d'un air enjoué.

Sa guillotine était toujours parfaitement entretenue. Le bois, de provenance locale, ressemblant à de l'acajou, brillait comme un sou neuf ; quant aux parties métalliques, Louis mettait un point d'honneur à les astiquer comme s'il s'agissait des cuivres d'un yacht de plaisance. La lame luisait comme si elle sortait tout droit de l'atelier. Non seulement il fallait vérifier que tout fonctionnait correctement, mais aussi mettre l'assistant au courant. Ce dernier devait notamment remettre la corde en place après la chute du couteau et, pour accomplir cette manœuvre, il lui fallait grimper sur une petite échelle.

Avec la satisfaction d'un bon ouvrier, au fait de tous les détails du métier, Remire donnait les explications nécessaires. Il faisait valoir l'ingéniosité du système. Le condamné était harnaché à la bascule, une sorte d'étagère, laquelle, par le jeu d'un mécanisme très simple, pouvait pivoter, de manière à incliner le cou du condamné à la verticale du couperet. Notre ouvrier consciencieux avait apporté une tige de bananier d'environ un mètre cinquante de long. Le geôlier n'allait pas tarder à comprendre pourquoi. La tige avait à peu près le diamètre et la consistance d'un cou humain, de telle sorte que, grâce à elle, on était à même de faire une démonstration pour le novice et, du même coup, de vérifier le bon fonctionnement de l'appareil. Louis Remire plaça la tige de bananier comme il convenait et lâcha le couperet. Il tomba à une vitesse incroyable, et dans un bruit fracassant. Entre le moment où l'on attachait le supplicié à la bascule et celui où sa tête tombait, il ne s'écoulait guère que trente secondes. La tête tombait dans le panier. Le bourreau la saisissait par les oreilles et, l'exhibant aux regards de ceux qui devaient assister à l'exécution, il prononçait la formule :

« Au nom du peuple français, justice est faite. »

Puis il jetait la tête dans le panier. Demain, comme il fallait exécuter six condamnés, on devrait détacher le tronc du supplicié de la bascule, et le placer, avec la tête, sur un brancard, pour laisser la place au suivant. Les hommes passeraient à la guillotine selon leur degré de culpabilité, en commençant par le moins coupable, afin de se voir épargner l'horreur de contempler la mort de ses camarades.

— Il faudra faire attention de ne pas mélanger les têtes et les corps, dit Remire en plaisantant. Sinon, quelle confusion le jour de la Résurrection !

Il manœuvra le couperet deux ou trois fois, pour s'assurer que l'assistant comprenait bien le système de fixation, puis il prit ses produits d'entretien sur une étagère et lui fit astiquer les cuivres. Ils brillaient déjà parfaitement, mais un dernier coup de chiffon ne leur ferait pas de mal. Il regardait l'assistant travailler, tout en fumant, d'un air détaché.

Quand tout lui parut fin prêt, Remire renvoya l'assistant jusqu'à minuit. C'est alors qu'ils transporteraient la guillotine dans la cour de la prison. Il fallait toujours un certain temps pour la remonter, et elle devait être en place une heure avant l'aube, moment prévu pour l'exécution. Louis Remire regagna lentement sa demeure. C'était la fin de l'après-midi et il croisa un groupe de prisonniers qui revenaient du travail. Ils parlaient à voix basse et Remire comprit qu'il s'agissait de lui : l'un d'eux détourna la tête, deux ou trois le regardèrent d'un air haineux et un autre cracha par terre. Remire les regarda, mégot aux lèvres, d'un air sarcastique. Il se moquait bien de la haine et de la crainte qu'il inspirait. Peu lui importait qu'ils ne daignent pas lui adresser la parole, et l'idée que plus d'un eût été heureux de lui donner un coup de couteau dans le ventre le faisait sourire. Il n'éprouvait pour eux que du mépris. Du reste, il était capable de se défendre ; lui aussi, il savait se servir d'un couteau. Les forçats étaient au courant de l'événement qui se préparait pour le lendemain, et ils étaient toujours plus ou moins nerveux à la veille d'une exécution. Ils étaient souvent plus taciturnes et les gardiens devaient être particulièrement vigilants.

« Ils se calmeront quand ce sera fini », se dit Remire en pénétrant dans son petit enclos.

Les chiens saluèrent son arrivée par leurs aboiements, et, en dépit de son courage, il n'était pas mécontent de les savoir près de lui. La défection de son assistant le laissait tout seul dans la maison, et la protection de ses deux molosses n'était pas à dédaigner. Ils parcouraient librement la plantation de cocotiers pendant la nuit, et leurs aboiements lui signalaient immédiatement la présence d'un rôdeur. Si un inconnu s'aventurait trop près de la maison, ils n'hésitaient pas à lui sauter à la gorge. Avec de pareils chiens, son prédécesseur eût été encore vivant.

Ce dernier avait été bourreau pendant deux ans, et, du jour au lendemain, il avait disparu. On crut d'abord qu'il s'était enfui. On savait qu'il avait un peu d'argent, et il s'était probablement arrangé avec le capitaine d'un schooner pour se faire déposer au Brésil. Ses nerfs l'avaient lâché. A deux ou trois reprises il était allé dire au directeur de la prison qu'il se sentait en danger, que les forçats avaient décidé de le supprimer. Le directeur estimait qu'il n'y avait rien de fondé là-dedans, mais le jour où l'on s'aperçut de sa disparition il se dit que l'homme avait cédé à la panique et qu'il avait préféré courir les risques d'une évasion, d'être rattrapé et jeté au cachot, plutôt que de se faire égorger par un forçat. Trois semaines plus tard, en pleine jungle, un garde, qui surveillait des forçats au travail, remarqua un grand attroupement de vautours au pied d'un arbre. Ces vautours, également appelés urubus, sont de gros oiseaux noirs d'aspect sinistre. On peut en voir sur la place du marché de Saint-Laurent. Ils y ramassent les déchets abandonnés par les anciens forçats et voltigent d'arbre en arbre, le long des rues de la ville, qu'ils contribuent ainsi à garder propres. On les voit aussi dans la cour de la prison, comme pour rappeler aux forçats que, s'il leur prenait envie de s'évader, ils auraient neuf chances sur dix de finir dans le ventre de ces horribles charognards. Ils se disputaient à grands cris autour de cet arbre et le garde jugea bon de signaler cet incident au commandant. Ce dernier envoya un groupe de gardiens y voir de plus près, et l'on découvrit, pendu à une branche, le corps du bourreau. On fit courir le bruit qu'il s'était suicidé, mais il avait un poignard planté dans le dos et les forçats n'étaient pas dupes. On l'avait poignardé et, encore vivant, transporté dans la jungle, et pendu à un arbre.

Remire ne craignait pas de subir le même sort. Il savait comment son prédécesseur s'était fait prendre. Ce n'étaient pas les forçats qui avaient fait le coup. La loi française prévoit que les condamnés aux travaux forcés doivent, à l'expiration de leur peine, demeurer dans la colonie pendant une période égale à celle qu'ils ont purgée au bagne. C'est ce que l'on appelle la liberté en résidence surveillée. Il arrive à ces hommes de prendre une concession et, au prix d'un travail éreintant, de réussir à y vivre très modestement. Mais, épuisés par de longues années de bagne, la plupart d'entre eux ont perdu tout esprit d'initiative. Affaiblis par la fièvre, par les maladies endémiques, ils sont incapables de fournir un travail intensif et régulier. Aussi subsistent-ils en mendiant, en se livrant à de petits larcins, en faisant de la contrebande avec les forçats, à moins qu'ils ne travaillent occasionnellement comme dockers, lorsque, deux ou trois fois par mois, un vapeur arrive au port. C'est la femme de l'un de ces anciens forçats qui avait causé la perte du prédécesseur de Remire. C'était une femme de couleur, jeune et jolie, à la silhouette gracile et au regard malicieux. Le plan avait été bien conçu. Le bourreau était un homme ardent et impulsif. Elle s'était arrangée pour attirer sur elle son attention. Puis, le lendemain ou le surlendemain, il la revit dans le jardin public. Il n'eut pas, alors, l'audace de lui adresser la parole — personne, ni homme, ni femme, ni enfant, ne voulait lui parler. Mais, quand il lui lança un coup d'œil, elle lui sourit. Un soir, il l'aperçut dans la plantation de cocotiers qui entourait son jardin. Il n'y avait personne alentour, et il engagea la conversation. Ils n'échangèrent que quelques mots, car elle avait bien trop peur d'être surprise en sa compagnie. Mais elle revint se promener de ce côté. Avec une prudence infinie, elle s'ingénia à désarmer la méfiance du bourreau. Elle allumait son désir, se faisait remettre de petits cadeaux, et, pour finir, en échange d'une somme d'argent qui, pour l'un et l'autre, était considérable, accepta de venir le rejoindre une nuit. Il y avait un bateau au port, et son mari allait travailler jusqu'à l'aube. Il lui ouvrit la porte. Elle sembla hésiter, comme si, au dernier moment, elle souhaitait revenir sur sa décision. Il sortit pour la décider à entrer, et c'est alors que, percé d'un coup de poignard dans le dos, il s'effondra.

« L'imbécile, pensait Louis Remire. Il n'a eu que ce qu'il méritait. Il aurait dû se méfier. Sa vanité l'a perdu, comme tant d'autres hommes ! »

En ce qui le concernait, il en avait définitivement terminé avec les femmes. C'étaient elles qui l'avaient mené où il était maintenant. Ou, plutôt, une femme en particulier. Et, avec l'âge, ses ardeurs ne le tourmentaient plus tellement. L'existence avait désormais d'autres plaisirs à proposer à l'homme raisonnable qu'il était devenu. Il avait toujours aimé la pêche. Du temps qu'il était encore en France, avant ses malheurs, il allait pêcher dans le Rhône dès qu'il n'était plus de service. Maintenant aussi il allait à la pêche. Chaque matin, avant la grosse chaleur, il s'installait sur son rocher préféré, et il ramassait généralement assez de poisson pour approvisionner le directeur. La femme de ce dernier marchandait toujours, mais cela ne le dérangeait pas. Elle savait bien qu'il était obligé d'accepter la somme qu'elle lui offrait. Elle eût été bien sotte de ne pas en profiter. Après tout, ce qu'elle voulait bien lui donner lui permettait d'acheter son tabac, son rhum, ou quelques bricoles. Mais il décida que, ce soir, il pêcherait pour lui. Ayant pris sa boîte d'appâts et sa canne, il se rendit à son rocher. Le poisson que l'on a pêché soi-même a bien meilleur goût. Il avait depuis longtemps appris à faire la différence entre les bons poissons et ceux qui étaient trop coriaces ou trop insipides. Ceux-là, il les rejetait à la mer. Il y en avait un qui, revenu dans l'huile d'olive, valait bien le mulet. Il n'était pas assis depuis cinq minutes que son bouchon se mit à tressaillir. Il tira sa ligne et, comme un fait exprès, reconnut précisément le poisson auquel il pensait. Il le détacha de l'hameçon, l'assomma sur le rocher, l'y déposa, et remplaça l'appât. Quatre comme celui-là, et il aurait de quoi se préparer un souper royal. Avec la nuit de travail qui l'attendait, il avait besoin de se caler l'estomac. Le lendemain matin il n'aurait pas le temps d'aller pêcher. Il faudrait démonter la guillotine et rapporter les pièces dans la remise, et également nettoyer, car c'était un travail très salissant. La dernière fois, ses pantalons étaient trempés de sang et il avait dû les jeter. Il fallait astiquer les cuivres, aiguiser le couperet. Remire était quelqu'un de consciencieux, et d'ici qu'il ait terminé il serait plutôt sur les genoux. Mieux valait prendre encore quelques poissons. Il les mettrait au frais pour le déjeuner. Il aurait besoin d'un bon breakfast : une tasse de café, deux œufs et une petite friture. Et, là-dessus, un petit somme. Debout toute la nuit, inquiet d'avoir près de lui un assistant sans expérience, fatigué par tout le nettoyage en perspective, à coup sûr, il ne l'aurait pas volé.

Devant lui s'étalait la majestueuse courbure de la baie, et, à quelque distance, une petite île verdoyante. La paix délicieuse de cette fin d'après-midi imprégnait l'esprit du pêcheur. Sous ses yeux, le bouchon flottait nonchalamment. Il songeait que, tout compte fait, il n'était pas tellement à plaindre. Certains bagnards, parmi ceux qui, à quelques centaines de mètres, se morfondaient dans la prison, atteignaient parfois à un degré de nostalgie tel qu'ils sombraient dans la neurasthénie. Mais, étant d'un tempérament philosophe, Remire était content de son sort, aussi longtemps qu'il pouvait pêcher à la ligne. Qu'importait, après tout, que son bouchon flottât sur le Rhône ou dans les mers du Sud ? Il songeait à son existence passée. Il avait eu une épouse insupportable, et il ne regrettait pas de l'avoir tuée. Il n'avait pas désiré se marier. C'était une couturière, dont il s'était amouraché parce qu'elle savait s'habiller avec élégance et simplicité. Elle avait un air respectable et distingué. Il la soupçonnait de se considérer un peu trop supérieure à un simple agent de police. Mais il savait s'y prendre avec les femmes. Elle sut vite lui faire comprendre qu'elle n'était pas snob. Puis, quand il lui fit les avances habituelles, n'étant pas de ceux pour qui la résistance ajoute le moindre piment à la victoire, il découvrit avec satisfaction qu'elle n'était pas pudibonde. Il lui plaisait d'être vu en sa compagnie, et de l'emmener dîner en ville. Elle avait de la conversation, et elle ne jetait pas l'argent par les fenêtres. Elle connaissait les adresses où l'on dînait bien pour pas cher. Il était le plus heureux des hommes, et, de plus, pour un prix modique, il satisfaisait les besoins sexuels qui étaient la rançon de sa robuste santé. Le jour où elle lui apprit qu'elle attendait un enfant, l'idée de l'épouser lui parut toute naturelle. Il gagnait bien sa vie et il était en âge de fonder un foyer. Il commençait à en avoir assez de vivre dans des pensions de famille et de prendre ses repas au restaurant. Il avait envie d'être chez lui et de manger de la cuisine bourgeoise. La grossesse annoncée ne se produisit pas, mais Remire était d'un naturel débonnaire et il ne fit pas grief à Adèle de s'être trompée. Mais, ainsi que l'avaient constaté d'autres hommes avant lui, il s'aperçut que l'épouse et la maîtresse faisaient deux. Elle était jalouse et autoritaire. Le dimanche, plutôt que de le laisser aller à la pêche, elle entendait qu'il l'emmenât se promener. Elle lui reprochait de se rendre au café lorsque son service était terminé. Or, il fréquentait un café où les pêcheurs se donnaient rendez-vous, et c'est là que Remire rencontrait des amis. Il s'y trouvait bien mieux, pour passer la soirée, à boire une ou deux chopes et à jouer aux cartes, que de rester enfermé à la maison avec sa femme. Elle se mit à lui faire des scènes. Sociable et bon vivant, il possédait néanmoins un tempérament assez vif. Les Lyonnais ne sont pas tous des agneaux, et il y en avait avec lesquels il était parfois bon d'être un peu ferme. Quand sa femme commença à se montrer désagréable, il ne lui vint pas à l'esprit d'adopter une autre méthode. Il lui montra qu'il avait du muscle. Une femme sensée se le serait tenu pour dit, mais le bon sens lui faisait défaut. La nécessité de la corriger se fit sentir de plus en plus fréquemment. Elle poussait des cris, ameutait les voisins : leur deux-pièces était situé au cinquième étage d'un grand immeuble. Elle affirmait que, l'un de ces jours, il finirait par la tuer. Et pourtant, il n'y avait pas plus brave type que Louis Remire. Elle lui reprochait de gaspiller son argent au café, de le dépenser avec d'autres femmes : il est vrai que de temps à autre une occasion se présentait et, à sa place, quel homme s'y fût refusé ? Il n'était pas regardant, il acceptait de payer la tournée aux copains, et si une femme avait été gentille avec lui, il ne pouvait pas refuser de lui offrir un chapeau ou une paire de bas de soie. Son épouse considérait comme son dû tout l'argent qu'il gagnait, exigeait qu'il lui rende des comptes, et si, en plaisantant, il répondait qu'il l'avait jeté par la fenêtre, elle piquait une colère. Sa voix devenait rageuse, ses remarques perfides, elle ne décolérait pas. Elle n'ouvrait plus la bouche que pour lui être désagréable, et ils en étaient venus à se regarder en chiens de faïence. Remire disait à qui voulait l'entendre qu'elle était un vrai poison, qu'il se reprochait chaque jour de l'avoir épousée, ajoutant parfois que, si une mauvaise grippe ne finissait pas par l'emporter, c'est lui qui devrait se charger d'elle.

Ces réflexions, dites sans y penser sérieusement, le fait que, de son côté, elle répétait qu'il finirait par la tuer, lui avaient valu douze années de bagne à Saint-Laurent-du-Maroni. Autrement, il s'en fût tiré avec trois ou quatre ans de prison en France. Le drame avait éclaté par une chaude journée d'été. Contrairement à son habitude, il était, ce jour-là, de très mauvaise humeur. Il y avait une grève et des violences de la part des grévistes. La police avait dû procéder à de nombreuses arrestations, auxquelles les grévistes avaient opposé une résistance farouche. Louis Remire avait été frappé à la mâchoire et il avait dû se servir de sa matraque. L'arrestation des perturbateurs et leur incarcération n'étaient pas allées sans peine. En quittant son service, il était rentré se mettre en civil pour, ensuite, aller au café prendre une bière et faire une partie de cartes. Sa mâchoire lui faisait mal. C'est le moment que sa femme choisit pour lui réclamer des sous. Quand il lui répondit qu'il n'en avait pas, elle lui fit une scène. De l'argent, il en avait pour aller au café, mais pas pour qu'elle s'achète de quoi manger. Il la laissait mourir de faim. Il lui ordonna de se taire, et c'est alors que la bagarre commença. Lui barrant la porte, elle lui jura qu'il ne passerait pas tant qu'il ne lui aurait pas donné d'argent. Il lui dit de s'écarter et avança vers elle. Adèle attrapa alors son revolver réglementaire, qu'il avait laissé avec son uniforme, et lui dit qu'elle tirerait s'il faisait un pas de plus. Il avait l'expérience des criminels dangereux, et, à peine avait-elle fini de parler, que, d'un bond, il l'avait désarmée. Elle poussa un cri et le frappa au visage, à l'endroit précis où sa mâchoire lui faisait mal. Sous l'effet de la douleur et de la colère, il tira deux coups ; elle s'effondra. Il la contempla, abasourdi. Il pensa qu'elle était morte, et sa première réaction fut d'éprouver un extraordinaire soulagement. Il prêta l'oreille. Personne ne semblait avoir entendu les coups de feu. Les voisins devaient être sortis. C'était une chance, car il avait ainsi la possibilité de faire les choses posément. Il remit son uniforme, sortit de chez lui après avoir fermé la porte à double tour, et passa prendre une bière au café. Quelques instants plus tard, il retourna au poste de police qu'il avait quitté peu de temps auparavant. A la suite des événements de la journée, le commissaire était encore là. Louis entra dans son bureau et lui fit le récit de ce qui venait d'arriver. Il passa la nuit dans une cellule adjacente à celle des grévistes qu'il avait arrêtés. Il ne manqua pas de noter l'ironie de la situation.

A plusieurs reprises, Louis avait eu l'occasion de témoigner dans des procès criminels. Il savait que les proches d'un inculpé sont souvent les plus prompts à le charger. Avec un sentiment à la fois pénible et amusé, il avait souvent constaté qu'une condamnation avait pour origine la déposition des meilleurs amis du prisonnier. Et pourtant, il fut stupéfait, lors de son procès, d'entendre les dépositions du patron du café où il allait si souvent, et celles des hommes qui avaient depuis si longtemps pêché, joué, et trinqué avec lui. On eût dit qu'ils avaient gravé dans leur mémoire la moindre parole qu'il avait laissé échapper contre sa femme, et les menaces feintes qu'il avait, pour plaisanter, proférées en leur présence. Il savait parfaitement que, à l'époque, personne ne l'avait pris au sérieux. S'il pouvait leur rendre un menu service, ce que, en tant qu'agent de police, il était en mesure de faire, il n'hésitait pas un instant. Il n'avait jamais été près de ses sous avec eux. Or, à les écouter, on avait l'impression que rien ne leur procurait plus de plaisir que d'exhumer le moindre détail susceptible de lui nuire.

Le procès donnait de lui l'image d'un individu pervers, violent, dépensier, paresseux et corrompu. Il savait combien la vérité était différente : il était tout simplement quelqu'un de très ordinaire, facile à vivre, très sociable. Oui, il aimait jouer aux cartes et boire un verre de bière, oui, il appréciait les jolies filles. Et après ? En regardant les jurés, il se demandait combien, parmi eux, s'en fussent mieux tirés que lui, si l'on avait ainsi étalé toutes leurs peccadilles, leurs paroles excessives et leurs faiblesses. La lourde peine à laquelle il fut condamné ne lui avait pas paru injuste. Serviteur de la justice, il avait commis un crime, et sa punition était méritée. Mais il n'était pas pour autant un criminel — seulement la victime d'un malheureux concours de circonstances.

A Saint-Laurent-du-Maroni, revêtu du pyjama des bagnards et de leur horrible chapeau de paille, il n'oubliait pas qu'il avait été agent de police, et que les forçats au milieu desquels il se trouvait étaient depuis toujours ses ennemis naturels. Ils suscitaient sa haine et son mépris ; il évitait le plus possible de frayer avec eux. Ils ne lui faisaient pas peur car Remire ne les connaissait que trop. Comme eux, il portait un couteau, et il leur faisait comprendre qu'il savait s'en servir. Il ne cherchait querelle à personne, mais il ne tolérait pas que l'on se mêlât de ses affaires.

Le chef de la police lyonnaise avait de l'estime pour lui. Au cours de sa carrière, il avait eu une conduite exemplaire, et le dossier qui suivait tous les prisonniers était à son honneur. Il savait que l'on apprécie un prisonnier qui ne cause pas d'ennuis, accepte son sort avec stoïcisme, et fait montre de bonne volonté. On lui confia une sinécure. Il eut vite droit à une cellule particulière, échappant ainsi à l'horrible promiscuité des dortoirs. Il s'entendait bien avec les gardiens. La plupart d'entre eux étaient très corrects, et, sachant qu'il avait auparavant fait partie de la police, ils le traitaient davantage comme un des leurs que comme un bagnard. Le directeur de la prison avait confiance en lui. Il lui procura bientôt un emploi de domestique auprès de l'un des fonctionnaires de l'établissement. Remire dormait en prison, mais, à part cela, il était entièrement libre. Chaque matin il conduisait les enfants de son maître à l'école et il allait les rechercher à la sortie des classes. Il leur confectionnait des jouets. Ou bien il accompagnait sa maîtresse au marché pour lui porter ses paniers. Il bavardait avec elle. La famille l'appréciait à cause de sa souriante bonne humeur. Il travaillait bien, et l'on pouvait avoir confiance en lui. Son existence était redevenue tolérable.

Mais, trois ans plus tard, son maître fut muté à Cayenne. Ce fut une perte pour lui ; cependant, le poste de bourreau se trouvant justement vacant, on le lui confia. Voici qu'il se retrouvait au service du gouvernement. Il était redevenu un personnage officiel. Sa résidence, si humble fût-elle, lui appartenait. Il n'était plus obligé de porter une tenue de prisonnier. Il avait le droit de se laisser pousser les cheveux et la moustache. Peu lui importaient l'horreur et le mépris qu'il inspirait aux forçats. Il les leur rendait bien ; ils n'étaient que de la racaille ! Quand il ramassait dans le panier la tête sanglante d'un supplicié, qu'il la tenait par les oreilles et prononçait la formule : « Au nom du peuple français, justice est faite », il avait le sentiment de représenter la République. Il incarnait la légitimité et la loi. Il était celui qui protège la société contre la furie des hordes du crime.

Chaque exécution lui rapportait cent francs. Avec ce que la femme du directeur lui donnait pour le poisson, il avait de quoi s'acheter tout ce dont il avait besoin, et même davantage. Assis sur son rocher, dans le calme du crépuscule, il songeait à la manière dont il emploierait son gain du lendemain. De temps en temps, il avait une touche, parfois un poisson. Il le tirait de l'eau, le décrochait, réappâtait, tout cela d'une façon machinale, sans interrompre le cours de ses pensées. Six cents francs : somme rondelette. Qu'allait-il en faire ? Il ne manquait de rien : ni de conserves, ni de rhum (il ne buvait que très modérément), ni de matériel de pêche, ni de vêtements. Il mettrait l'argent de côté, avec le petit magot qu'il avait enfoui au pied du papayer. Il rit dans sa barbe en songeant à la tête qu'eût faite Adèle si elle avait pu savoir qu'il avait maintenant des économies. Son esprit d'avarice en eût été bien aise ! Cet argent lui servirait lorsqu'il serait libéré. Les bagnards avaient toujours des difficultés à ce moment-là. Au pénitencier, ils avaient un toit et de quoi manger. Mais, une fois libres, contraints de résider pendant des années à la colonie, il fallait qu'ils se débrouillent. Ils en étaient tous d'accord : c'est à ce moment-là que commençait pour eux la plus dure des épreuves. Ils ne trouvaient pas de travail, car les patrons se méfiaient d'eux. Les entreprises de bâtiment ne les engageaient pas, car les autorités du pénitencier sous-traitaient les bagnards à un tarif défiant toute concurrence. Ils couchaient à la belle étoile, sur la place du marché, et ils devaient souvent aller à la soupe de l'Armée du Salut. Mais on les faisait travailler dur et, par-dessus le marché, ils devaient assister aux services religieux. Certains forçats libérés en venaient parfois à commettre quelque violence, dans l'unique but de se

197

retrouver en sécurité au pénitencier. Aussi Louis Remire ne désirait-il pas prendre de risques. Il souhaitait se constituer un petit capital suffisant pour s'installer à son compte. Normalement, on lui accorderait l'autorisation de se rendre à Cayenne, où il songeait à ouvrir un bar. Au début, la clientèle hésiterait à venir chez lui sous prétexte qu'il avait été bourreau, mais, pourvu que l'on puisse bien boire dans son établissement, elle finirait par vaincre ce préjugé ; son entregent, son savoir-faire pour maintenir l'ordre feraient le reste. Il y avait souvent des touristes à Cayenne, et la curiosité les entraînerait chez Remire. Une fois rentrés chez eux, ils pourraient se vanter auprès de leurs amis d'avoir pris le meilleur punch de Cayenne... chez le bourreau ! Mais ce n'était pas pour demain ; il avait encore plusieurs années de bagne à purger, de sorte qu'il avait tout son temps pour préparer son projet. Il se creusait la tête et finit par se dire que, non, il n'avait besoin de rien. Il en fut tout étonné. Détournant son regard du bouchon, il se mit à contempler la mer. Elle était étrangement calme et s'irisait de toutes les couleurs du soleil couchant. Une étoile commençait à scintiller, et Remire fut envahi d'une extraordinaire sensation.

« Si vraiment tu ne désires rien, c'est donc que tu es heureux. » Il se lissa la moustache et ses yeux bleus brillèrent d'un doux éclat. « Il n'y a pas de doute : je suis un homme heureux, et je viens seulement de m'en apercevoir. »

L'idée était si inattendue qu'il en demeura tout perplexe. C'était vraiment bizarre. Mais la logique de ce raisonnement était d'une rigueur mathématique.

« Heureux, je suis heureux ! Combien d'hommes peuvent en dire autant ? Et à Saint-Laurent-du-Maroni, par-dessus le marché ! C'est bien la première fois de ma vie que cela m'arrive. »

Le soleil se couchait. Il avait pris assez de poisson pour le souper et pour le petit déjeuner. Il rangea sa ligne, ramassa son poisson et rentra chez lui. La maison était à quelques pas du rivage. Rapidement, il alluma un feu, et, quelques instants plus tard, quatre petits poissons sautaient joyeusement dans la poêle. Il était toujours très difficile dans le choix de son huile. La meilleure huile d'olive coûtait cher, mais la qualité était incomparable. Le pain de la prison était bon et, après avoir fait sa friture, il fit revenir quelques morceaux de pain dans ce qui restait d'huile. Il flaira la préparation d'un air satisfait, puis, ayant allumé sa lampe, alla se laver une salade du jardin, puis il prépara l'assaisonnement. Il était persuadé que personne au monde ne savait mieux que lui assaisonner la salade. Il se versa une rasade de rhum et mangea de bon appétit. Il donna quelques déchets aux deux chiens étendus à ses pieds, et fit sa petite vaisselle. C'était un homme soigneux : il n'avait pas envie de trouver de désordre le lendemain matin quand il irait prendre son petit déjeuner. Il alla conduire les chiens vers la plantation de cocotiers, rentra avec sa lanterne, s'installa dans son transatlantique et, après avoir allumé un cigare de contrebande venu de Guyane néerlandaise, il déplia un journal français que le dernier courrier avait apporté. Le ventre et l'esprit en paix, il avait toutes les raisons, en dépit de quelques inconvénients, d'être content de l'existence. Il était toujours sous l'effet de la joyeuse surprise qu'il avait éprouvée à la révélation de son bonheur. Quand on songe que la poursuite du bonheur était, pour les autres hommes, la grande affaire de leur vie, il n'en revenait pas, lui, Remire, de l'avoir découvert. Et, pourtant, c'était un fait indéniable. Celui qui possède tout ce qu'il désire est un homme heureux. Or il possédait tout ce qu'il désirait. Donc, il était heureux. Une idée nouvelle lui vint à l'esprit, qui le fit sourire :

« Et dire que c'est à Adèle que je le dois ! »

Cette bonne Adèle, quelle peste c'était !

Il se décida à prendre quelques heures de repos, mit

son réveil à minuit moins le quart, s'étendit sur son lit, et sombra bientôt dans un profond sommeil. Aucun rêve ne vint le troubler, et, quand la sonnerie retentit, il s'éveilla en sursaut. Il lui fallut quelques secondes pour se rappeler la raison de ce réveil. Il bâilla en s'étirant paresseusement.

« Bon ! Il faut y aller, ce sont les inconvénients du métier. »

Il se glissa sous sa moustiquaire et alla rallumer sa lanterne. Il se rafraîchit les mains et le visage, et avala un verre de rhum avant d'affronter l'air nocturne. Songeant au novice qui l'accompagnerait, il se demanda s'il ne ferait pas bien de se munir d'un flacon de rhum.

« Ce serait du joli s'il lui prenait l'envie de flancher. »

Six hommes à exécuter, cela tombait mal. Avec un seul, l'inexpérience de son assistant n'eût pas été catastrophique. Mais avec cinq autres, une défaillance de sa part serait on ne peut plus fâcheuse. Il haussa les épaules. Ils feraient de leur mieux. Après s'être donné un coup de peigne et s'être soigneusement brossé la moustache, il alluma une cigarette. Traversant le jardin, il ouvrit la porte de l'épaisse palissade qui en faisait le tour, et la referma soigneusement. C'était une nuit sans lune. Il siffla ses chiens et s'étonna de ne pas les entendre accourir. Il siffla de nouveau. Ces crétins avaient sans doute capturé un rat et devaient se le disputer. Ils auraient une bonne correction pour leur apprendre à ne pas venir quand il les sifflait ! Il se mit en route vers la prison. Il faisait bien sombre sous les cocotiers, et il eût préféré avoir les chiens à ses côtés. Mais il n'y avait plus que cinquante mètres, et ensuite il se trouverait en terrain découvert. Il apercevait de la lumière dans la maison du directeur, ce qui lui donna du courage. Si ce dernier avait ainsi laissé allumé, c'est que la perspective de l'exécution l'empêchait de trouver le sommeil. Remire sourit. L'angoisse que tous les bagnards ressentaient, aussi bien les anciens que les nouveaux, avait dû gagner le directeur. En vérité, il y avait toujours à cette occasion le risque d'une insurrection, et les gardiens avaient alors le regard particulièrement vif et la main près de la gaine du revolver.

Louis Remire siffla de nouveau ses chiens, mais en vain. Il ne comprenait pas pourquoi, et il se sentait légèrement inquiet. Il avait l'habitude de marcher d'un pas lent, en balançant un peu le corps, mais cette fois il accéléra son allure. Par prudence, il cracha la cigarette qui lui collait aux lèvres. Sa lumière risquait de le dénoncer. Tout à coup il trébucha, et s'arrêta tout net. Malgré son courage et ses nerfs d'acier, son sang ne fit qu'un tour. A ses pieds reposait un gros objet tout mou, et il comprit ce dont il s'agissait. Il le tâta de son espadrille. Aucun doute, c'était bien l'un de ses chiens. Mort. Il recula d'un pas et tira son couteau. Il savait parfaitement qu'il n'était pas question d'appeler à l'aide. La maison la plus proche était celle du directeur, de l'autre côté de la clairière qui longeait la plantation de cocotiers. On ne l'entendrait pas, et, dans le cas contraire, personne ne bougerait. Saint-Laurent-du-Maroni n'est pas l'endroit où vous sortez de chez vous en pleine nuit si vous entendez quelqu'un appeler au secours. Si, le lendemain, on découvrait le cadavre d'un ancien forçat, c'était une perte dont on se consolait vite. Dans un éclair, Louis Remire saisit la situation. On avait tué ses chiens pendant qu'il dormait, sans doute après souper, quand il les avait lâchés. On leur avait jeté un bout de viande empoisonnée, que les molosses avaient dû avaler d'un trait. Si celui dont il avait heurté le cadavre était près de la maison, c'est qu'il avait dû tenter de se traîner jusque-là pour mourir. Louis Remire chercha à percer l'obscurité. On ne pouvait rien voir. Les ténèbres étaient impénétrables. A peine pouvait-il voir le tronc d'un cocotier à un mètre. Sa première impulsion fut de battre en retraite à toute vitesse. Une fois enfermé dans sa cabane, les gens de la prison, surpris de ne pas le voir arriver, viendraient aux nouvelles. Mais il se rendit compte que c'était impossible. Ils étaient là dans l'ombre, ceux qui avaient tué les chiens. Le temps qu'il cherche à tâtons à mettre la clé dans la serrure, il aurait déjà un poignard dans le dos. Il tendit l'oreille ; pas un bruit. Pourtant, il sentait, cachés derrière les arbres, la présence des hommes qui étaient venus pour le tuer. Ils le supprimeraient comme ils avaient supprimé ses chiens. Il allait mourir comme un chien. Il n'y avait pas qu'un seul tueur, il en était sûr. Ils devaient être au moins trois ou quatre, peut-être plus. Des bagnards employés chez des particuliers, et qui étaient autorisés à rentrer au pénitencier à une heure tardive, ou bien des anciens forçats sans foi ni loi. Il hésita. S'il se mettait à courir, il risquait de trébucher sur une corde tendue en travers du chemin et, alors, son compte serait bon. Les cocotiers n'étaient pas alignés régulièrement, de sorte qu'il pouvait se dissimuler à ses ennemis tout comme ces derniers lui étaient invisibles. Il enjamba le cadavre du chien et s'enfonça dans la plantation, puis il s'adossa à un arbre pour réfléchir sur la conduite à tenir. Le silence était atroce. Soudain, il perçut un murmure, ce qui le terrifia. Puis, tout retomba dans un silence mortel. Il savait qu'il fallait bouger, mais il était littéralement cloué sur place. Il imaginait que leurs regards le distinguaient aussi précisément que s'il se fût trouvé devant eux en plein soleil. De l'autre côté, il entendit un toussotement furtif. Horrifié, Remire faillit pousser un cri. Il se rendait compte qu'il était cerné. Pas question de compter sur la pitié de ces criminels, voleurs et assassins. Il se rappela le sort de l'autre bourreau, son prédécesseur, qu'ils avaient transporté dans la jungle encore vivant, après lui avoir arraché les yeux, et qu'ils avaient laissé pendre à un arbre pour servir de pâture aux vautours. Ses genoux se mirent à trembler. Quel imbécile il était d'avoir accepté cet emploi !

Il aurait pu obtenir d'autres sinécures, sans les risques de celle-ci. Il était bien temps d'y songer ! Il reprit courage. Il n'avait maintenant aucune chance de sortir vivant de la plantation de cocotiers, du moins voulait-il être sûr qu'il serait bien mort. Il saisit son couteau d'une poigne ferme. Ce qu'il y avait de plus horrible, c'était de ne pouvoir entendre ou voir âme qui vive, tout en sachant que, dans l'ombre, les couteaux étaient prêts à s'abattre sur lui. Une folle impulsion le saisit de jeter son couteau, de leur crier qu'il n'était pas armé, pour qu'ils puissent venir le tuer en toute sécurité. Mais il n'en fit rien. Le tuer ne leur suffirait pas. La rage l'étreignit. Non, il n'allait pas se rendre, sans se battre, à une poignée d'assassins. Il était innocent, il était au service de l'État : le devoir lui ordonnait de se défendre. Mieux valait en finir au plus vite, car il ne pouvait pas rester là toute la nuit. Et pourtant, adossé à cet arbre, il éprouvait un certain réconfort et il n'arrivait pas à se décider à bouger. Il regardait fixement un tronc d'arbre, juste en face de lui, quand, tout à coup, ce tronc se mit à bouger, et il s'aperçut avec effroi que c'était un homme. Sa décision fut prise, et, dans un immense effort de volonté, il fit un pas en avant. Il progressait avec une extrême prudence, sans rien voir, et dans le silence le plus total. Mais il savait bien que, s'il avançait, ses ennemis, eux aussi, avançaient. Une garde du corps invisible et silencieuse l'escortait. Il lui sembla percevoir le bruit de leurs pieds nus. Maintenant il n'avait plus peur. Il poursuivait sa marche, en essayant de frôler le plus possible les arbres qui l'entouraient, afin de se garder contre une attaque dans le dos. Une vague d'espoir l'envahit : on savait quel homme il était, et celui qui prendrait l'initiative de le frapper avait toutes les chances de prendre un coup de couteau dans le ventre. Encore trente mètres, et, une fois dans la clairière, ses ennemis enfin visibles, il saurait se défendre. Encore quelques mètres, et il se sauverait à toutes jambes. C'est alors qu'une chose se produisit. Il se figea, glacé d'horreur. Un faisceau de lumière parcourut les ténèbres, terrifiant, insupportable. C'était une torche électrique. D'instinct il bondit se réfugier contre un arbre et s'y adossa. Il ne pouvait pas voir celui qui portait la torche. La lumière l'aveuglait. Il ne dit pas un mot, tenant son couteau à hauteur de cuisse : il savait qu'on l'attaquerait au ventre. Si l'un d'eux se jetait sur lui, il était prêt à rendre coup pour coup. Il allait vendre chèrement sa peau. La lumière de la torche s'attarda peut-être trente secondes sur son visage. Il lui semblait que c'était une éternité. Il crut entrevoir confusément les visages qui lui faisaient face. Puis une parole rompit cet horrible silence.

— Vas-y !

A l'instant même un couteau traversa l'espace et le frappa au sternum. Il jeta les bras en l'air ; au même moment, quelqu'un bondit sur lui et, d'un large geste, l'éventra de bas en haut. La lumière s'éteignit. Louis Remire s'affaissa en poussant un terrible gémissement de douleur. Cinq, puis six hommes, surgis des ténèbres, faisaient cercle autour de lui. Dans sa chute, le couteau qui l'avait frappé au sternum s'était détaché. Il gisait à terre. La lumière de la torche l'éclaira. L'un des hommes s'en saisit, et, d'un seul geste rapide, il trancha la gorge de Remire d'une oreille à l'autre.

— Au nom du peuple français, justice est faite, dit-il.

Ils s'évanouirent dans les ténèbres et, dans la plantation de cocotiers, s'abattit un silence de mort.

Un homme de scrupule

Saint-Laurent-du-Maroni est une jolie petite ville, propre comme un sou neuf. Son hôtel de ville et son palais de justice feraient honneur à bien des communes métropolitaines. Des rangées de beaux arbres ombragent agréablement ses avenues. Les villas semblent repeintes de frais et beaucoup d'entre elles se nichent au milieu des palmiers et des faux aloès d'un petit jardin. Des cannas s'y étalent dans tout leur éclat et des crotons dans leur diversité ; les bougainvillées roses ou violettes y poussent à profusion et les hibiscus élégants y arborent leurs fleurs superbes avec une nonchalance qui paraît affectée. Saint-Laurent-du-Maroni est le chef-lieu des colonies pénitentiaires de Guyane. A cent mètres du débarcadère, un grand portail donne accès au pénitencier. Ces jolies maisonnettes dans leurs jardins tropicaux abritent son personnel. Et le bon entretien des rues s'explique par l'abondance d'une main-d'œuvre de bagnards.

Un jour où je me promenais avec une connaissance, j'aperçus un jeune homme qui portait le chapeau rond en paille et l'uniforme à rayures roses et blanches des forçats : debout sur le bas-côté, il s'appuyait sur sa pioche sans rien faire.

— Pourquoi ne travailles-tu pas ? lui demanda mon guide.

L'homme eut un haussement d'épaules.

— Regardez ce brin d'herbe, répondit-il. J'ai vingt ans devant moi pour l'arracher !

Ce sont les pénitenciers d'alentour qui font vivre Saint-Laurent-du-Maroni. Ses rares magasins, tenus par des Chinois, en sont tributaires : ils s'adressent aux gardiens, aux médecins et aux nombreux fonctionnaires du bagne. Les rues sont vides et calmes. L'on y croise quelques forçats qui, selon qu'ils travaillent dans les bureaux ou comme domestiques dans l'une des villas, portent une serviette de cuir ou un panier à provisions. L'on rencontre parfois une équipe de détenus conduite par un gardien ; mais, plus souvent, on les voit aller et venir sans surveillance, car les portes du pénitencier restent ouvertes à longueur de jour, et ils ont le droit d'entrer et de sortir librement. Les hommes en civil ont de grandes chances d'être des forçats libérés mais relégués pour plusieurs années encore. Faute de trouver du travail, ils réussissent tout juste à ne pas mourir de faim et se tuent lentement à boire du tafia : une sorte de rhum très fort vendu à bas prix.

Je prenais mes repas dans l'unique hôtel de Saint-Laurent et ne tardai pas à connaître de vue tous ses habitués. Ils venaient s'asseoir chacun à sa petite table, mangeaient en silence et repartaient dès qu'ils avaient fini. L'hôtel était tenu par une femme de couleur dont le concubin, un ancien bagnard, assurait le service à lui seul. Mais le gouverneur de la colonie, en résidence à Cayenne, avait mis sa villa locale à ma disposition, et c'est là que je couchais. Un vieil Arabe, très croyant, que j'entendais prier Allah plusieurs fois par jour, s'occupait du gardiennage. Le commandant du pénitencier avait affecté à mon service un autre forçat, chargé de faire mon lit, mon ménage et mes commissions. Ces deux hommes avaient été condamnés pour meurtre aux travaux forcés à perpétuité ; mais il m'avait garanti que je pouvais leur faire toute confiance, et que je ne courais aucun risque à laisser mes affaires traîner dans la chambre, car ils étaient d'une honnêteté parfaite. J'avoue pourtant qu'en me couchant le soir je prenais soin de verrouiller ma porte et de bien fixer mes volets. C'était, sans doute, idiot, mais je dormais plus tranquille.

Au vu de mes lettres de recommandation, le directeur de la colonie pénitentiaire et le commandant du bagne de Saint-Laurent s'employèrent l'un et l'autre à rendre mon séjour plaisant et instructif. Mon propos actuel n'est pas de rapporter tout ce que j'eus l'occasion de voir et d'entendre. Il ne m'appartient pas, n'étant pas journaliste, de défendre ou de critiquer le Code pénal français. D'ailleurs, ce mode de détention est voué à disparaître : bientôt, les condamnés ne seront plus envoyés en Guyane pour y subir les fièvres tropicales et la malaria qui infestent les coins de jungle où tant d'entre eux doivent accomplir leur peine ; pour y connaître des humiliations indescriptibles, l'accablement et la mort lente. Je me contenterai de dire que je n'ai eu vent d'aucune brutalité physique vis-à-vis des forçats. En revanche, je n'ai rien vu faire qui puisse aider à leur réinsertion à l'issue de leur peine, ou les soutenir dans leurs épreuves morales. Je n'ai entendu parler d'aucun cours visant à élever leur niveau d'instruction ; d'aucune activité sportive organisée, conçue pour les distraire. Je n'ai vu aucune bibliothèque qui leur offrît des ouvrages à lire au terme de leur journée de travail. Mais j'ai vu des conditions d'existence telles que, pour les supporter, il fallait être d'une trempe exceptionnelle. J'ai assisté à un processus d'abrutissement propre à détruire, chez la plupart d'entre eux, tout ressort et toute espérance.

Tout cela ne me regarde pas. Rien ne sert de se morfondre si l'on n'a pas le moyen d'alléger une détresse. Mon intention présente est de conter une histoire. Je sais bien que notre intelligence de la nature humaine ne sera jamais complète. Une seule chose est sûre : elle ne cessera jamais de nous surprendre. Une fois passé l'état de confusion, d'étonnement et d'horreur où me jeta ma première visite du pénitencier, j'eus envie d'élucider certains problèmes qui me tenaient à cœur. Il faut savoir que trois sur quatre des bagnards de Saint-Laurent-du-Maroni ont été condamnés pour meurtre. Ce n'est pas un chiffre officiel et peut-être mon estimation est-elle exagérée. Pour chaque détenu, il existe un livret où se trouvent consignés la nature du crime, la durée de la peine, les punitions infligées et les autres détails que l'administration juge bon de prendre en note ; or mon calcul se fonde sur l'examen d'un nombre considérable de ces livrets. De me dire qu'en Angleterre l'immense majorité des hommes que je voyais travailler ici dans des ateliers, lézarder sous les vérandas des dortoirs ou flâner le long des rues aurait subi la peine capitale m'avait fait un petit coup au cœur. Je m'aperçus qu'ils ne demandaient pas mieux que de parler du forfait dont on les avait reconnus coupables et je passai une bonne demi-journée à poser des questions sur des crimes passionnels. Je voulais savoir quel mobile précis avait pu induire un homme à tuer son épouse ou sa maîtresse. J'avais dans l'idée que la jalousie ou l'honneur blessé n'expliquait peut-être pas tout. Parmi les réponses curieuses que j'obtins, celle que voici ne manquait pas de sel. Elle provenait d'un détenu qui travaillait dans l'atelier de menuiserie et qui avait égorgé sa femme. Quand je l'interrogeai sur la raison de son acte, il répondit en haussant les épaules, et d'un air détaché : *manque d'entente* [1]. Je ne pus me défendre de lui objecter que, si le commun des maris voyait là un motif suffisant pour occire leur conjointe, la mortalité du beau sexe augmenterait dangereusement.

Mais, après avoir longuement interrogé bon nombre

---

1. En français dans le texte.

de forçats, j'en vins à conclure qu'à l'origine de presque tous ces crimes l'on trouvait un mobile d'intérêt : ils avaient tué leur épouse ou leur maîtresse non seulement dans l'accès de jalousie engendré par une trahison, mais aussi parce que, d'une façon ou d'une autre, le contenu de leur portefeuille était en cause. Parfois, l'infidélité d'une femme avait entraîné pour le futur criminel une perte financière qui l'avait finalement poussé à bout ; ou bien, ayant besoin d'argent pour assouvir lui-même d'autres passions, il avait voulu supprimer un obstacle à sa liberté d'en disposer à sa guise. Je n'en déduis pas qu'un homme ne tue jamais une femme par déception amoureuse ou pour venger son honneur. Je fais seulement état, à titre d'aperçus sur la nature humaine, des remarques que m'inspirent ces cas particuliers. Je me garde d'en tirer une règle générale.

Je consacrai un autre jour à une petite enquête sur la conscience morale. A en croire les auteurs de traités, elle serait un ressort majeur des comportements. A présent que raison et charité s'accordent pour dénoncer le mythe des feux de l'enfer, beaucoup de braves gens le tiennent pour le meilleur des garde-fous, propre à maintenir l'humanité dans les chemins de la vertu. Selon Shakespeare, la conscience fait de nous tous des lâches [1]. Les romanciers, comme les dramaturges, ont décrit les affres des méchants : ils ont peint avec éloquence les tourments et les insomnies qu'engendre le remords ; montré comment il gâche tous les plaisirs du criminel et rend sa vie intolérable, au point que de se voir confondu et châtié lui apparaît comme une délivrance. Je me suis souvent demandé quelle part de vérité s'attache à ce tableau. Les moralistes ont une idée fixe : il leur faut dégager une leçon. A force de redire la même chose, ils croient pouvoir en convaincre les gens. Ils voudraient nous faire prendre leur désir pour la réa-

---

1. *Hamlet*, Acte III, Scène 1. *(N.d.T.)*

lité. A les entendre, la mort est le salaire du péché : or, nous savons fort bien que ce n'est pas toujours vrai. Quant aux auteurs de fiction, qu'ils écrivent des romans ou des pièces de théâtre, s'ils tiennent un bon sujet, ils tendent à l'exploiter sans beaucoup se soucier d'être fidèles au vrai. Certaines affirmations sur la nature humaine entrent pour ainsi dire au répertoire et passent, dès lors, pour évidentes en soi. De même, pendant des siècles, les peintres ont figuré les ombres en noir : il a fallu attendre que les impressionnistes les contemplent d'un œil neuf et les représentent comme ils les voyaient pour que leurs couleurs nous soient révélées. Je me suis parfois demandé si la conscience n'est pas la marque d'un sens moral supérieur, et ne pèse d'un grand poids que chez des êtres d'une vertu éclatante, par là même peu enclins à commettre des actes qu'ils auraient lieu ensuite de se reprocher gravement.

Une idée reçue veut que le meurtre, ce crime révoltant, engendre le remords plus que tous les autres. La victime hanterait les rêves de l'assassin sous la forme de cauchemars atroces, et le souvenir de son forfait le mettrait à la torture durant ses heures de veille. Je ne voulais pas manquer cette occasion d'en avoir le cœur net. Je m'étais promis de ne pas insister si mes questions gênaient ou angoissaient mes interlocuteurs, mais ce ne fut jamais le cas. Certains me répondirent qu'ils auraient recommencé dans les mêmes circonstances. Déterministes sans le savoir, ils semblaient imputer leur acte à un destin écrit sur lequel ils n'avaient aucune prise. D'autres donnaient l'impression de ne pas se reconnaître dans l'auteur de leur crime.

— Quand on est jeune, on n'a pas de jugeote, disaient-ils en haussant les épaules ou avec un sourire qui appelait l'indulgence.

D'autres enfin m'avouèrent que, s'ils avaient eu l'idée du châtiment qu'il leur faudrait subir, ils se seraient abstenus. Aucun d'entre eux n'exprima devant moi le moindre repentir d'avoir détruit une vie. L'assassinat d'un être humain ne semblait guère plus les émouvoir que s'ils avaient égorgé un porc dans l'exercice de leur métier. Loin de s'apitoyer sur leur victime, ils tendaient plutôt à lui en vouloir d'avoir été la cause de leur captivité en ce lieu d'exil. Un seul détenu témoigna devant moi d'un soupçon de mauvaise conscience. L'histoire qu'il me conta est si remarquable qu'elle mérite bien, je crois, d'être rapportée.

Car, dans son cas, si j'ai bien compris, c'est le remords qui lui dicta son crime. Il portait son numéro de bagnard imprimé sur le devant de sa veste de détenu aux rayures roses et blanches, mais je l'ai oublié. Peu importe d'ailleurs. Quant à son nom, je ne l'ai jamais su : il n'a pas cherché à se présenter à moi et j'ai eu scrupule à lui poser la question. Je l'appellerai Jean Charvin.

Je fis sa connaissance lors de ma première visite du pénitencier. Le commandant et moi traversions une grande cour autour de laquelle s'alignaient des cellules individuelles non pas disciplinaires mais destinées aux prisonniers de bonne conduite qui demandent à y être logés. Elles attirent les détenus que rebute la promiscuité des dortoirs. A cette heure, la plupart des cellules étaient vides, car leurs locataires avaient rejoint leurs affectations respectives. Jean Charvin était dans la sienne, en train de travailler : assis à une petite table, il écrivait, la porte ouverte. Quand il sortit à l'appel du commandant, je jetai un coup d'œil à l'intérieur. La cellule contenait un hamac fixe, entouré d'une moustiquaire crasseuse ; à côté, se dressait la petite table sur laquelle s'étalaient ses affaires personnelles : un blaireau, un rasoir, une brosse à cheveux ; deux ou trois livres dépenaillés. Des gravures découpées dans des magazines et des photographies de personnes d'aspect honorable décoraient les cloisons. Son hamac lui tenait lieu de siège et la table sur laquelle nous l'avions vu écrire était recouverte de feuilles de papier où semblaient s'aligner des chiffres. Grand, svelte, le dos bien droit, il avait de la prestance. Ses yeux bruns en amande brillaient dans un visage expressif, aux traits bien accusés. J'avais remarqué, d'abord, la beauté de sa coiffure, dont les longues mèches châtain foncé bouclaient naturellement. Elle le distinguait d'emblée des autres détenus à qui des cheveux ras, tondus en dents de scie, donnaient une mine patibulaire. Le commandant l'entretint d'un problème d'administration. Au moment de repartir, il lui lança d'un ton cordial :

— Je vois que tes cheveux repoussent bien.

Jean Charvin rougit tout en souriant. Son sourire engageant était très juvénile.

— J'en ai encore pour quelque temps avant de retrouver la bonne longueur.

Le commandant le congédia et nous reprîmes notre visite.

— C'est, me dit-il, un garçon très convenable. Il travaille à la comptabilité et a reçu l'autorisation de se laisser repousser les cheveux. Il y est très sensible.

— Pourquoi est-il ici ?

— Il a tué sa femme mais n'a écopé que de six ans de peine. Il n'est pas bête et ne boude pas à l'ouvrage. Il s'en tirera parfaitement. Sa famille est très bien et il a de l'instruction.

Je ne pensais plus à Charvin lorsque, le lendemain, je le croisai par hasard sur la chaussée. Il venait vers moi, une serviette noire sous le bras et, sans les rayures roses et blanches de sa tenue de forçat et l'affreux chapeau de paille qui cachait sa chevelure, on aurait pu le prendre pour un jeune avocat se rendant à une audience. Il marchait posément à grandes enjambées, d'un port désinvolte et presque altier. En me reconnaissant, il se découvrit pour me dire bonjour. Je m'arrêtai et, par politesse, je m'enquis de sa destination. On l'avait chargé, me dit-il, d'apporter à la banque des documents en provenance de la direction des pénitenciers. Son visage avenant rayonnait de franchise et ses yeux, décidément très beaux, brillaient d'ardeur. Sans doute, la vitalité de la jeunesse était-elle assez forte pour lui faire oublier sa condition de bagnard et le milieu où il était détenu, et lui rendre l'existence acceptable, voire plaisante. On aurait pu le prendre pour un jeune homme libre de tout souci.

— Il paraît, me dit-il, que vous partez demain pour Saint-Jean ?

— En effet. Aux aurores, à ce que j'ai compris.

Saint-Jean est un pénitencier à dix-sept kilomètres de Saint-Laurent, qui abrite les récidivistes condamnés aux travaux forcés après plusieurs périodes sous les verrous. Ce sont des voleurs simples, des escrocs, des faux-monnayeurs, des filous en tout genre. Les forçats de Saint-Laurent, dont les fautes sont plus graves, les considèrent de haut.

— La visite devrait vous intéresser, me dit Jean Charvin avec son sourire franc et affable. Mais boutonnez bien la poche qui contient votre portefeuille. Ces gens vous voleraient jusqu'à votre chemise à la première occasion. C'est une bande de salopards !

Cet après-midi-là, en attendant que tombe la chaleur, je lisais sur ma véranda où les jalousies maintenaient une fraîcheur relative. Mon vieil Arabe vint pieds nus m'annoncer dans son français boiteux qu'un envoyé du commandant demandait à me voir.

— Qu'il monte !

Quelques instants plus tard, l'homme se présenta : c'était Jean Charvin. Il avait, me dit-il, une commission à me faire au sujet de mon excursion du lendemain. Quand il se fut acquitté de son message, je l'invitai à prendre un siège pour fumer une cigarette avec moi. Il consulta la montre de bazar qu'il portait au poignet.

— Je ne demande pas mieux : j'ai un peu de temps devant moi.

Il s'assit et alluma la cigarette que je venais de lui offrir. Il me sourit des yeux.

— Savez-vous que, depuis ma condamnation, c'est la première fois qu'on m'invite à m'asseoir ?

Il tira une longue bouffée.

— Une cigarette égyptienne : voilà trois ans que je n'en avais pas fumé !

Les forçats roulent leurs cigarettes à partir du gros tabac très fort que l'on achète dans des paquets carrés de couleur bleue. Comme il est interdit de rétribuer leurs services mais permis de leur donner du tabac, je m'en étais procuré une bonne quantité.

— Ça vous plaît ?

— On s'habitue à tout et je vous avouerai que mon goût s'est vicié au point que je préfère le tabac grossier qu'on trouve ici.

— Je vais vous en donner.

Je passai dans ma chambre pour lui en rapporter deux paquets. Je vis en revenant qu'il regardait mes livres sur la table.

— Aimez-vous la lecture ?

— Beaucoup. Je crois que le manque de livres est ce qui m'est le plus pénible. Je dois lire et relire ceux qui me tombent sous la main.

Lecteur insatiable, je ne connais pas moi-même de privation plus grave que celle-là.

— J'ai plusieurs ouvrages en français dans ma valise. Je vous les chercherai et vous en ferai cadeau s'ils vous tentent. Pourriez-vous repasser me voir ?

Mon offre n'était pas tout à fait désintéressée. Je voulais me ménager un nouvel entretien.

— Il me faudrait les montrer au commandant. Je ne pourrai les garder que s'il se persuade que leur lecture ne peut pas me pervertir. Mais il est accommodant et je ne crois pas qu'il me cherchera des histoires.

Un soupçon de malice dans le sourire qui accompagnait sa réponse me donna à penser qu'il avait pris la mesure du commandant, un homme consciencieux et bien intentionné, et qu'il savait le mettre dans sa poche. Qui aurait pu le blâmer d'user de diplomatie, voire de roublardise, pour rendre sa détention plus supportable ?

— Le commandant vous estime beaucoup.

— C'est un homme très bien. Je lui suis très reconnaissant de tout ce qu'il a fait pour moi. Sachant ma profession, il m'a affecté à la comptabilité. J'aime les chiffres : je les sens vivre et je me plais en leur compagnie. A présent que je les fréquente à longueur de jour, j'ai l'impression de redevenir moi-même.

— Êtes-vous content aussi d'avoir une cellule individuelle ?

— Ça change tout. Être entassés à cinquante, vivre au contact de la lie de la terre sans jamais pouvoir être seul un instant, c'était atroce. Pire que tout le reste. Au Havre, dont je viens, j'avais un appartement : modeste, bien sûr, mais où j'étais chez moi, et nous avions une femme de ménage. Nous ne manquions de rien. Ça m'a rendu la détention bien plus pénible. La plupart des autres n'ont connu que la misère, la crasse, la promiscuité.

Je lui avais posé ma question pour l'inciter à me parler de ce qui se passe dans les grands dortoirs où l'on enferme les détenus de cinq heures du soir à cinq heures du matin : douze heures durant lesquelles ils se trouvent livrés à eux-mêmes. Au point, m'avait-on dit, qu'un gardien aurait mis sa vie en péril en s'y aventurant. A partir de huit heures, on leur coupe la lumière mais, en bourrant des boîtes à sardines avec des morceaux de chiffon imbibés de pétrole, ils fabriquent des lampes de fortune qui éclairent assez pour leur permettre de jouer aux cartes. Ils font des parties acharnées, non pour l'amour du jeu mais pour celui de l'argent qu'ils dissimulent sous leur linge de corps. Il va de soi qu'entre ces hommes brutaux et sans scrupules éclatent souvent des disputes violentes. Elles se règlent au couteau. Et souvent, le matin, en ouvrant le dortoir, on trouve un mort : mais aucune menace, aucune promesse n'arrache à personne le nom de l'assassin. D'autres témoignages de Jean Charvin ne sont pas racontables. Je me contenterai d'évoquer le cas du jeune bagnard venu de France sur le même bateau que lui et avec qui il avait sympathisé. Il était beau garçon. Un jour, il alla demander au commandant si on ne pourrait pas lui affecter une cellule individuelle. Questionné, il donna ses raisons. Le commandant examina le tableau d'occupation des cellules : pour l'instant, lui dit-il, aucune d'elles n'était disponible, mais il promit de penser à lui pour la première vacance. Le lendemain matin, quand on ouvrit le dortoir, l'on trouva le garçon mort, dans son hamac : il avait le ventre fendu de bas en haut, jusqu'au sternum.

— Ce sont des bêtes fauves et si en arrivant au bagne on n'est pas comme eux, ça demande un miracle pour ne pas le devenir.

Jean Charvin regarda sa montre, se leva, fit quelques pas et se retourna vers moi avec son beau sourire :

— Je dois repartir maintenant. Si le commandant veut bien, je reviendrai chercher les livres que vous avez eu la gentillesse de me proposer.

En Guyane, on ne serre pas la main d'un détenu. S'il a du tact, il s'écarte au moment de prendre congé : ainsi, vous n'avez pas l'occasion de lui tendre la main ou de refuser celle qu'il pourrait machinalement et par inadvertance allonger vers vous. Dieu sait que de serrer la main de Jean Charvin ne m'aurait pas gêné ! J'eus un pincement au cœur à voir le soin qu'il prenait à m'épargner de l'embarras.

Je le rencontrai à deux autres reprises pendant mon séjour à Saint-Laurent. Il me conta son histoire. Mais je préfère la redire à ma manière, car il m'a fallu la reconstituer à partir des bribes d'un récit décousu. Pour en combler les vides, j'ai dû faire appel à mon imagination, mais je ne crois pas qu'elle m'ait égaré. C'est un peu comme s'il m'avait donné trois lettres seulement sur plusieurs mots qui en comporteraient cinq : il me restait, sans grand risque d'erreur, à deviner le reste de chacun d'eux.

Jean Charvin était natif du Havre où son père occupait un bon poste dans les Douanes. A la fin de ses études, il s'était acquitté de son service militaire avant de chercher du travail. Comme beaucoup d'autres jeunes Français, il préférait la sécurité d'un emploi respectable aux aléas d'une course à la fortune. Son adresse à manier les chiffres avait facilité son recrutement dans le service comptable d'une grande maison d'exportation. Son avenir était assuré. Il pouvait tabler sur un revenu suffisant pour vivre dans le confort modeste qui convenait à son milieu. Diligent et sérieux dans le travail, il était sportif à la manière de beaucoup de jeunes Français d'alors. Il pratiquait la natation ; jouait au tennis l'été et, tout au long de l'année, deux soirs par semaine, passait deux heures au gymnase pour se maintenir en forme.

Depuis l'enfance, il avait pour compagnon de chaque instant le fils d'un collègue de son père. Pour la commodité du récit, je lui donnerai un nom : disons, Henri Renard. Jean et Henri avaient fréquenté la même école, partagé leurs amusements et préparé ensemble leurs examens. Ils passaient leurs vacances en commun, car leurs familles étaient très liées. Ils avaient fait de concert leurs premières frasques, joué en double dans les tournois locaux de tennis, et accompli leur service dans le même régiment. Jamais ils ne se disputaient et leur plus grand plaisir était de se fréquenter. Bref, ils étaient inséparables. Au moment d'entrer dans la vie active, ils avaient pris le parti de se faire embaucher dans la même firme. Mais c'était une gageure. Malgré tous ses efforts, Jean ne trouva pas le moyen de faire entrer Riri dans la maison qui l'avait engagé. Et ce dernier dut attendre une année entière avant d'obtenir un emploi. Mais, à cette époque, les affaires périclitaient — au Havre, comme dans le reste du monde — si bien qu'il se retrouva sur le pavé quelques mois après.

D'un tempérament heureux, Riri savoura son temps libre. Il partagea ses loisirs entre la danse, les baignades et le tennis. C'est ainsi qu'il rencontra une jeune fille qui habitait Le Havre depuis peu. A la mort de son époux, un capitaine de la coloniale, sa mère, née dans cette ville, était revenue s'y établir. Marie-Louise, alors âgée de dix-huit ans, avait passé au Tonkin le plus clair de son existence : aux yeux de jeunes gens qui n'avaient jamais quitté l'Hexagone, elle y gagnait un charme exotique. Riri puis Jean eurent pour elle le coup de foudre. C'était sans doute fatal, mais à coup sûr fâcheux. Marie-Louise était une jeune personne bien élevée, une fille unique dont la mère, outre sa pension de veuve, disposait d'un petit capital. Pas question de courtiser la jeune fille autrement que pour le bon motif. Bien entendu, Riri, qui vivait pour l'instant aux crochets de sa famille, n'avait aucune chance de voir Mme Meurice, la mère de Marie-Louise, agréer sa demande. Mais, comme il était libre à longueur de journée, il avait l'occasion de fréquenter cette dernière beaucoup plus que Jean. D'une santé délicate, Mme Meurice laissait à Marie-Louise plus de liberté que l'usage n'en accordait aux jeunes Françaises de son milieu. Consciente de l'amour que Riri et Jean lui portaient l'un et l'autre, et flattée de leurs attentions, elle ne laissait paraître aucun sentiment. Il était même impossible de savoir lequel elle préférait. Elle n'ignorait pas que la situation de Riri ne lui permettait pas de l'épouser.

— Comment était-elle ? demandai-je à Charvin.

— Petite, bien faite, avec de grands yeux gris, un teint pâle, des cheveux souples gris souris. Elle faisait songer à une musaraigne. On ne pouvait pas dire qu'elle était belle, mais elle était jolie : dans le genre réservé d'une jeune fille d'autrefois. On avait envie de la protéger. Elle était facile à vivre, directe, sans façons. Elle inspirait confiance et l'on ne pouvait s'empêcher de se dire qu'elle ferait une bonne épouse, quel que fût l'élu.

Les deux jeunes gens n'avaient pas de secrets l'un pour l'autre : Jean ne fit donc pas mystère de son inclination pour Marie-Louise. Mais, comme son camarade avait été le premier à faire sa connaissance, il fut convenu entre eux qu'il lui laisserait le champ libre. Enfin, elle fit son choix. Un jour, Riri vint attendre son ami à la sortie du bureau pour lui dire qu'elle avait accepté sa demande en mariage : dès qu'il aurait trouvé un emploi, une démarche de son père auprès de Mme Meurice devait officialiser leurs fiançailles. Ce fut un grand choc pour Jean. D'un caractère exalté, Riri nageait dans la joie et faisait des plans d'avenir avec un enthousiasme qu'il lui était difficile de partager. Mais l'attachement que Jean vouait à son camarade l'empêchait de lui en vouloir et, le sachant si digne d'amour, il ne pouvait pas donner tort à Marie-Louise. Il s'efforça d'accepter loyalement le sacrifice que l'amitié lui dictait.

— Pourquoi lui avait-elle donné la préférence ? demandai-je à Charvin.

— Il débordait de vitalité. Je n'ai jamais connu un gars plus enjoué, plus drôle. Sa joie de vivre était contagieuse. Pas de danger de s'ennuyer avec lui.

— Il avait du punch, en somme ? commentai-je en souriant.

— Et, en plus, beaucoup de charme.

— Était-il beau garçon ?

— Non, pas tellement. Il était plus petit que moi, maigrichon, tout en muscles ; mais il avait un visage avenant et rieur.

Un sourire amène éclaira le visage de Jean Charvin.

— Sans me vanter, je crois pouvoir dire que j'étais plus beau gosse que lui.

Mais Riri ne trouvait pas de travail. Son père, las de

l'entretenir à ne rien faire, écrivit à toutes les personnes auxquelles il pouvait penser — ses parents et amis aux quatre coins de la France — pour leur demander de trouver un emploi, si humble fût-il, pour son fils. Finalement, il reçut une réponse d'un cousin lyonnais qui était dans la soierie. Sa firme cherchait un jeune homme qui acceptât d'être affecté à Phnom Penh : ils avaient besoin d'un commis dans leur dépôt local pour négocier leurs achats de soie cambodgienne. Si Riri était d'accord, on pourrait lui obtenir ce poste !

Les Français ont horreur de voir leurs enfants s'expatrier, et les parents de Riri ne faisaient pas exception à la règle. Mais ils se sentaient au pied du mur et, malgré la modicité du salaire proposé, décidèrent qu'il devait partir. Lui-même n'avait rien contre. Le Cambodge était relativement proche du Tonkin, il lui semblait que Marie-Louise s'y retrouverait en pays de connaissance. Elle lui avait si souvent parlé du mode de vie en Indochine qu'il en avait déduit qu'elle ne demanderait qu'à y retourner. Il fut consterné de l'entendre refuser tout net. D'abord, il n'était pas question qu'elle abandonnât sa mère dont, de toute évidence, la santé déclinait ; et puis, après avoir attendu si longtemps de rentrer en France, elle comptait bien ne jamais repartir. Elle comprenait les sentiments de Riri, mais restait intraitable. Quant à laisser le jeune homme décliner l'offre, c'était exclu aux yeux de son père, en l'absence de toute autre ouverture. Riri n'avait pas le choix. La perspective de leur séparation ne souriait pas à Jean mais, dès qu'il avait appris de la bouche de son camarade le malheur qui lui arrivait, son cœur avait bondi de joie : il comprenait que la chance tournait à son avantage. Pour cinq ans au moins, Riri serait hors jeu et, sauf incompétence, on pouvait prévoir qu'il allait faire carrière en Indochine. Jean était convaincu qu'au bout de quelque temps Marie-Louise agréerait sa propre demande en mariage. Il avait un bon salaire, une situation assise et respectable, dans la ville du Havre, où elle pourrait rester près de sa mère. L'épouser serait pour la jeune fille une solution de bon sens. Et puis, une fois qu'elle ne serait plus sous le charme de l'autre, pourquoi la grande sympathie qu'elle éprouvait pour Jean ne se muerait-elle pas en amour véritable ? Sa vie venait de changer. Après des mois passés à se morfondre, il retrouvait le bonheur et, à son tour, bien qu'il s'abstînt d'en parler à personne, il se berçait de beaux projets d'avenir. Il cessa de lutter contre son sentiment.

D'un seul coup ses espoirs s'effondrèrent. Un emploi venait de se libérer dans l'une des compagnies de navigation du Havre, et Riri s'empressa de faire acte de candidature avec, apparemment, de bonnes chances de succès. Jean apprit d'un collègue de bureau que l'affaire était dans le sac. Voilà qui allait tout régler. La compagnie en question était une vieille firme, hostile aux changements : tout le monde savait qu'elle recrutait ses employés à vie. Jean traversa une période d'accablement, que la nécessité de n'en rien laisser paraître exacerbait. Un jour, il fut convoqué par son directeur.

A ce stade du récit, Jean Charvin hésita. Une expression torturée passa dans son regard.

— Je vais vous faire un aveu que je n'avais encore jamais fait à personne. Je suis un honnête homme, un homme de scrupule. L'acte dont je vais vous parler est le seul dont j'aie à rougir dans toute mon existence.

Je dois, ici, rappeler au lecteur que Jean Charvin portait la tenue de bagnard aux rayures blanches et roses, avec un numéro imprimé sur le plastron, et qu'il purgeait, pour le meurtre de sa femme, une peine de réclusion criminelle.

— Je me demandais ce que le directeur pouvait bien me vouloir. Il était assis derrière son bureau et, quand je suis entré, il m'a fixé d'un regard scrutateur.

« — J'ai une question importante à vous poser. Je

vous prie de la tenir pour confidentielle. Il va de soi que je ferai de même pour votre réponse.

« J'attendais la suite.

« — Voilà pas mal de temps que nous vous employons. Je suis très satisfait de vos services et vous êtes certainement appelé à occuper un jour un poste clé dans notre établissement. J'ai en vous une confiance aveugle.

« — Je vous remercie, Monsieur le directeur. Je m'efforcerai toujours d'en rester digne.

« — Le problème qui m'occupe est le suivant. M. X. envisage d'embaucher Henri Renard dans son établissement. Il ne transige pas en matière de moralité et ne peut se permettre en l'occurrence de commettre une erreur. Une partie des services d'Henri Renard consisterait à payer les salaires des équipages de la compagnie : des centaines de milliers de francs lui passeront entre les mains. Je sais que Renard est votre grand ami et que vos familles sont très liées depuis toujours. Je fais appel à votre sens de l'honneur pour me dire si M. X. peut raisonnablement recruter ce garçon ?

« J'ai compris tout de suite quel était l'enjeu. Nommé dans ce poste, Riri resterait au Havre et Marie-Louise deviendrait sa femme alors que, dans la négative, il s'embarquerait pour le Cambodge et il y avait de grandes chances pour qu'elle m'épousât. Je vous jure que ce n'est pas moi qui ai répondu : un autre homme se tenait à ma place et parlait par ma bouche. Les mots qui tombaient de mes lèvres ne m'appartenaient pas.

« — *Monsieur le directeur*[1], Henri et moi nous connaissons depuis toujours et nous ne sommes jamais restés une semaine entière sans nous voir. Nous étions à l'école ensemble et nous avons tout partagé : d'abord notre argent de poche et, une fois adultes, nos petites

---

1. En français dans le texte.

amies. Et nous avons fait notre service dans le même régiment.

« — Je sais. Vous le connaissez mieux que personne. C'est bien pour ça que je vous pose ces questions.

« — *Monsieur le directeur* [1], ce n'est pas juste. Vous me demandez de trahir mon ami. Je ne peux pas, et je ne veux pas vous répondre.

« Le directeur m'a regardé avec un sourire entendu. Il se croyait très sagace.

« — Un tel refus vous fait honneur, mais il m'apprend ce que je voulais savoir.

« Puis il m'a adressé un sourire bienveillant. Je devais être pâle et même trembler un peu.

« — Ressaisissez-vous, mon jeune ami : vous êtes bouleversé et ça ne m'étonne pas. Il y a des moments dans la vie où les circonstances vous obligent à choisir entre l'amitié et l'intégrité. Bien sûr, on n'a pas le droit d'hésiter mais c'est un choix qui coûte. Je n'oublierai pas ce que vous venez de faire et vous en remercie au nom de M. X.

« Je suis ressorti de son bureau. Le lendemain, au premier courrier, Riri a reçu une réponse négative à sa candidature. Un mois plus tard, il a pris le bateau pour l'Extrême-Orient.

Six mois après, Jean Charvin et Marie-Louise devenaient mari et femme. L'évolution alarmante de la maladie de Mme Meurice avait précipité leur union. Se sachant condamnée à court terme, cette dernière tenait à voir sa fille établie avant de disparaître. Jean avait écrit à son ami pour le mettre au courant et reçu en réponse une lettre chaleureuse. Riri lui envoyait ses félicitations et l'assurait qu'il n'avait aucun reproche à se faire à son endroit : en quittant la France, il s'était rendu compte que Marie-Louise ne serait jamais sa femme ;

---

1. En français dans le texte.

d'apprendre que Jean était l'heureux élu lui faisait plaisir. A Phnom Penh, il trouvait des consolations. Son ton était très gai. Connaissant son humeur inconstante, Jean s'était dit, dès le début, qu'il ne tarderait pas à tourner la page : à en juger par le contenu de sa lettre, c'était déjà chose faite. Le tort causé n'était donc pas irréparable. Voilà qui le disculpait. En effet, il n'aurait pas survécu pour sa part à la perte de Marie-Louise : dans son cas, il s'agissait d'une question de vie ou de mort.

La première année de leur ménage fut très heureuse. Marie-Louise avait hérité de deux cent mille francs à la mort de sa mère mais, vu la crise mondiale et l'instabilité de la monnaie, ils avaient résolu de ne pas avoir d'enfant tant que la situation resterait incertaine. Économe et bonne ménagère, Marie-Louise se montrait une épouse affectueuse, souriante, irréprochable, d'humeur placide. Ce dernier trait avait, d'abord, contribué à son charme. Mais, à mesure que le temps passait, Jean se persuadait que, loin de recouvrir une grande vie intérieure, il témoignait d'une tiédeur des passions. Elle l'avait toujours fait penser à une musaraigne dont sa réserve évoquait les manières furtives. Elle accordait une curieuse importance à des futilités et consacrait parfois à des bagatelles un temps infini. Sous la joliesse de son visage coquet, ses petites marottes occupaient sa cervelle aux dépens de tout le reste. Il lui arrivait bien d'entamer un roman, mais il était rare qu'elle eût envie de le lire jusqu'au bout. Jean devait bien s'avouer qu'elle était ennuyeuse. L'idée gênante qu'elle ne méritait pas le sacrifice de son intégrité se mit à le hanter. Riri lui manquait. Il avait beau tenter de se convaincre que c'était de l'histoire ancienne et qu'il avait agi contre son libre arbitre, il ne parvenait pas à étouffer pleinement la voix de sa conscience. A présent, il regrettait d'avoir répondu comme il l'avait fait aux questions de son directeur.

Puis survint un affreux malheur. Riri contracta la

typhoïde et mourut. La nouvelle porta un coup terrible à Jean. Ce fut un choc pour Marie-Louise aussi : elle alla voir les parents de Riri pour leur présenter ses condoléances dans les formes, mais ne perdit rien de son bel appétit ni de son bon sommeil. Son sang-froid mettait Jean en fureur.

— Pauvre garçon, disait-elle, lui qui était si gai ! Il a dû se voir mourir avec horreur. Mais aussi, pourquoi être parti là-bas ? Je l'avais prévenu que le climat était malsain : mon père n'y a pas survécu, je savais à quoi m'en tenir.

Jean se sentait responsable de la mort de son ami. S'il avait dit au directeur tout le bien qu'il pensait de lui — et il le connaissait mieux que personne au monde —, on lui aurait donné l'emploi qu'il postulait. A présent, il serait vivant et en bonne santé.

« Je ne me le pardonnerai jamais, se disait Jean. Jamais plus je ne connaîtrai le bonheur. J'ai été un parfait imbécile et un vrai salaud ! »

En le voyant pleurer la mort de son ami, Marie-Louise s'efforçait de le consoler. Elle était gentillette et aimait son mari.

— Tu prends ça trop à cœur ! Après tout, tu serais resté cinq ans sans le revoir et tu l'aurais ensuite trouvé si différent que vous n'auriez plus rien eu en commun. Tu te serais vu en face d'un étranger. Je n'ai connu ça que trop souvent : la joie des retrouvailles et puis, moins d'une demi-heure après, le sentiment qu'on n'a plus rien à se dire !

— Sans doute as-tu raison, dit-il en soupirant.

— Il était trop tête en l'air pour faire vraiment son chemin. Il n'a jamais eu ta force de caractère, ta lucidité et ton sens pratique.

Jean savait bien à quoi elle pensait. Quelle aurait été sa situation présente si, après avoir suivi Riri en Indochine, elle s'était retrouvée veuve à vingt et un ans avec pour seules ressources les deux cent mille francs de son héritage ? Elle l'avait échappé belle et se félicitait de son discernement. Jean était un mari dont elle pouvait être fière. Il avait de bons revenus.

Le remords s'empara de lui. Ses tourments antérieurs n'étaient rien auprès de ceux qu'il connaissait maintenant. Le souvenir de sa perfidie lui rongeait les entrailles. Il l'envahissait brusquement au milieu de son travail et la détresse lui étreignait le cœur. Elle était si intense qu'il brûlait de s'en libérer par la confession et il dut lutter contre lui-même pour ne pas tout dire à Marie-Louise. Car il savait comment elle prendrait son aveu : loin d'en être choquée, elle admirerait l'adresse dont il avait fait preuve et se sentirait secrètement flattée que son amour pour elle l'ait amené à commettre un acte indigne. Elle ne pouvait lui être d'aucune aide. Peu à peu, il la prit en grippe. Après tout, c'était pour elle qu'il s'était avili, alors qu'elle n'était qu'une petite bonne femme très ordinaire, médiocre, intéressée.

« Quel idiot j'ai été ! » se répétait-il.

Il ne la trouvait même plus jolie et mesurait à présent toute sa stupidité. Mais, bien sûr, ce n'était pas sa faute ; et il ne pouvait pas, non plus, lui reprocher sa propre perfidie. Aussi s'obligea-t-il à rester aussi prévenant et tendre que jamais à son égard. Il ne lui refusait rien : ses moindres désirs étaient pour lui des ordres dans les limites de ses moyens. Il essaya de la prendre en pitié, de faire la part des choses. Il se disait que, dans son optique étroite, elle se comportait en bonne épouse, ordonnée, peu dépensière, faisant honneur à un jeune mari d'un milieu respectable, par son maintien, sa façon de s'habiller, sa présentation. Tout cela était vrai ; mais c'était à cause d'elle que Riri était mort et il la haïssait. Elle l'ennuyait prodigieusement. Il avait beau n'en rien laisser filtrer dans ses paroles, faire preuve de gentillesse, d'indulgence, d'amitié, l'envie de la tuer le prenait souvent.

Pourtant, quand il le fit, ce fut presque sans le vouloir.

Dix mois après la mort de Riri, ses parents, M. et Mme Renard, donnèrent une réception pour célébrer les fiançailles de leur fille. Jean, qui les avait peu vus depuis la mort de son ami, ne voulait pas s'y rendre. Mais Marie-Louise fut péremptoire : en tant qu'ami intime du défunt, Jean pécherait gravement contre les convenances en n'assistant pas à une réception importante donnée par sa famille. Elle avait un sens très aigu des obligations mondaines.

— D'ailleurs, ça te changera les idées. Tu es si déprimé depuis des mois qu'une petite distraction te fera du bien. Il devrait bien y avoir du champagne ? Mme Renard est toujours près de ses sous mais, pour la circonstance, il faudra bien qu'elle fasse un sacrifice !

Marie-Louise avait ri sous cape à l'idée du crève-cœur que ce serait pour elle d'avoir à desserrer les cordons de sa bourse.

La soirée fut très gaie. Jean avait eu un choc en voyant que les parents de Riri utilisaient l'ancienne chambre de leur fils comme vestiaire pour les invités des deux sexes. Il y avait du champagne à gogo. Jean but beaucoup pour noyer le remords qui le tenaillait. Il voulait chasser le souvenir du regard de son ami, pétillant de gaieté, ne plus entendre ses éclats de rire. Ils rentrèrent chez eux à trois heures du matin. Comme c'était un dimanche, ce qui dispensait Jean de se rendre au travail, sa femme et lui firent la grasse matinée. Autant rapporter la suite dans les propres termes de Jean Charvin.

— J'avais la migraine en me réveillant. Marie-Louise était levée. Elle se brossait les cheveux devant sa coiffeuse. J'ai toujours aimé la culture physique et je faisais des exercices tous les matins. Ce jour-là ça ne me tentait pas trop mais, avec tout le champagne que j'avais bu, je me suis dit que ça me ferait du bien. Je me suis levé à mon tour et j'ai pris mes haltères. Nous avions une chambre à coucher assez grande si bien que j'avais largement la place de faire mes mouvements entre le lit et la table de toilette devant laquelle Marie-Louise était assise. J'ai fait mes exercices habituels. Depuis peu, Marie-Louise avait changé de coiffure et je trouvais hideuse sa coupe à la Jeanne d'Arc. De dos, elle ressemblait à un garçon et, de voir ses cheveux tondus sur la nuque, me levait presque le cœur. Elle a reposé ses brosses sur la table et s'est mise à se poudrer.

« En l'entendant ricaner, je lui ai demandé :

« — Qu'est-ce qui t'amuse ?

« — Je pense à Mme Renard. Elle portait la même robe que le jour de notre mariage. Elle l'a fait teindre et retaper mais, avec moi, ça ne prend pas. Je l'aurais reconnue entre mille.

« La stupidité de sa remarque m'a mis hors de moi. La rage m'a pris et je l'ai frappée sur la tête de toutes mes forces avec l'haltère que j'avais dans la main. J'ai dû lui fracasser le crâne. Elle est morte deux jours plus tard à l'hôpital, sans avoir repris connaissance.

Un silence tomba. Je lui offris une cigarette ; et en allumai une de mon côté.

— Je préférais ça. Nous n'aurions jamais pu nous remettre ensemble et j'aurais eu du mal à lui faire comprendre les raisons de mon geste.

— Assurément !

— On m'a arrêté sous l'inculpation d'homicide volontaire et je suis passé en jugement. Bien entendu, j'ai plaidé l'accident : j'ai prétendu que l'haltère m'avait échappé. Mais le résultat de l'examen médico-légal m'était défavorable. L'accusation a démontré qu'une blessure aussi grave supposait un coup délibéré asséné avec force. Heureusement pour moi, on n'a pas réussi à me trouver de mobile. Le procureur a essayé d'établir qu'au cours de la soirée un invité avait fait des avances à Marie-Louise et que la jalousie expliquait notre dispute. Mais l'homme mis en cause s'est présenté pour dire sous la foi du serment que rien dans sa conduite n'aurait pu expliquer cette réaction de ma part ; et d'autres personnes présentes ont attesté que nous nous étions, lui et moi, quittés en très bons termes. Comme les enquêteurs avaient trouvé sur la table de toilette une note impayée de couturière, l'accusation s'est rabattue sur l'hypothèse que la dispute était partie de là. Mais j'ai pu faire la preuve que Marie-Louise tirait sur ses fonds propres pour régler ses dépenses vestimentaires, ce qui éliminait une telle supposition. Des témoins sont venus à la barre affirmer que je me montrais toujours prévenant avec ma femme : tout le monde nous tenait pour un couple très uni. Ma moralité était irréprochable et mon employeur a parlé de mon travail en termes élogieux. A aucun moment du procès je n'ai été poussé dans mes retranchements, et j'ai même cru un instant que j'avais des chances de me faire acquitter. Au bout du compte je m'en suis tiré avec six ans ferme.

« Je ne regrette pas ce que j'ai fait. Parce qu'à partir de ce jour, tout le temps que j'étais en prison dans l'attente du procès, et depuis que je suis ici, j'ai cessé de me tourmenter à propos de Riri. Si j'étais superstitieux, je serais tout prêt à dire que la mort de Marie-Louise a conjuré son fantôme. J'ai la conscience en paix et, quand je pense à mon ancien tourment, je ne regrette aucune de mes épreuves. J'ai l'impression aujourd'hui de pouvoir à nouveau regarder les gens en face.

Je sais que cette histoire est extravagante. Je suis un auteur plutôt réaliste, soucieux de vraisemblance dans mes nouvelles. J'évite scrupuleusement les anecdotes bizarres et les sujets baroques. Si j'avais moi-même inventé ce récit, je l'aurais, à coup sûr, rendu bien plus crédible. Tel qu'il est, si je ne l'avais pas entendu de mes propres oreilles, je me demande si j'y ajouterais foi. Jean Charvin disait-il vrai ? En tout cas, les paroles sur lesquelles il conclut sa dernière visite avaient l'accent de la vérité. Je venais de l'interroger sur ce qu'il ferait plus tard.

— J'ai des amis en France qui travaillent pour moi, me répondit-il. Beaucoup de gens ont pensé, au moment de mon procès, que j'étais la victime d'une grave erreur judiciaire. Le directeur de la firme qui m'employait est persuadé que j'ai été condamné à tort et il se peut que je bénéficie d'une réduction de peine. Même dans la négative, je crois pouvoir compter sur l'autorisation de rentrer en France au terme de mes six ans. Je me suis rendu utile au pénitencier. Les comptes y étaient très mal tenus avant que je les prenne en main : à présent, ils sont impeccables. Je me suis aperçu qu'il y avait du coulage et, si on me donne carte blanche, je dois pouvoir l'arrêter. Le commandant m'aime bien et je suis sûr qu'il fera tout ce qu'il pourra pour moi. Au pis, je n'aurai pas beaucoup plus de trente ans à mon retour de Guyane.

— Mais n'aurez-vous pas de mal à trouver un emploi ?

— Un bon comptable dans mon genre, honnête et travailleur, trouve toujours à se caser. Bien sûr, je ne pourrai plus habiter Le Havre, mais le directeur de ma firme a des relations d'affaires à Lille, à Lyon et à Marseille et il a promis de m'aider. Non, je ne m'inquiète pas pour les années à venir. Je m'installerai dans une ville quelconque et, dès que j'y aurai fait mon trou, je me remarierai. Après ce que j'ai subi, j'ai besoin d'un foyer.

Nous étions assis dans l'un des angles de la véranda qui courait tout autour de la maison pour capter le moindre souffle d'air et je n'avais pas tiré la jalousie qui donnait vers le nord. La bande de ciel que l'on apercevait — avec, à un bout, un unique cocotier dont le vert des palmes tranchait sur l'azur — faisait songer à la publicité d'une croisière tropicale. Le regard de Charvin scruta l'horizon comme s'il tentait d'y déchiffrer l'avenir.

— Mais la prochaine fois, dit-il d'un air pensif, plus question de sentiments : il faudra que je fasse un mariage d'intérêt.

Le lotophage [1]

La plupart des gens — à vrai dire, la grande majorité — mènent la vie qui leur a été imposée par les circonstances. Bien que certains pestent contre leur sort, estimant qu'ils sont aussi peu à leur place que des chevilles rondes dans des trous carrés, et qu'ils pensent que, si les choses en avaient été autrement, ils auraient pu se présenter sous un jour plus favorable, ils l'acceptent, sinon avec sérénité, du moins avec résignation. Ils ressemblent à des tramways condamnés à rouler éternellement sur les mêmes rails. Ils accomplissent le même parcours, dans un mouvement de va-et-vient inéluctable, jusqu'au jour où, hors de service, ils sont bons pour la ferraille. Il n'est pas courant de trouver un homme qui ait eu l'audace de prendre en main le cours

---

1. Le titre fait évidemment référence à l'*Odyssée* de Homère (Chant IX, v. 82 *et seq.*) évoquant le peuple dont la coutume est de manger la fleur de lotus qui confère « l'oubli du retour ». Après y avoir goûté, les marins d'Ulysse, lassés par le long voyage qui doit les ramener dans leur pays, ne veulent plus repartir. Ulysse est contraint de les embarquer de force, malgré leurs larmes, les attachant sous les bancs des rameurs. Épisode qui n'est pas sans rappeler celui du Chant XII, où Ulysse protège ses marins du chant sublime mais maléfique des sirènes, en leur mettant de la cire dans les oreilles, en même temps qu'il leur demande de l'enchaîner au mât, pour lui permettre d'écouter les tentatrices sans risquer d'échouer le navire. *(N.d.T.)*

de son existence. Lorsque cela se produit, un tel homme vaut la peine qu'on l'examine attentivement.

C'est pourquoi j'étais curieux de rencontrer Thomas Wilson. Ce qu'il avait fait était intéressant et audacieux. Bien sûr, tout n'était pas encore fini, et tant que l'expérience n'était pas achevée, il était impossible d'affirmer qu'elle avait réussi. Mais d'après ce que j'en avais entendu dire, il semblait que ce devait être un gars étrange, et je pensais que j'aurais plaisir à le connaître. On m'avait dit qu'il était réservé, mais j'avais idée qu'avec de la patience et du tact je pourrais le persuader de se confier à moi. Je voulais entendre la vérité de sa propre bouche. Les gens exagèrent, ils aiment faire du roman, et je m'attendais facilement à découvrir que son histoire n'était pas tout à fait aussi singulière qu'on m'avait incité à le croire.

Et cette impression fut confirmée lorsque je fis enfin sa connaissance. C'était sur la Piazza à Capri, où je passais le mois d'août dans la villa d'un ami, peu avant le coucher du soleil, à l'heure où les habitants, autochtones et étrangers, se rassemblent pour bavarder entre amis à la fraîche. Il y a une terrasse qui surplombe la baie de Naples, et lorsque le soleil s'enfonce lentement dans la mer, l'île d'Ischia se découpe sur un embrasement grandiose. C'est un des plus magnifiques panoramas du monde. Je me tenais là en compagnie de mon hôte et ami, lorsqu'il s'écria soudain :

— Tiens, voilà Wilson !

— Où donc ?

— C'est l'homme assis sur le parapet, celui qui nous tourne le dos. Il a une chemise bleue.

Je vis un dos qui n'avait rien de remarquable et une petite tête couverte de cheveux gris, courts et plutôt clairsemés.

— Je voudrais qu'il se retourne, dis-je.

— Il ne va pas tarder à le faire.

— Demandez-lui de venir prendre un verre avec nous chez Morgano.

— D'accord.

L'instant de beauté écrasante était passé et le soleil, ressemblant au sommet d'une orange, plongeait dans une mer lie-de-vin. Nous nous retournâmes et, nous adossant au parapet, regardâmes les flâneurs qui allaient et venaient. Ils jacassaient tous à qui mieux mieux, et ce bruit animé avait quelque chose d'émoustillant. Puis la cloche de l'église fit entendre une belle note vibrante, quoique un peu fêlée. La Piazza de Capri, avec son campanile dominant le chemin qui monte au port, et l'église tout en haut d'un escalier, est le cadre idéal pour un opéra de Donizetti, et on avait l'impression que la foule volubile pouvait à tout moment entonner un chœur fracassant. C'était charmant et irréel.

J'étais si absorbé par la scène que je n'avais pas vu Wilson descendre du parapet et venir vers nous. Tandis qu'il arrivait à notre hauteur, mon ami l'arrêta.

— Salut, Wilson. Je ne vous ai pas vu vous baigner ces derniers jours.

— Je me baigne de l'autre côté, pour changer.

Mon ami alors me présenta. Wilson me serra la main poliment mais avec indifférence. Nombre d'étrangers viennent à Capri pour quelques jours ou quelques semaines, et j'étais persuadé qu'il rencontrait constamment des gens qui ne faisaient que passer. Puis mon ami lui demanda de venir prendre un verre avec nous.

— J'allais juste rentrer dîner, dit-il.

— Est-ce que cela ne peut pas attendre ? demandai-je.

— Je suppose que oui, dit-il en souriant.

Bien qu'il n'eût pas de belles dents, son sourire était séduisant, empreint de douceur et d'aménité. Il portait une chemise de coton bleu et un pantalon de toile fine grise, tout froissé et pas très propre, et il était chaussé d'une paire d'espadrilles râpées. Cet accoutrement était pittoresque et convenait bien au lieu et au temps, mais il n'allait pas du tout avec son visage qui était allongé, ridé, tanné par le soleil, aux lèvres minces, aux petits yeux gris, plutôt rapprochés, et aux jolis traits nets. Ses cheveux grisonnants étaient brossés avec soin. Ce visage n'était pas dénué de séduction, il n'était pas impossible même que Wilson eût été beau garçon dans sa jeunesse, mais avec quelque chose de compassé. On eût dit que la chemise bleue au col ouvert et le pantalon de toile grise qu'il portait n'étaient pas à lui, comme s'il venait d'être surpris par un naufrage, en pyjama, et que des étrangers compatissants l'eussent affublé de vêtements dépareillés. En dépit de cette tenue négligée, il avait l'air du directeur d'une succursale de compagnie d'assurances, dont on attendrait, comme il se doit, qu'il portât un veston noir et un pantalon de drap marengo, un col blanc et une cravate impeccable. Je me serais très bien vu m'adressant à lui pour lui réclamer l'argent de l'assurance, après la perte d'une montre, plutôt déconcerté tandis que je répondais à ses questions par l'impression évidente qu'il avait, malgré toute sa politesse, que les gens qui faisaient de telles réclamations ne pouvaient qu'être bêtes ou méchants.

Nous avançâmes, traversant la Piazza d'un pas nonchalant, et redescendîmes la rue jusque chez Morgano. Nous nous installâmes dans le jardin. Tout autour de nous, les gens parlaient russe, allemand, italien et anglais. Nous commandâmes à boire. Donna Lucia, la femme du patron, s'approcha en se dandinant et, de sa voix grave et suave, échangea quelques mots avec nous. Bien qu'elle fût maintenant d'un certain âge, et malgré sa corpulence, elle avait gardé des vestiges de la beauté éblouissante qui, il y avait trente ans, avait inspiré aux artistes tant de portraits exécrables d'elle. Elle avait les grands yeux limpides d'Héra, et un sourire affectueux et gracieux. Nous bavardâmes tous les trois un moment, car il y a toujours quelque bon petit scandale à Capri

pour alimenter la conversation, mais rien de bien intéressant ne circula ce jour-là, et Wilson ne tarda pas à se
lever et nous quitta. Peu après, nous nous rendîmes, tout
en flânant, à la villa de mon ami pour dîner. Chemin faisant, il me demanda ce que je pensais de lui.

— Rien, dis-je. Je ne crois pas qu'il y ait un mot de
vrai dans votre histoire.

— Pourquoi pas ?

— Ce n'est pas le genre d'homme à faire ça.

— Comment peut-on savoir ce dont on est capable ?

— Je le prendrais facilement pour un homme d'affaires parfaitement normal qui vit de ses rentes, avec un
confortable revenu assuré par des valeurs de père de
famille. Je crois que votre histoire fait partie tout simplement des potins habituels de Capri.

— A votre aise, dit mon ami.

Nous avions l'habitude de nous baigner sur une plage
appelée les Bains de Tibère. Nous prenions une calèche
pour descendre la route jusqu'à un endroit d'où nous
vagabondions à pied parmi des bois de citronniers et des
vignobles vibrant des chants des cigales et lourds du
parfum ardent du soleil. Nous parvenions finalement au
sommet de la falaise et, de là, un sentier raide en lacet
nous conduisait à la mer. Un ou deux jours plus tard,
alors que nous nous apprêtions à descendre, mon ami
me dit :

— Tiens, voilà encore Wilson.

Nous traversâmes la plage dans un crissement de
galets, car c'était là le seul inconvénient de ce lieu de
baignade, il n'y avait pas de sable, et comme nous avan-
cions, Wilson nous aperçut et nous fit signe de la main.
Il était debout, la pipe à la bouche, portant simplement
un caleçon de bain. Il avait un corps bronzé, mince mais
pas maigre, avec un air juvénile qui contrastait avec son
visage ridé et ses cheveux gris. La marche nous avait
mis en nage. Nous nous déshabillâmes prestement
et plongeâmes aussitôt dans l'eau. A deux mètres du

rivage, l'eau était profonde de dix mètres, mais elle était si limpide qu'on pouvait voir le fond. Elle était tiède mais cependant vivifiante.

Lorsque je sortis de l'eau, Wilson était couché sur le ventre, allongé sur une serviette, lisant un livre. J'allumai une cigarette et allai m'asseoir près de lui.

— La baignade était bonne ? demanda-t-il.

Il mit sa pipe dans son livre pour marquer la page, le referma et le posa sur les galets à côté de lui. Il était manifestement tout disposé à bavarder.

— Merveilleuse, dis-je. Il n'est pas de meilleur endroit au monde pour se baigner.

— Bien sûr, on présume qu'il y avait là les Bains de Tibère.

Il désigna de la main une masse informe de maçonnerie qui émergeait à moitié de l'eau.

— Mais c'est de la blague. C'était seulement une de ses villas, vous savez.

Je le savais. Mais il vaut mieux laisser parler les gens quand l'envie les prend. Cela les dispose favorablement à votre égard si vous avez la patience de les écouter pontifier. Wilson eut un petit gloussement.

— Drôle de bonhomme, que ce vieux Tibère ! On dit actuellement qu'il n'y a pas un mot de vrai dans toutes ces histoires qui circulent sur son compte, et c'est dommage.

Il se mit à me raconter par le menu la vie de Tibère. Ma foi, j'avais lu moi aussi mon Suétone et je connaissais l'histoire du début de l'Empire romain. Il ne m'apprit donc pas grand-chose. Je notai toutefois qu'il était loin d'être inculte. Je lui en fis la remarque.

— Eh bien ! le sujet m'intéressait tout particulièrement lorsque je me suis installé ici, et j'ai tout mon temps pour lire. Quand on vit dans un lieu comme celuici, parmi tous ces souvenirs, cela semble donner une telle réalité à l'histoire qu'on a l'impression de vivre soi-même une époque historique.

Je dois dire à ce propos que cela se passait en 1913. Tout n'était que facilité et confort dans le monde, et il eût été impossible d'imaginer qu'il pût se passer quoi que ce fût de grave pour troubler la sérénité de la vie.

— Depuis quand êtes-vous ici ? demandai-je.

— Quinze ans.

Il jeta un coup d'œil sur la mer bleue et calme et un sourire d'une étrange tendresse flotta sur ses lèvres minces.

— Dès que j'ai vu cet endroit j'ai eu le coup de foudre. Vous avez entendu parler, je suppose, de cet Allemand légendaire qui est venu ici par le bateau de Naples juste pour déjeuner et voir la Grotte Bleue, et qui est resté quarante ans. Je ne peux pas dire que ce soit exactement mon cas, mais cela revient finalement au même. Seulement, il ne s'agira pas de quarante ans pour moi, mais de vingt-cinq. Ça vaut toujours mieux que de se crever un œil.

J'attendais qu'il poursuivît. Car ce qu'il venait de dire donnait l'impression qu'il pouvait bien y avoir du vrai après tout dans l'histoire singulière que j'avais apprise. Mais à cet instant mon ami sortit ruisselant de l'eau, tout fier de lui, parce qu'il avait parcouru un mille à la nage, et la conversation dévia vers d'autres sujets.

Après cela je rencontrai Wilson plusieurs fois, soit sur la Piazza, soit sur la plage. Il était aimable et poli et il avait toujours plaisir à bavarder un peu, et je découvris qu'il connaissait comme sa poche non seulement l'île mais aussi le continent avoisinant. Il avait beaucoup lu sur toute sorte de sujets, mais sa spécialité était l'histoire de Rome, et il était très ferré sur la question. Il semblait doué de peu d'imagination et d'une intelligence à peine moyenne. Il riait beaucoup mais avec retenue, et son sens de l'humour était émoustillé par les plaisanteries les plus simples. En somme, un homme tout à fait ordinaire. Je n'avais pas oublié la remarque bizarre qu'il avait faite au cours de notre bref entretien

238

du début, mais il n'y fit plus jamais allusion. Un jour, au retour de la plage, en renvoyant la calèche à la Piazza, mon ami et moi demandâmes au cocher de se tenir prêt à nous conduire à Anacapri à cinq heures. Nous projetions de monter sur le Monte Solaro dîner dans une taverne que nous affectionnions tout particulièrement, et de redescendre à pied sous le clair de lune. Car c'était la pleine lune et, de nuit, le paysage était merveilleux. Wilson, à qui nous avions proposé de monter, pour lui éviter une marche fatigante dans la chaleur et la poussière, attendait à nos côtés, tandis que nous donnions au cocher nos instructions, et, plus par politesse que pour toute autre raison, je lui demandai s'il avait envie de se joindre à nous.

— C'est moi qui vous invite, dis-je.

— J'accepte avec plaisir, répondit-il.

Mais lorsque vint le moment de nous mettre en route, mon ami ne se sentit pas très bien. Il avait l'impression d'être resté trop longtemps dans l'eau et il n'eut pas le courage d'affronter cette longue randonnée. Je partis donc seul avec Wilson. Après avoir gravi la montagne et admiré le panorama, nous revînmes à l'auberge à la tombée de la nuit, accablés de chaleur, assoiffés et affamés. Nous avions commandé notre repas à l'avance. Les mets furent très bons, car Antonio était un excellent cuisinier. Le vin était le produit de ses vignes, il était si léger qu'il faisait l'effet de pouvoir se boire comme de l'eau, et nous vidâmes la première bouteille avec les macaronis. Après avoir fini la seconde, nous eûmes l'impression que plus rien n'allait vraiment mal dans le monde. Nous étions installés dans un petit jardin, sous une grande treille chargée de raisins. L'air était d'une douceur exquise. La nuit était sereine et nous étions seuls. La servante nous apporta du *bel paese* et une assiette de figues. Je commandai du café et de la strega, qui est la meilleure liqueur de fabrication italienne. Wilson refusa un cigare pour allumer sa pipe.

— Nous avons tout notre temps avant qu'il soit l'heure de repartir, dit-il, la lune ne passera pas sur la colline d'ici une bonne heure.

— Lune ou pas lune, dis-je vivement, nous avons bien sûr tout notre temps. C'est un des charmes de Capri, qu'il ne soit jamais nécessaire de se presser.

— Si seulement les gens savaient ce que sont les loisirs, dit-il. C'est la chose la plus précieuse qu'un homme puisse posséder, et ils sont si stupides qu'ils ne savent même pas que c'est le but de la vie. Le travail ? Ils travaillent pour le plaisir de travailler. Ils n'ont même pas assez de cervelle pour comprendre que la seule raison d'être du travail est de procurer des loisirs.

Le vin a pour effet sur certaines personnes de les inciter à philosopher. Ces remarques étaient vraies, mais personne n'eût pu prétendre qu'elles étaient bien originales. Je ne dis rien, mais frottai une allumette pour allumer mon cigare.

— C'était une nuit de pleine lune, la première fois que je suis venu à Capri, poursuivit-il, méditatif. C'était peut-être la même lune que ce soir.

— C'était la même, vous savez, dis-je en plaisantant.

Il eut un large sourire. La seule lumière du jardin était celle qui parvenait d'une lampe à huile accrochée au-dessus de nos têtes. Elle avait été insuffisante pour le dîner, mais elle était maintenant propice aux confidences.

— Ce n'est pas ce que je voulais dire. Je veux dire que cela aurait pu être hier. Ça remonte à quinze ans, et quand je regarde en arrière, j'ai l'impression que ça fait un mois. Je n'étais jamais allé en Italie auparavant. J'y suis venu pour mes vacances d'été. J'ai pris à Marseille le bateau pour Naples, et j'ai visité les environs, Pompéi, bien entendu, Paestum, et un ou deux endroits de ce genre. Puis je suis venu passer une semaine ici. Cet endroit avait un air qui me plut tout de suite, je veux dire, depuis la mer, à mesure que je le voyais s'approcher, et puis lorsque nous sommes montés dans les canots du vapeur et que nous avons débarqué sur le quai, avec toute cette foule de gens qui baragouinaient pour prendre vos bagages, et les rabatteurs des hôtels, et les maisons délabrées de la Marina, l'allée qui menait à l'hôtel, le dîner sur la terrasse — eh bien, tout cela m'a emballé. Voilà la vérité. Je ne savais plus où j'en étais. Je n'avais jamais bu de vin de Capri avant, mais j'en avais entendu parler. Je crois que je devais avoir du vent dans les voiles. Je suis resté assis à la terrasse, après qu'ils furent tous allés se coucher, à regarder la lune sur la mer, tandis qu'un grand panache de fumée rouge s'élevait du Vésuve. Bien sûr, je sais maintenant que le vin que j'ai bu était de la teinture, du vin de Capri ? Mon œil ! Mais je trouvai ça très bien à ce moment-là. En fait, ce n'est pas le vin qui m'avait tourné la tête, c'était la configuration de l'île et tous ces gens qui jacassaient, la lune et la mer et les lauriers-roses du parc de l'hôtel. Je n'avais jamais vu de laurier-rose de ma vie.

Ce long discours lui avait donné soif. Il leva son verre, mais il était vide. Je lui demandai s'il voulait une autre strega.

— C'est une mixture écœurante. Prenons une bouteille de vin. Ça, c'est une boisson saine, le pur jus de la treille, ça ne peut faire de mal à personne.

Je commandai encore du vin et, quand on nous l'apporta, j'emplis les verres. Il but une longue rasade et, après un soupir de contentement, il poursuivit :

— Le lendemain, je découvris le lieu de baignade que nous fréquentons. Je me dis que le coin n'était pas mal. Puis je déambulai dans l'île. La chance voulut qu'il y eût une *festa* en haut de la Punta di Timberio, et que je me retrouve au beau milieu de la procession. Une statue de la Vierge, des prêtres et des officiants agitant des encensoirs, et toute une foule de joyeux lurons hilares, surexcités, dont beaucoup étaient costumés. Je tombai sur un Anglais qui se trouvait là et lui demandai ce qui se passait. « Oh, c'est la fête de l'Assomption, dit-il, du moins selon l'Église catholique, mais ce n'est que de la mascarade. C'est la fête de Vénus. Simple paganisme, vous savez. Aphrodite sortant de l'onde, et la suite. » Cela me fit vraiment une drôle d'impression de l'entendre. Cela semblait vous ramener des lieues en arrière, si vous voyez ce que je veux dire. Après cela, une nuit, je descendis jeter un coup d'œil aux Faraglioni au clair de lune. Si le destin avait voulu que je continue à être directeur de banque, il n'aurait pas dû me laisser faire cette promenade.

— Vous étiez donc directeur de banque ?

Je m'étais trompé sur son compte, mais pas de beaucoup.

— Oui, j'étais directeur de la succursale de Crawford Street de la banque York and City. J'habitais en haut de Hendon Way, et c'était bien pratique. Je pouvais me rendre de chez moi au bureau en trente-sept minutes.

Il tira sur sa pipe et la ralluma.

— Ce fut bel et bien ma dernière nuit. Je devais être de retour à la banque le lundi matin. Lorsque je vis ces deux grands rochers émergeant de l'eau, avec la lune au-dessus, et tous les petits lumignons des barques en train de pêcher la seiche au lamparo, tout ça si paisible, si beau, je me suis dit, après tout, ma foi, pourquoi y retournerais-je ? Cela aurait été différent si j'avais eu quelqu'un à ma charge. Ma femme était morte d'une broncho-pneumonie quatre ans auparavant, et la gosse était allée vivre avec sa grand-mère maternelle. C'était une vieille folle, elle ne s'occupa pas de la gosse convenablement et, après une septicémie, il fallut l'amputer de la jambe, mais on ne put la sauver, et elle en est morte, la pauvre petite.

— C'est affreux, dis-je.

— Oui, je fus très affecté à l'époque, bien sûr pas autant cependant que si la gosse avait vécu avec moi. Je suppose que ce fut une délivrance. Une fille unijambiste n'a guère de chances dans la vie. Ça m'a fait beaucoup de peine aussi pour ma femme. Nous nous entendions très bien. Je ne sais pas néanmoins si cela aurait continué. C'était le genre de femme à toujours s'inquiéter de ce que pensent les gens. Elle n'aimait pas les voyages. Les vacances, pour elle, c'était Eastbourne[1]. Et si je vous disais qu'il a fallu que j'attende sa mort pour traverser la Manche !

— Mais je suppose que vous avez d'autres parents, n'est-ce pas ?

— Aucun. J'étais fils unique. Mon père avait un frère, mais il est parti pour l'Australie avant ma naissance. Je ne crois pas qu'on puisse être plus seul au monde que moi. Je ne voyais vraiment pas pourquoi je n'aurais pas fait exactement ce qui me plaisait. J'avais trente-quatre ans à l'époque.

Il m'avait dit qu'il était sur l'île depuis quinze ans. Cela devait lui faire quarante-neuf ans. Pratiquement l'âge que je lui avais donné.

— A dix-sept ans, je travaillais déjà. Ma seule perspective d'avenir était de répéter le même train-train jour après jour jusqu'à la retraite. Je me dis : « Est-ce que cela en vaut la peine ? Quel mal y aurait-il à tout envoyer balader et à passer ici le reste de ma vie ? » C'était l'endroit le plus beau que j'eusse jamais vu. Mais j'avais été formé au monde des affaires et j'étais prudent de nature. « Non, me dis-je, ne nous emballons pas comme ça, je partirai demain comme je l'ai décidé et je réfléchirai à la question. Peut-être que de retour à Londres je verrai les choses sous un jour tout différent. » Quel fichu imbécile j'ai fait, j'ai perdu ainsi une année entière.

— Vous n'avez donc pas changé d'avis ?

— Bien sûr que non. Au travail, je ne cessais de pen-

---

1. Station balnéaire bourgeoise du Sussex. *(N.d.T.)*

ser tout le temps aux bains d'ici, aux vignes, aux promenades sur les collines, à la lune, à la mer, à la Piazza le soir quand tout le monde sort se promener et faire un brin de causette après le travail de la journée. Il n'y avait qu'une chose qui me tracassait : je n'étais pas sûr d'avoir bien le droit de ne pas travailler comme tous les autres. C'est alors que je lus une espèce de roman historique d'un certain Marion Crawford[1], où il y avait une histoire sur Sybaris et Crotone. Il s'agissait de deux villes : à Sybaris, les gens se contentaient de jouir de la vie et de prendre du bon temps. A Crotone, ils étaient diligents, travailleurs, et tout le reste. Un jour, les habitants de Crotone envahirent Sybaris et rasèrent la ville. Et puis, quelque temps après, tout un tas d'autres types venus d'ailleurs les envahirent à leur tour et les exterminèrent. Il ne subsiste rien de Sybaris, pas une pierre, et tout ce qui reste de Crotone, c'est juste une unique colonne. L'affaire était réglée pour moi.

— Ah, bon ?

— Finalement cela revenait au même, non ? Avec le recul, qui étaient les jobards ?

Je ne répondis pas et il poursuivit :

— Le problème, c'était l'argent. La banque n'accordait pas de retraite avant trente ans de service, mais pour un départ anticipé on vous donnait une prime. En y ajoutant ce que m'avait rapporté la vente de ma maison et le peu que j'avais réussi à économiser, je n'avais pas tout à fait de quoi me servir une rente jusqu'à la fin de mes jours. Il aurait été stupide de tout sacrifier pour connaître une vie agréable, et de ne pas avoir de revenus suffisants pour la rendre agréable. Je voulais avoir un petit coin à moi, un domestique pour me servir, de quoi m'acheter du tabac, une nourriture convenable, des

---

1. Francis Marion Crawford (1854-1909), écrivain anglo-américain de romans historiques qui connurent une certaine vogue à l'époque. *(N.d.T.)*

livres de temps à autre, et un peu de superflu comme en-cas. Je savais très bien combien il me fallait et je calculai que j'avais juste de quoi m'offrir une rente pour une durée de vingt-cinq ans.

— Vous aviez alors trente-cinq ans ?

— Oui, cela devait me permettre de tenir jusqu'à soixante ans. Après tout, personne n'a la certitude de vivre au-delà, beaucoup d'hommes meurent à la cinquantaine, et quand on a atteint la soixantaine on a connu le meilleur de sa vie.

— D'ailleurs nul ne peut être sûr de mourir à soixante ans, remarquai-je.

— Ma foi, je n'en sais rien. Cela dépend de chacun, n'est-ce pas ?

— A votre place, je serais resté à la banque jusqu'au moment où j'aurais eu droit à ma retraite.

— J'aurais eu quarante-sept ans alors. Je n'aurais pas été trop vieux pour jouir de ma vie ici, je suis plus vieux que cela actuellement, et je n'en ai jamais autant joui, mais j'aurais été trop vieux pour goûter le plaisir particulier d'un homme jeune. Vous savez, on peut se donner du bon temps à cinquante ans tout comme à trente, mais ce n'est plus la même chose. Je voulais mener la vie idéale tant que j'en avais encore la force et la vitalité pour en tirer le meilleur parti. Vingt-cinq ans, ça me paraissait long et, vingt-cinq ans de bonheur, ça me semblait valoir la peine d'en faire les frais. J'avais décidé d'attendre un an et j'attendis un an, puis j'envoyai ma démission, et dès que j'eus touché ma prime, j'achetai ma rente et vins m'installer ici.

— Une rente sur vingt-cinq ans ?

— C'est cela.

— N'avez-vous jamais eu de regrets ?

— Jamais. J'en ai déjà eu pour mon argent. Et j'en ai encore pour dix ans. Ne croyez-vous pas qu'après vingt-cinq ans de bonheur parfait on devrait être satisfait de décrocher ?

— Peut-être.

Il ne s'étendit pas sur ce qu'il ferait alors, mais ses intentions ne faisaient aucun doute. Son récit confirmait pratiquement ce que m'en avait dit mon ami, mais dans sa bouche il avait une résonance toute différente. Je lui jetai un coup d'œil à la dérobée. Il n'y avait rien en lui d'exceptionnel. Personne, en regardant ce visage net et compassé, ne l'aurait cru capable de sortir des sentiers battus par une action d'éclat. Je ne le blâmais pas. C'était sa vie à lui qu'il avait organisée de cette étrange façon, et je ne voyais pas pourquoi il n'en aurait pas disposé à sa guise. Cependant je ne pus réprimer le petit frisson qui parcourut mon épine dorsale.

— Vous allez prendre froid, me dit-il avec un sourire. Nous pourrions tout aussi bien redescendre. La lune doit être haute maintenant.

Avant de nous séparer, Wilson me demanda s'il me plairait de visiter un jour sa maison, et deux ou trois jours plus tard, après avoir découvert où il habitait, je me rendis en flânant chez lui. C'était une petite maison de campagne, bien retirée de la ville, au milieu d'une vigne, avec vue sur la mer. Près de la porte poussait un grand laurier-rose en fleur. Il n'y avait que deux petites pièces, une cuisine minuscule et un appentis qui servait de resserre à bois. La chambre à coucher était meublée comme une cellule de moine, mais le salon, où flottait une agréable odeur de tabac, était assez confortable, avec deux grands fauteuils qu'il avait rapportés d'Angleterre, un bureau à cylindre imposant, un piano droit, et des étagères encombrées de livres, aux murs, des gravures dans des cadres, reproductions de tableaux de G.F. Watts et de Lord Leighton [1]. Wilson me dit que la mai-

_____

1. G.F. Watts (1817-1904) et Lord Leighton (1830-1896), peintres célèbres à l'époque victorienne, qui ont traité avec beaucoup de suffisance des sujets de la mythologie grecque. Le choix de Wilson trahit son goût artistique vulgaire. *(N.d.T.)*

son appartenait au propriétaire de la vigne, et que sa femme venait tous les jours faire le ménage et la cuisine. Il avait trouvé cette maison lors de sa première visite à Capri, et après l'avoir louée ferme à son retour, il l'occupait depuis. Voyant le piano et la partition ouverte dessus, je le priai de jouer.

— Je ne suis pas virtuose, vous savez, mais j'ai toujours aimé la musique et ça m'amuse beaucoup de pianoter.

Il s'assit au piano et joua un mouvement d'une sonate de Beethoven. Il ne jouait pas très bien. Je regardai son répertoire, Schumann et Schubert, Beethoven, Bach et Chopin. Sur la table où il prenait ses repas se trouvait un paquet de cartes graisseuses. Je lui demandai s'il faisait des réussites.

— Beaucoup.

D'après ce que j'avais vu et ce que j'avais appris de lui, je me fis une idée assez précise, je crois, de la vie qu'il avait menée au cours des quinze dernières années. C'était à coup sûr une existence bien anodine. Il se baignait. Il faisait de longues promenades, et son sentiment esthétique de l'île, qu'il connaissait si intimement, semblait toujours aussi vivace. Il jouait du piano et faisait des réussites. Il lisait. Lorsqu'on l'invitait à une soirée, il y allait, et bien qu'il fût un peu ennuyeux, il était agréable en société. Il ne se formalisait pas s'il était délaissé. Il aimait la compagnie, mais avec une réserve qui interdisait l'intimité. Il vivait de façon frugale mais dans un confort suffisant. Il n'avait pas un sou de dette. J'imagine que le sexe ne l'avait jamais beaucoup tourmenté, et si, lorsqu'il était plus jeune, il avait eu de temps à autre une aventure avec une touriste de passage dans l'île, à qui l'ambiance avait tourné la tête, lui, le temps de son idylle, avait bien gardé la sienne sur les épaules. Je crois qu'il était résolu à ne rien laisser faire obstacle à son indépendance d'esprit. Il n'avait qu'une passion, la beauté de la nature, et il recherchait la félicité dans les choses simples et naturelles que la vie offre à tout le monde. Vous me direz que c'était là une existence foncièrement égoïste. C'est vrai. Il n'était d'aucune utilité à personne, mais d'autre part il ne faisait de mal à personne. Son seul but était son bonheur personnel, et il semblait bien qu'il l'eût atteint. Très peu de gens savent où chercher le bonheur, moins encore le trouvent. J'ignore si c'était un fou ou un sage. C'était certainement un homme qui savait parfaitement ce qu'il voulait. Ce qu'il y avait de bizarre chez lui, c'est à quel point il pouvait être banal. Je ne lui aurais jamais accordé d'intérêt particulier si je n'avais su qu'un jour, dans dix ans, il lui faudrait délibérément prendre congé de ce monde qu'il aimait tant. Je me demandai si c'était cette pensée, qui n'était jamais tout à fait absente de son esprit, qui lui donnait cette ardeur particulière avec laquelle il jouissait de chaque instant du jour.

Ce ne serait pas lui rendre justice que d'omettre de préciser qu'il n'avait pas du tout l'habitude de parler de lui. Je crois que l'ami chez qui je séjournais était la seule personne à qui il se fût confié. Je suis persuadé qu'il ne m'avait raconté cette histoire que parce qu'il me soupçonnait de la connaître déjà. Et puis, le soir où il m'avait fait ses confidences, il avait bu beaucoup de vin.

Ma visite tirait à sa fin et je quittai l'île. La guerre éclata l'année suivante. Nombre d'événements vinrent traverser ma vie, qui s'en trouva passablement bouleversée, et ce n'est que treize ans plus tard que je retournai à Capri. Mon ami y était revenu depuis peu, mais sa fortune n'était plus ce qu'elle avait été, et il s'était installé dans une maison où il ne pouvait plus m'héberger. J'allais donc devoir descendre à l'hôtel. Il vint m'accueillir au bateau et nous dînâmes ensemble. Au cours du repas je lui demandai où se trouvait exactement sa maison.

— Mais vous la connaissez, répondit-il. C'est la maisonnette qu'occupait Wilson. J'y ai aménagé une pièce de plus et elle est très agréable maintenant.

J'avais eu tant de choses en tête que je n'avais pas accordé une seule pensée à Wilson depuis des années, mais à présent, avec un petit choc, je me souvins. Les dix ans qu'il avait devant lui lorsque j'avais fait sa connaissance avaient dû s'écouler depuis longtemps.

— Est-ce qu'il s'est suicidé comme il l'avait dit ?

— C'est une histoire plutôt affreuse.

Le plan de Wilson était parfait. Il n'y avait qu'une faille qu'il lui fut, je suppose, impossible de prévoir. Il ne lui était jamais venu à l'esprit qu'après vingt-cinq ans de bonheur sans mélange, dans ce havre de quiétude où rien au monde ne venait troubler sa sérénité, son caractère s'amollirait progressivement. La volonté a besoin d'obstacles pour exercer ses facultés. Quand elle n'est jamais contrecarrée, quand aucun effort n'est nécessaire pour réaliser ses désirs, parce qu'on s'est borné à ne vouloir que ce qui est à la portée de la main, la volonté est frappée d'impuissance. Si l'on marche tout le temps en terrain plat, les muscles nécessaires à l'ascension d'une montagne finissent par s'atrophier. Ces remarques n'ont rien d'original, mais elles sont l'évidence même. A l'expiration de sa rente, Wilson fut incapable de se résoudre à faire la fin qui était la rançon convenue en échange de cette longue période de bonheur tranquille. Je ne crois pas, d'après les informations que je pus recueillir, à la fois de mon ami et des autres par la suite, qu'il manquât de courage. C'est tout simplement qu'il lui fut impossible de prendre une décision, il la remettait chaque fois au lendemain.

Il vivait sur l'île depuis si longtemps et il avait toujours réglé ses comptes avec une ponctualité telle qu'il lui fut facile d'obtenir du crédit. N'ayant jamais emprunté d'argent auparavant, il trouva toute une foule de gens disposés à lui prêter de petites sommes, maintenant qu'il se mettait à quémander. Il avait payé son loyer si régulièrement pendant tant d'années que son propriétaire, dont la femme était toujours à son service, se contenta pendant plusieurs mois de laisser courir. Tout le monde le crut lorsqu'il déclara qu'un de ses parents était mort, et qu'il était momentanément gêné parce que, en raison des formalités légales, il ne pouvait, pendant un certain temps, toucher l'argent qui lui revenait. Il réussit à tenir, en vivotant ainsi aux crochets d'autrui, pendant un peu plus d'un an. Puis les commerçants du coin lui refusèrent tout crédit, et il n'y eut plus personne pour lui prêter de l'argent. Son propriétaire lui envoya son congé, le menaçant de l'expulser s'il ne payait pas les arriérés de loyer avant une certaine date.

La veille du jour fatidique, il entra dans sa chambre minuscule, ferma la porte et la fenêtre, tira le rideau et alluma un brasero de charbon de bois. Le lendemain matin, lorsque Assunta vint lui préparer son petit déjeuner, elle le trouva sans connaissance mais toujours vivant. La pièce était pleine de courants d'air, et bien qu'il l'eût calfeutrée le mieux possible pour empêcher l'air pur d'y pénétrer, il n'y était pas parvenu tout à fait. C'était à croire qu'à l'instant ultime, quelque désespérée que fût sa situation, il avait été pris d'une certaine défaillance de la volonté. On transporta Wilson à l'hôpital où il fut soigné pendant un certain temps et il finit par guérir. Mais, conséquence soit de l'intoxication au gaz carbonique, soit du choc émotionnel, il ne fut plus tout à fait maître de ses facultés. Il n'était pas fou, du moins pas assez pour être envoyé à l'asile, mais de toute évidence il n'avait plus toute sa raison.

— Je suis allé le voir, me dit mon ami. J'ai essayé de le faire parler, mais il n'a cessé de me regarder d'une drôle de façon, comme s'il ne pouvait réaliser tout à fait où il m'avait déjà vu. C'était affreux de le voir allongé sur son lit, avec une barbe grise d'une semaine, mais à part ce drôle d'air dans le regard, il semblait parfaitement normal.

— Quel drôle d'air dans le regard ?

— Je ne sais exactement comment le décrire. Un air hébété. Je vais faire une comparaison absurde. Imaginez que vous jetiez une pierre en l'air, et qu'elle ne retombe pas, mais qu'elle reste simplement là...

— Ce serait plutôt ahurissant, dis-je avec un sourire.

— Eh bien, c'est le genre de regard qu'il avait.

Il fut difficile de savoir ce qu'il fallait faire de lui. Il n'avait pas d'argent et aucun moyen de s'en procurer. On vendit ses affaires, mais cela ne rapporta pas de quoi payer ses dettes. Il était anglais, et les autorités italiennes ne tenaient pas à le prendre en charge. Le consul britannique à Naples ne disposait pas de fonds pour traiter de cette affaire. On pouvait bien le renvoyer en Angleterre, mais personne ne semblait savoir ce qu'on pourrait faire de lui quand il y serait. Alors Assunta la servante déclara qu'il avait été un bon maître et un bon locataire, et qu'il avait toujours payé son dû tant qu'il avait eu de l'argent. Il pouvait bien dormir dans la resserre à bois de la petite maison où elle habitait avec son mari, et partager leurs repas. On lui en fit la proposition. Il était difficile de savoir s'il comprenait ou pas. Lorsque Assunta vint le chercher à l'hôpital, il la suivit sans une remarque. Il ne semblait plus jouir de son libre arbitre. A présent, cela faisait deux ans qu'elle le gardait.

— Ce n'est pas très confortable, vous savez, me dit mon ami. Ils lui ont rafistolé un lit de fortune et lui ont donné deux couvertures, mais il n'y a pas de fenêtre ; c'est glacial en hiver, et une étuve en été. Et puis, la nourriture n'est pas très raffinée. Vous savez ce que mangent les paysans : macaronis le dimanche et de la viande tous les trente-six du mois.

— Que fait-il de son temps ?

— Il erre dans les collines. J'ai essayé deux ou trois fois de le rencontrer, mais cela ne sert à rien. Quand il vous voit approcher, il s'enfuit comme un lièvre. Assunta vient de temps à autre me faire un brin de causette, et je lui donne un peu d'argent pour qu'elle lui achète du tabac, mais Dieu sait s'il en voit jamais la couleur.

— Est-ce qu'ils le traitent convenablement ? demandai-je.

— Je suis sûr qu'Assunta est très bonne pour lui. Elle le traite comme un enfant. Mais j'ai bien peur que son mari ne soit pas très gentil avec lui. Il lésine sur ses frais d'entretien. Je ne crois pas qu'il soit cruel ou ce genre de chose, mais je pense qu'il est plutôt sec avec lui. Il l'envoie chercher de l'eau, lui fait nettoyer l'étable, et autres corvées semblables.

— Tout cela m'a l'air abominable, dis-je.

— C'est lui qui l'a voulu. Après tout, il n'a que ce qu'il mérite.

— Je crois que, tout bien considéré, nous avons tous ce que nous méritons, dis-je, mais il n'empêche que ce soit plutôt affreux.

Deux ou trois jours plus tard, nous faisions une promenade, mon ami et moi, flânant le long d'un sentier étroit qui traversait une oliveraie.

— Voilà Wilson, dit soudain mon ami. Ne regardez pas, vous ne feriez que l'effrayer. Poursuivez votre chemin.

Je marchai, le regard baissé, mais du coin de l'œil je vis un homme qui se cachait derrière un olivier. Il ne bougea pas à notre approche, mais je sentis qu'il nous observait. Dès que nous fûmes passés, je l'entendis détaler. Wilson, tel un animal traqué, avait fui en lieu sûr. Je ne devais plus le revoir.

Il est mort l'an dernier. Il avait enduré cette vie pendant six ans. On le trouva un matin sur le flanc de la montagne, étendu bien paisiblement, comme s'il était mort dans son sommeil. De l'endroit où il se trouvait, il avait pu voir ces deux grands rochers qu'on appelle les Faraglioni, qui émergent de la mer. La lune était pleine et il avait dû aller les admirer au clair de lune. Peut-être était-ce la beauté du spectacle qui l'avait achevé.

IMPRIMÉ EN FRANCE PAR BRODARD ET TAUPIN
1356V-5 - Usine de La Flèche.
N° d'édition : 2937
Dépôt légal : novembre 1998